Norman Collett
Sophomore Class
N

Y0-ARS-941

*The Dryden Press*
*Modern Language Publications*

GENERAL EDITOR
FREDERIC ERNST
NEW YORK UNIVERSITY

*Prose*

FRANÇOIS RABELAIS
VOLTAIRE
JEAN-JACQUES ROUSSEAU
PROSPER MÉRIMÉE
HONORÉ DE BALZAC
ANATOLE FRANCE

*Drama*

"LE CUVIER"
MOLIÈRE
GEORGES COURTELINE

*Poetry*

FRANÇOIS VILLON
PIERRE DE RONSARD
JOACHIM DU BELLAY
JEAN DE LA FONTAINE
VICTOR HUGO
ALFRED DE MUSSET
CHARLES BAUDELAIRE
PAUL VERLAINE
PAUL FORT
STUART MERRILL

# PROMENADE LITTÉRAIRE

*Edited by*
FREDERIC ERNST
EUGENE LEBERT
H. STANLEY SCHWARZ
*New York University*

THE DRYDEN PRESS · NEW YORK

*Copyright, 1942, by*
*The Dryden Press, Inc.*
*31 West 54 Street*
*New York 19, N. Y.*

*Drawings by Simon Lissim*

*Designed by Burnshaw*

First printing, July 1942
Second printing, September 1945
Third printing, October 1946
Fourth printing, June 1947
Fifth printing, September 1950

MANUFACTURED IN THE UNITED STATES OF AMERICA

# PREFACE

THIS COLLECTION of varied French literary pieces is not intended to be an anthology. It is conceived essentially as a graded intermediate reader, affording all the reading matter necessary in a second-year class. Yet, the editors have tried to introduce the reader to famous writers and works selected in every century from the fifteenth to the twentieth. However, the "pages choisies" type of collection has been carefully avoided, and each selection in the book is complete in itself and offers esthetic unity as well as unity of interest.

In the process of selection the editors have had in mind what seemed to them to be the interest, the taste, the present curiosity, of freshmen and sophomores in our colleges. All material of typical high-school appeal has been eliminated, and it is hoped that the selections will interest the more mature college student and at the same time serve as an incentive to continue the study of French literature.

Chronological order has been followed, without sacrificing the normal progressive difficulty of the reading material. In order to achieve this progression it has been necessary to commit to a simple modern French style the first passages which are taken from a medieval farce and from Rabelais. For the same reason, Molière's *Bourgeois Gentilhomme* is presented in narrative form with, however, the inclusion of a few scenes taken verbatim from the play itself.

The other selections, from Voltaire, Rousseau, Mérimée, Balzac, Anatole France, Courteline, have been abridged—sometimes very slightly, at other times more radically—in order to reduce the volume to the dimensions of an intermediate reader.

A few simple poems modestly illustrating the evolution of French lyric poetry have been added in order not to disregard entirely this important field of French literature.

Notes dealing with linguistic difficulties or with historical and literary explanations will be found at the bottom of each page. They are more numerous at first, in order to facilitate the student's work at the beginning of the year.

For typographical reasons an exception has been made in the case of the notes on the poetry. These have been gathered separately and follow immediately the reading proper.

Questionnaires have been carefully prepared for each selection. In order to facilitate their use the longer selections have been somewhat arbitrarily divided into several sections which might correspond to the average class assignments.

The vocabulary will be found to be complete and especially designed for the use of students in intermediate French classes. Accordingly all idioms have been cross-indexed and most of the irregular verb forms have been listed.

Short, concise bibliographical notices on each of the authors presented in this collection are given in the Introduction. They are accompanied by the opinions or judgments of some of the greatest of English and American critics or authors concerning the French authors included in this volume.

It is the editors' hope that college students, while enjoying the reading of this textbook, will develop a keen interest in French literature and will be encouraged to pursue their study of this cultural subject.

## TABLE OF CONTENTS

# INTRODUCTION

## *Opinions of Well-Known English and American Writers*

THIS COLLECTION purposes to introduce the reader to some of the great writers of France. It is in no sense an anthology, nor does it claim to give even a fairly representative view of the evolution of French literature. However, the selections which we have chosen will, to some extent, illustrate French literary achievements in the fields of the drama, the short-story, the novel, and poetry throughout the past five centuries.

The editors have refrained from attempting to give in a few words biographical studies and their own critical analyses of the authors presented in this volume. Instead, after indicating a few representative works of each author, they have gathered the judgments of well-known English and American critics and men of letters. They believe that American students who for the first time penetrate the domain of French literature might prefer to know what impression this literature has made on famous writers of their own tongue.

## *Medieval Farce*

The need of laughter is ever present in mankind and its satisfaction assumes many forms. In the field of the theater, Greek and Latin comedies amused people, but their satirical treatment of the political life and manners of the day gave food for thought: they were a pitiless mirror of human nature. For the lighter hours of existence, however, there were coarser comic plays or buffooneries which made people laugh for the simple pleasure of laughing. Anything was used for that purpose: mimicry, slap-stick, puns and jokes, displays of human stupidity in situations that were frequently unbelievable. The lower type of theatrical amusement was warmly appreciated by the common people; it survived the fall of the Roman Empire and pagan civilization, while great comedy suffered an eclipse of several centuries.

The rise of Christianity did not completely check that type of amusement. When indefatigable pious souls staged biblical events in plays requiring several days for a single performance (*mystery plays*), they offered as relaxation some kind of comic interlude named, by analogy, a farce (the basic meaning of the word *farce* is *stuffing*).

Whether played between the acts or as a separate entertainment, farces were very popular. However, out of thousands performed in France from the twelfth to the sixteenth century, hardly more than a score have come down to us in manuscript. The best-known French farces of the fifteenth century are *Le Cuvier* (see page 24) and *Maître Pierre Pathelin*. The latter presents a penniless lawyer, Pathelin, who, after succeeding in buying a few yards of fine cloth on a mere promise of payment, jumps into bed and feigns delirium when Guillaume, the merchant, comes to Pathelin's house to collect his money. Guillaume is temporarily deceived, for he cannot believe that such a sick man could have been in his shop that same day. Later, Guillaume goes to court to complain against his shepherd Agnelet who has killed some of his lambs. He is amazed to see in court Pathelin, clad in the unpaid-for material. Somewhat incoherently, Guillaume explains to the judge the situation of Agnelet's lambs and Pathelin's cloth. The judge, very much confused, questions the shepherd, but the latter, well coached by his lawyer, feigns stupidity and answers every question with a "baa," imitating the bleating of the sheep. The case is dismissed. Pathelin now asks Agnelet for the reward for his services, but Agnelet answers his demands with a series of "baa's." The deceiver has himself been deceived.

The farce did not die after the revival of great comedy in the seventeenth and eighteenth centuries. Molière wrote farces such as *Le Médecin malgré lui*. Some of his great plays contain farcical elements, as, for instance, the *mamamouchi* incident in *Le Bourgeois gentilhomme* (page 69).

The farce is so tenacious that it still amuses people everywhere. We have an example of its modern French form in the play of Courteline, *La Paix chez soi* (page 222).

## *François Villon (1431-1480?)*

Chief poetical works: *Le Petit Testament,* about 1456, *Le Grand Testament,* 1461.

Ford Madox Ford on Villon:

"Villon exemplifies the greatest truth that we can divine from the study of the art of poetry: it is from male suffering supported with dignity that the great poets drew the greatest of their notes—that sort of note of the iron voice of the tocsin calling to arms in the night that forms, as it were, the overtone of their charged words.

"Certainly the ballades are very often quoted, but one could scarcely read too often in a day of disappearing faith the supreme outcry of agonizing Christianity—'The Ballade of Hanged Men.' [*See French text of this poem on page* 32.]

"There may have been more affrighting words than this epitaph to the *codicille* of the *Great Testament,* but the note is the authentic one of the *Inferno* itself, and it was written by a man on what he considered to be the night before his execution. But consider, nevertheless, the sort of equanimity with which it is written, the deliberation of the choice of words, the absence of lamentation, the erectness, as it were, of the man's spine, the lack of any note of despair. And that brings us to the second note of the supreme tragic masterpiece. It will never be harrowing; it will always stimulate. When you read this epitaph you feel none of the sensation of depression and of diminished vitality such as you feel in reading works of an overcharged, piled-up and arbitrary gloom like Tolstoy's *Resurrection.* On the contrary, your heart beats faster and more strongly the moment you have the conception of this ragamuffin and thief, . . . cast for death because of an assault on a priest, and yet, as it were, swinging his ragged cloak arrogantly in the face of destiny and calmly jotting down words which will never die.

"There is, indeed, nothing but stimulation in the thought and, at it, you may well quote in their literal sense Maubougon's immortally ironic words, 'Cela vous donne une fière idée de l'homme.' "[1]

## *François Rabelais (1495?-1553)*

Works: In 1532 appeared the *Grandes et inestimables chroniques du grand et énorme géant Gargantua*; in 1533 his *Pantagruel*; in 1534 his *Gargantua*. In 1535 these were incorporated into a complete work, *Gargantua* forming Book 1 and *Pantagruel* Book 2. Book 3 appeared in 1546 and Book 4 in 1552. A fifth book, published in 1564, is probably the work of another writer.

Arthur Tilley on Rabelais:

"It is characteristic of the very greatest writers that they sum up, with more or less completeness, the thought, the aspirations, and the temper of their age, and this not only for their own country, but for the whole civilized world. Of this select band is Rabelais. He is the embodiment not only of the early French Renaissance, but of the whole Renaissance in its earlier and fresher manifestations, in its devotion to humanism, in its restless and many-sided curiosity, in its robust enthusiasm, in its belief in the future of the human race."[2]

George Saintsbury on Rabelais:

"Rabelais was animated by that lively appetite for enjoyment, business, study, all the occupations of life, which characterized the Renaissance in its earlier stages, in all countries and especially in France. Nor had science of any kind yet been divided and subdivided so that each man could only aspire to handle certain portions of it. Accordingly, Rabelais is prodigal of learning in season

[1] Ford Madox Ford, *The March of Literature*. The Dial Press, 1938, pp. 438-439.

[2] Arthur Tilley, *François Rabelais*. Lippincott, 1907, p. 11.

and out of season. But independently of all this, he had an immense humour, and this pervades the whole book, turning the preposterous adventures into satirical allegories or half allegories irradiating the somewhat miscellaneous erudition with lambent light, and making the whole alive and fresh to this day. . . .

". . . There was in Rabelais a knowledge of human nature, and a faculty of expressing that knowledge in literary form, in which he is inferior to Shakespeare alone. . . .

"Caricatured as his types purposely are, they are all easily reducible to natural dimensions and properties, while occasionally, though all too rarely, the author drops his mask and speaks gravely, seriously, and then always wisely. These latter passages are, it may be added, unsurpassed in mere prose style for many long years after the author's death."[3]

## *Pierre de Ronsard (1524-1585)*

Characteristic works: *Odes; Sonnets; Hymnes; Amours; Mélanges;* 1547-1560. *La Franciade,* 1572, an epic poem.

Curtis Hidden Page on Ronsard:

"Ronsard is one of the few masters of the sonnet. It is probably safe to say that he uses it with more variety of effect than any other poet, and yet without seeming to force its character. He makes it descriptive, epigrammatic, epic, philosophic, elegiac, idyllic, dramatic; he even makes it purely lyrical.

"Then there are the lyrics—lyrics that have almost the cutting pathos of the Greek anthology in its regrets for fleeting youth and life, or the light sincerity of Herrick, or even snatches of that peculiar grace and haunting naturalness of exquisite melody which give to our early Elizabethans the sweetest note in all the gamut of song. Ronsard's mastery of form, in an almost unformed language, is marvellous. He was the first creator of more than a hundred dif-

[3] George Saintsbury, *A Short History of French Literature*. Oxford, The Clarendon Press, 1901, pp. 160-161.

ferent lyric stanzas—the most prolific inventor of rhythms, perhaps, in the history of poetry.

"TO RONSARD

"First celebrant of new-found Poesy,
Singer of life new-born in Europe's spring,
Lover of youth and love, thy passioning
Re-echoes in men's hearts eternally.

"Thy song's tense throbbings thrill us like the cry
Of Music's self that on a breaking string
Weeps the swift Fate of every beauteous thing,
And oh! the tears of it, that youth must die.

"We too are young, Ronsard, and pledge thy name
To-day, O poet of roses, poet of flame,
Poet of youth eternal, poet of Love.

"My own swift-dying youth to thee I give,
To make men know thy living fame, and prove
Thy faith—that youth may die, but Song must live."[4]

## *Joachim du Bellay (1525-1560)*

Works: Essay: *Défense et Illustration de la langue française,* 1549. Poetry: *Recueil,* 1549; *Olive,* 1549; *Antiquités de Rome,* 1558; *Regrets,* 1559.

Although it is no doubt quite unfair to call du Bellay "the poet of one poem," as Walter Pater does in the following lines, we quote this passage because it deals with the poem which the reader will find in this collection.

Walter Pater on du Bellay:

"Du Bellay has almost been the poet of one poem; and this one poem of his is an Italian thing transplanted into that green country of Anjou; out of the Latin verses of Andrea Navagero, into French: but it is a thing in which the matter is almost nothing, and the form

[4] Curtis Hidden Page, *Songs and Sonnets of Pierre de Ronsard.* Houghton Mifflin, 1924, pp. xxxi-xxxii.

is almost everything; and the form of the poem as it stands, written in old French, is all Du Bellay's own. It is a song which the winnowers are supposed to sing as they winnow the corn, and they invoke the winds to lie lightly on the grain. . . .

"That has, in the highest degree, the qualities, the value, of the whole Pleiad school of poetry, of the whole phase of taste from which that school derives—a certain silvery grace of fancy, nearly all the pleasure of which is in the surprise at the happy and dexterous way in which a thing slight in itself is handled. The sweetness of it is by no means to be got at by crushing, as you crush wild herbs to get at their perfume. One seems to hear the measured falling of the fans, with a child's pleasure on coming across the incident for the first time, in one of those great barns of Du Bellay's own country, *La Beauce*, the granary of France. A sudden light transfigures a trivial thing, a weather-vane, a windmill, a winnowing flail, the rust in the barn door; a moment—and the thing has vanished, because it was pure effect; but it leaves a relish behind it, a longing that the accident may happen again."[5]

## *Molière (Jean-Baptiste Poquelin) (1622-1673)*

Most important plays: *Les Précieuses ridicules,* 1659; *L'École des femmes,* 1662; *Don Juan ou le festin de pierre,* 1665; *Le Misanthrope,* 1666; *Le Médecin malgré lui,* 1666; *L'Avare,* 1668; *Tartuffe,* 1669; *Le Bourgeois gentilhomme,* 1670; *Les Fourberies de Scapin,* 1671; *Les Femmes savantes,* 1672; *Le Malade imaginaire,* 1673.

G. L. Strachey on Molière:

"In the literature of France Molière occupies the same kind of position as Cervantes in that of Spain, Dante in that of Italy, Shakespeare in that of England. His glory is more than national—it is universal. Gathering within the plenitude of his genius the widest and the profoundest characteristics of his race, he has risen above the

[5] Walter Pater, *The Renaissance;* 1903, pp. 183-185.
*Studies in Art and Poetry.* Macmillan,

boundaries of place and language and tradition into a large dominion over the hearts of all mankind. . . .

"He was the most unromantic of writers—a realist to the core; and he understood that the true subject of comedy was to be found in the actual facts of human society—in the affectations of fools, the absurdities of cranks, the stupidities of dupes, the audacities of impostors, the humours and the follies of family life. And, like all great originators, his influence has been immense. At one blow, he established Comedy in its true position and laid down the lines on which it was to develop for the next two hundred years.

". . . It is in his characters that Molière's genius triumphs most. His method is narrow, but it is deep. He rushes to the essentials of a human being—tears out his vitals as it were—and, with a few repeated master-strokes, transfixes the naked soul. His flashlight never fails: the affected fop, the ignorant doctor, the silly tradesman, the heartless woman of fashion—on these, and on a hundred more, he turns it, inexorably smiling, just at the compromising moment; then turns it off again, to leave us with a vision that we can never forget. Nor is it only by its vividness that his portraiture excels. At its best it rises into the region of sublimity, giving us new visions of the grandeur to which the human spirit can attain."[6]

## *Jean de la Fontaine (1621-1695)*

Main works: *Contes,* 1664 to 1675; *Fables* (xii Books), 1668 to 1694.

George Saintsbury on La Fontaine:

"La Fontaine's work is considerable, . . . but the *Contes* and the *Fables* are the only works which have held their ground with posterity, and it is upon them that his reputation is justly based.

"The spirit of the Fabliaux had been dead, or at any rate dormant, since Marot and Rabelais; La Fontaine revived it. Even purists, like his friend Boileau, admitted a certain archaism in lighter poetry, and La Fontaine would in all probability have troubled himself

[6] G. L. Strachey, *Landmarks in French Literature*. Holt, 1912, pp. 77; 81; 83-84.

very little if they had not. His language is, therefore, more supple, varied, and racy than even that of Molière, and this is his first excellence. His second is a faculty of easy narration in verse, which is absolutely unequaled anywhere. His third distinguishing point is his power of insinuating, it may be a satirical point, it may be a moral reflection, which is also hardly equalled and as certainly unsurpassed. . . .

"La Fontaine, instead of in the smallest degree degrading the beast-fable, has, on the contrary, exalted it to almost the highest point of which it is capable. . . . It is, indeed, impossible to read the Fables without prejudice and not be captivated by them. As mere narratives they are charming, and the perpetual presence of an undercurrent of sly, good-humoured, satirical meaning relieves them from all charge of insipidity. La Fontaine, like Goldsmith, was with his pen in his hand as shrewd and as deeply learned in human nature as without it he was simple and *naïf*."[7]

## *Voltaire (François-Marie Arouet) (1694-1778)*

Most characteristic works: Poetry: *La Henriade,* 1728 (epic); *Le Mondain,* 1736 (satire). Short-stories or "romans": *Zadig, ou la Destinée,* 1747; *Micromégas,* 1752; *Candide, ou l'Optimisme,* 1759; *L'Ingénu,* 1767. History: *Histoire de Charles XII,* 1731; *Le Siècle de Louis XIV,* 1751; *Essai sur les mœurs,* 1756. Tragedies: *Zaïre,* 1732; *Mérope,* 1743; *Tancrède,* 1760. Philosophy: *Lettres philosophiques,* 1734; *Dictionnaire philosophique,* 1764. Correspondence: over 12,000 letters.

John Viscount Morley on Voltaire:

"When the right sense of historical proportion is more fully developed in men's minds, the name of Voltaire will stand out like the name of the great decisive movements in the European advance, like the Revival of Learning, or the Reformation. The existence, character, and career of this extraordinary person constituted in

[7] George Saintsbury, *A Short History of French Literature.* Oxford, The Clarendon Press, 1901, pp. 254; 255; 256.

themselves a new and prodigious era. The peculiarities of his individual genius changed the mind and spiritual conformation of France, and in a less degree of the whole of the West, with as far-spreading and invincible an effect as if the work had been wholly done, as it was actually aided, by the sweep of deep-lying collective forces. A new type of belief, and of its shadow, disbelief, was stamped by the impression of his character and work into the intelligence and feeling of his own and the following times. We may think of Voltairism in France somewhat as we think of Catholicism or the Renaissance or Calvinism. It was one of the cardinal liberations of the growing race, one of the emphatic manifestations of some portion of the minds of men, which an immediately foregoing system and creed had either ignored or outraged. . . .

"In the realm of mere letters, Voltaire is one of the little band of great monarchs, and in style he remains of the supreme potentates."[8]

## *Jean-Jacques Rousseau (1712-1778)*

Chief works: Philosophical: *Discours sur l'origine et les fondements de l'inégalité parmi les hommes,* 1754; *Le Contrat social,* 1762; *Émile,* 1762. Novel: *Julie, ou la Nouvelle Héloïse,* 1761. Autobiography: *Les Confessions,* written between 1764 and 1770; published 1781-1788.

G. L. Strachey on Rousseau:

"Rousseau was the first . . . to believe—half unconsciously, perhaps, and yet with a profound conviction—that the individual, now, on this earth, and in himself, was the most important thing in the world.

"This belief, no doubt, would have arisen in Europe, in some way or other, if Rousseau had never lived; but it was he who clothed it with the splendour of genius, and, by the passion of his utterance, sowed it far and wide in the hearts of men. In two directions his influence was enormous. His glowing conception of individual dignity

[8] John Viscount Morley, *Voltaire.* Macmillan, 1923, p. 1-2; 7.

and individual rights as adhering, not to a privileged few, but to the whole mass of humanity, seized upon the imagination of France, supplied a new and potent stimulus to the movement towards political change, and produced a deep effect upon the development of the Revolution. But it is in literature, and those emotions of real life which find their natural outlet in literature, that the influence of Rousseau's spirit may be most clearly seen. . . .

"A man's feelings are his very self, and it is around them that all that is noblest and profoundest in our literature seems naturally to centre. A great novelist is one who can penetrate and describe the feelings of others; a great poet is one who can invest his own with beauty and proclaim them to the world. We have come to set a value upon introspection which was quite unknown in the eighteenth century—unknown, that is, until Rousseau, in the most valuable and characteristic of his works, his *Confessions*, started the vast current in literature and in sentiment which is still flowing to-day."[9]

## Victor Hugo (*1802-1885*)

Characteristic works: Poetry: *Les Feuilles d'automne*, 1831; *Les Châtiments*, 1853; *Les Contemplations*, 1856; *La Légende des Siècles*, 1859-1883; *L'Art d'être grand-père*, 1877. Novels: *Notre-Dame de Paris*, 1831; *Les Misérables*, 1862; *Quatre-vingt-treize*, 1874. Drama: *Hernani*, 1830; *Ruy-Blas*, 1838.

Algernon Charles Swinburne on Hugo:[10]

"Poet, dramatist, novelist, historian, philosopher, and patriot, the spiritual sovereign of the nineteenth century was before all things and above all things a poet. . . .

"His spiritual service has been in its inmost essence, in its highest development, the service of a healer and a comforter, the work

[9] G. L. Strachey, *Landmarks in French Literature*. Holt, 1912, pp. 189-190; 192.

[10] The following passage was published on the occasion of Victor Hugo's death, in 1885. Algernon Charles Swinburne, *A Study of Victor Hugo*. Chatto and Windus, London, 1886, pp. 6-7; 8.

of a redeemer and a prophet. Above all other apostles who have brought us each the glad tidings of his peculiar gospel, the free gifts of his special inspiration, has this one deserved to be called by the most beautiful and tender of all human titles—the son of consolation. His burning wrath and scorn unquenchable were fed with light and heat from the inexhaustible dayspring of his love—a fountain of everlasting and unconsuming fire. We know of no such great poet, of no such good man so great in genius: not though Milton and Shelley, our greatest lyric singer and our single epic poet, remain with us for signs and examples of devotion as heroic and self-sacrifice as pure. And therefore it is but simply reasonable that not those alone should mourn for him who have been reared and nurtured on the fruits of his creative spirit: that those also whom he wrought and fought for, but who know him only as their champion and their friend—they that cannot read him, but remember how he labored in their cause, that their children might fare otherwise than they—should bear no unequal part in the burden of this infinite and worldwide sorrow."

## *Alfred de Musset (1810-1857)*

Characteristic works: Poetry: *Premières poésies,* 1829-1835; *Les Nuits,* 1835-1837; *Poésies nouvelles,* 1836-1852. Fiction: *La Confession d'un enfant du siècle,* 1836; *Contes et Nouvelles,* 1838-1853. Drama: *Fantasio,* 1833; *On ne badine pas avec l'amour,* 1834; *Il ne faut jurer de rien,* 1836.

Henry James on Musset:

"He (Musset) was beyond question one of the first poets of our day. If the poetic force is measured by the *quality* of the inspiration—by its purity, intensity and closely personal savour—Alfred de Musset's place is surely very high. He was, so to speak, a thoroughly *personal* poet. He was not the poet of nature, of the universe, of reflection, of morality, of history; he was the poet simply of a certain order of personal emotions, and his charm is in the frankness and freedom, the grace and harmony, with which he expresses these emotions. The affairs of the heart—these were his province; in no other verses has the heart spoken more characteristically. . . .

"He has passion. There is in most poetry a great deal of reflection, of wisdom, of grace, of art, of genius; but (especially in English poetry) there is little of this peculiar property of Musset's. When it occurs we feel it to be extremely valuable; it touches us beyond anything else. . . .

"His verse is not chiselled and pondered, and in spite of an ineffable natural grace it lacks the positive qualities of cunning workmanship. . . . To our own sense Musset's exquisite feeling makes up for one-half the absence of finish, and the ineffable grace we spoke of just now makes up for the other half. His sweetness of passion, of which the poets who have succeeded him have so little, is a more precious property than their superior science. His grace is often something divine; it is in his grace that we must look for his style."[11]

## *Prosper Mérimée (1803-1870)*

Representative works: Novels: *Chronique du règne de Charles IX;* 1829; *La Vénus d'Ille,* 1837; *Colomba,* 1840; *Carmen,* 1845. Short-stories: *Mateo Falcone,* 1829; *L'Enlèvement de la redoute,* 1829; *Tamango,* 1829.

Walter Pater on Mérimée:

"Mérimée, a literary artist, was not a man who used two words where one would do better, and he shines especially in those brief compositions which, like a minute intaglio, reveal at a glance his wonderful faculty of design and proportion in the treatment of his work, in which there is not a touch but counts. That is an art of which there are few examples in English; our somewhat diffuse, or slipshod, literary language hardly lending itself to the concentration of thought and expression, which are of the essence of such writing.

[11] Henry James, *French Poets and Novelists.* Macmillan, 1919, pp. 19-20; **22.**

It is otherwise in French, and if you wish to know what art of that kind can come to, read Mérimée's little romances. . . . .

"In his infallible self-possession, you might fancy him a mere man of the world, with a special aptitude for matters of fact. Though indifferent in politics, he rises to social, to political eminence; but all the while he is feeding all his scholarly curiosity, his imagination, the very eye, with the, to him ever delightful, relieving, reassuring, spectacle of those straightforward forces in human nature, which are also matters of fact. There is the formula of Mérimée! the enthusiastic amateur of rude, crude, naked forces in men and women wherever it could be found; himself carrying ever, as a mask, the conventional attire of the modern world—carrying it with infinite, contemptuous grace, as if that, too, were an all-sufficient end in itself."[12]

## *Honoré de Balzac (1799-1850)*

Representative titles from *La Comédie Humaine:* Scenes of private life: *Le Colonel Chabert,* 1832; *Le Père Goriot,* 1835. Scenes of provincial life: *Le Curé de Tours,* 1832; *Eugénie Grandet,* 1833; *Ursule Mirouet,* 1841. Scenes of Parisian life: *César Birotteau,* 1837; *Le Cousin Pons,* 1847. Scenes of military life: *Les Chouans,* 1829. Scenes of country life: *Le Curé de village,* 1839; *Les Paysans,* 1844. Philosophical studies: *La Recherche de l'absolu,* 1834.

George Moore on Balzac:

"The works of no other writer offer so complete a representation of the spectacle of civilised life as the Human Comedy. That sensation of endless extent and ceaseless agitation, which is life, the Human Comedy produces exactly. If we think of its fifty volumes, we are impressed with the same perplexed sense of turmoil and variety as when we climb out of the slum of personal interest and desires, and from a height of the imagination look down upon life, seeing image succeeding image and yet things remaining the same, seeing things tumbling forward, hastening always, passing away,

[12] Walter Pater, *Miscellaneous Studies,* Macmillan, 1924, pp. 14; 31.

and leaving no trace. The Human Comedy justifies its name; it is the only literature that reproduces the endless agitation and panoramic movement of civilised life. To do this may not be the final achievement, the highest artistic aim: I contest not the point, I state a fact: alone among writers Balzac has succeeded in doing this.

"Balzac's empire is wider than Shakespeare's; his subjects are more numerous, and his sovereignty not quite so secure. But between him and any other writer working in prose fiction there is little comparison. He peopled his vast empire with surely a greater number of souls and ideas than did Dickens or Thackeray, or Fielding, or George Eliot, or Turgueneff, or Tolstoï. On this point there can be no difference of opinion; and he spoke truly when he said: 'The world belongs to me because I understand it.' To me there is more wisdom and more divine imagination in Balzac than in any other writer; he looked further into the future than human eyes could see; and that I am finishing these pages with tears in my eyes, that I have written so many upon five or six short stories, and could have written as many more, so rich in thought is his very slightest page, is a tribute to his genius, if such a rushlight as myself may pay tribute to such a miracle of glory as he."[13]

## *Charles Baudelaire (1821-1867)*

Main works: Poetry: *Les Fleurs du mal,* 1857; *Poèmes* and *Petits poèmes en prose,* 1861-1862. Translations from Edgar Allan Poe: *Histoires extraordinaires,* 1856; etc. Essays: *Salons; Delacroix; Théophile Gautier; Richard Wagner;* etc.

James Huneker on Baudelaire:

"Music, spleen, perfumes—'color, sound, perfumes call to each other as deep to deep; perfumes like the flesh of children, soft as hautboys, green like the meadows'—criminals, outcasts, the charm of childhood, the horrors of love, pride, and rebellion, Eastern landscapes, cats, soothing and false; cats, the true companions of

[13] George Moore, *Impressions and Opinions.* Brentano, 1913, pp. 3-4; 42.

lonely poets; haunted clocks, shivering dusks, and gloomier dawns —Paris in a hundred phases—these and many other themes this strange-souled poet, this 'Dante, pacer of the shore,' of Paris has celebrated in finely wrought verse and profound phrases. In a single line he contrives atmosphere; the very shape of his sentence, the ring of the syllables, arouses the deepest emotion. A master of harmonic undertones is Baudelaire. His successors have excelled him in making their music more fluid, more singing, more vaporous—all young French poets pass through their Baudelairian greensickness—but he alone knows the secrets of moulding those metallic, free sonnets, which have the resistance of bronze; and of the despairing music that flames from the mouths of lost souls, trembling on the wharves of hell. He is the supreme master of irony and troubled voluptuousness.

"Baudelaire is a masculine poet. He carved rather than sang; the plastic arts spoke to his soul. A lover and maker of images. Like Poe, his emotions transformed themselves into ideas. . . . He had an unassuaged thirst for the absolute. The human soul was his stage, he its interpreting orchestra."[14]

## *Paul Verlaine (1844-1896)*

Representative works: *Poèmes saturniens,* 1866; *Fêtes galantes,* 1869; *La bonne chanson,* 1870; *Romances sans paroles,* 1874; *Sagesse,* 1881.

Harold Nicolson on Verlaine:

"A sudden sense of intimacy is attained by the skilful use of association, by the vivid insertion of inanimate objects, trivial in themselves, but at the same time significant with derived emotions.

"The device of association is not, however, the only method by which Verlaine attains to the peculiar intimacy of his manner. He secures a similar effect by the garrulous confidences of his poems, by the way in which he renders the casual moods and habits of his life interesting and emotional. The troubles and pleasures of his

[14] James Huneker, *Essays.* Scribner, 1932, pp. 193-194.

daily experience, the rain and the sunshine, some trees shivering in a January wind, the warm feel of a south wall, the rattle of a train at night-time, the flare of gas-jets at street corners, the music of a merry-go-round, the silence of white walls, the drip of rain-drops upon the tiles;—all these are set to plaintive music, are made to become an emotional reality. . . .

"He knew full well that his peculiar poetic quality was not attuned to the grandiose, he knew that the deeper emotions would always elude him, and he preferred, therefore, to deal with the more incidental sensations, and to reflect in them the passions and tragedies in which his life was involved. In this he was abundantly right: the minor key can convey its message only by the indirect method; in order to be wistful one must above all be elusive. . . .

"At its best, his gift for treating emotionally the casual sensations of the moment is unequalled, and its influence on French poetry was to be immense."[15]

## *Anatole France (Jacques Anatole Thibault) (1844-1924)*

Representative works: Novels: *Le Crime de Sylvestre Bonnard,* 1881; *Le Livre de mon ami,* 1885; *Thaïs,* 1890; *La Rôtisserie de la reine Pédauque,* 1893; *Histoire contemporaine,* 1896-1901; *L'Ile des pingouins,* 1908; *Les Dieux ont soif,* 1912. Short stories: *L'Étui de nacre,* 1892; *Crainquebille, Putois, Riquet et plusieurs autres récits profitables,* 1904. Philosophical literature: *Le Jardin d'Épicure,* 1895. Criticism: *La Vie littéraire,* 1889-1892.

James Huneker on Anatole France:

"Never syncopated, moving at a moderate *tempo,* smooth in his transitions, replete with sensitive rejections, crystalline in his diction, a lover and a master of large luminous words, limpid and delicate and felicitous, the very marrow of the man is in his unique style. Few writers swim so easily under a heavy burden of erudi-

[15] Harold Nicolson, *Paul Verlaine.* Constable Limited, 1920, pp. 241-242.

tion. A loving student of books, his knowledge is precise, his range wide in many literatures. He is a true humanist. He loves learning for itself, loves words, treasures them, fondles them, burnishes them anew to their old meanings—though he has never tarried in the half-way house of epigram. But, over all, his love of humanity sheds a steady glow. Without marked dramatic sense, he nevertheless surprises mankind at its minute daily acts. And these he renders for us as candidly 'as snow in the sunshine'; as the old Dutch painters stir our nerves by a simple shaft of light passing through a half-open door, upon an old woman polishing her spectacles. M. France sees and notes many gestures, inutile or tragic, notes them with the enthralling simplicity of a complicated artist. He deals with ideas so vitally that they become human; yet his characters are never abstractions, nor serve as pallid allegories; they are all alive. . . . He is an interpreter of life, not after the manner of the novelist, but of life viewed through the temperament of a tolerant poet and philosopher. . . .

"An art, ironical, easy, fugitive, divinely untrammelled, divinely artificial, which, like a pure flame, blazes forth in an unclouded heaven . . . *la gaya scienza;* light feet; wit; fire; grace; the dance of the stars; the tremor of southern light; the smooth sea—these Nietzschean phrases might serve as an epigraph for the work of the apostle of innocence and experience, Anatole France."[16]

## *Georges Courteline (Georges Moinaux) (1861-1929)*

Representative works: Comedies and Farces: *Boubouroche,* 1893; *Un Client sérieux,* 1896; *La Paix chez soi,* 1903; *Les Gaîtés de l'escadron,* 1905. Short Stories: *Madelon, Margot et Cie,* 1890; *Messieurs les Ronds de Cuir,* 1893; *Le Train de 8 heures 47,* 1905.

Francis Hackett on Courteline:

"The farces of Georges Courteline did not exist for me till I went

[16] James Huneker, *op. cit.,* pp. 228-229; 246.

to see *Boubouroche* performed by the Theatre Guild, but now I am a happier and wiser man. Most farces, as a rule, have but one purpose, to make you laugh. Anxious theatrical promoters stand in the wings while comical incidents are multiplied on the stage, and nothing allays the promoter's anxiety except a huge number of laughs. These men register mirth on a chart. . . . In the world of successful American farce a dirty dollar bill is as good as a clean bill, and a laugh is a laugh.

"With Georges Courteline, apparently, the farce has a rather different intention. He applies it not to the physical conduct of his people, which is quite restrained, but to the human folly they illustrate. That main folly, in Boubouroche, is the illusion of love. M. Courteline knows very well that all love is not equally blind, but what gives him his farce is one cleverly chosen situation built around an amiable numskull, and so he enables us to take sweet vengeance on the fatuity of love.

"It is, of course, a caricature, but is one of those easy, irreverent, ironical caricatures which shows a quite wonderful knowledge of life."[17]

## *Paul Fort (1872- )*

Representative works: Poetry: *Plusieurs choses,* 1894; *Il y a là des cris,* 1895; *Les Idylles antiques,* 1900; *Ballades françaises,* 1897-1938.

J. K. Rooker on Paul Fort:

"There is a difficulty, and a serious one, which immediately confronts the critic—it is the universality of Paul Fort's appeal. Nothing seems foreign to his sympathy: he meets life at every point, and in his verse jots down his impressions. . . .Yet, however great the variety may be, however vagrant the poet's caprice, in all he writes is felt a subtle charm emanating from the man. This is an individual gift, which by no means every poet possesses,

[17] This passage is taken from an article by Mr. Hackett written after the performance of *Boubouroche* by the Theatre Guild of New York in December, 1921. "After the Play," *The New Republic,* Dec., 1921, p. 104.

and often not even the greatest, but one, nevertheless, of the most pleasing of which a poet can boast. . . .

"It will not be useless repetition to emphasize again the variety of thought and feeling which is seen in his poetry; there is, indeed, expressed a wealth of sympathy with man and the material world that is unique in modern verse; though perhaps this diffusion of sentiment is of necessity weaker and less intense than more concentrated passion.

"Lastly, the rhythmic prose with the irregular rhymes, in which form the *Ballades françaises* are written, claim for Paul Fort the merit of introducing a new style into French literature. Here again the astonishing variety of modulation and tone, the sinuous grace of the strophes, and the harmony realized between the thought and the expression is that which strikes the reader most keenly.

"In this poetry we hear all—from the 'wailful sweetness of the violin' to the gay song of the flutes and the reed pipes."[18]

## *Stuart Merrill (1863-1915)*

Representative works: Poetry: *Les Gammes,* 1887; *Les Fastes,* 1891; *Petits poèmes d'automne,* 1895; *Les quatre Saisons,* 1900.

Stuart Merrill was born in Hempstead, Long Island. He spent most of his life in France and died in Versailles. His contribution to the French symbolistic school of poetry and to the school of free verse was considerable. Because Merrill was an American who wrote in French, we have thought that the reader would be interested in the following judgment of Merrill's work by a famous French critic, Remy de Gourmont. The quotation is a translation from a passage in Gourmont's *Le Livre des Masques.*

Remy de Gourmont on Merrill:

"The poet of *Les Fastes* expresses, by the very choice of that word, the splendid frankness of a rich soul, of a soul endowed with

[18] J. K. Rooker, "Paul Fort: Ballades françaises." *The North American Review,* April, 1914, pp. 601; 608.

full-fledged talent. His verses, somewhat glittering, somewhat noisy, burst forth and resound most appropriately in conjunction with holidays and occasions of pompous display. . . .

"After such blatant trumpet-sounds came the *Petits poèmes d'automne*, the whir of the spinning-wheel, the chime of a bell, a flute-like tone, tenuous as moonlight: it is akin to drowsiness or to a dream saddened by the silence of things and the uncertainty of time:

> C'est le vent d'automne dans l'allée,
> Sœur, écoute, et la chute sur l'eau
> Des feuilles du saule et du bouleau
> Et c'est le givre dans la vallée, . . .

"And thus, in Stuart Merrill we discover the contrast and the struggle between a fiery temperament and a very gentle heart, and according to the predominance of either of the two natures, we hear now the din of the brasses, now the sweet murmur of the violas. So, also, does his technique vary . . . from Parnassian inflexibility to the *verso suelto* of the new schools. Free verse, which favors original talents, but which is a stumbling-block for others, would naturally attract a poet so genuinely endowed, possessed of so original an intelligence.

"Mr. Stuart Merrill did not embark in vain, the day he decided to cross the Atlantic to pay court to proud French poetry and place a flower in her hair."[19]

[19] Remy de Gourmont, *Le Livre des Masques*. Mercure de France, 1923, pp. 223; 224; 225.

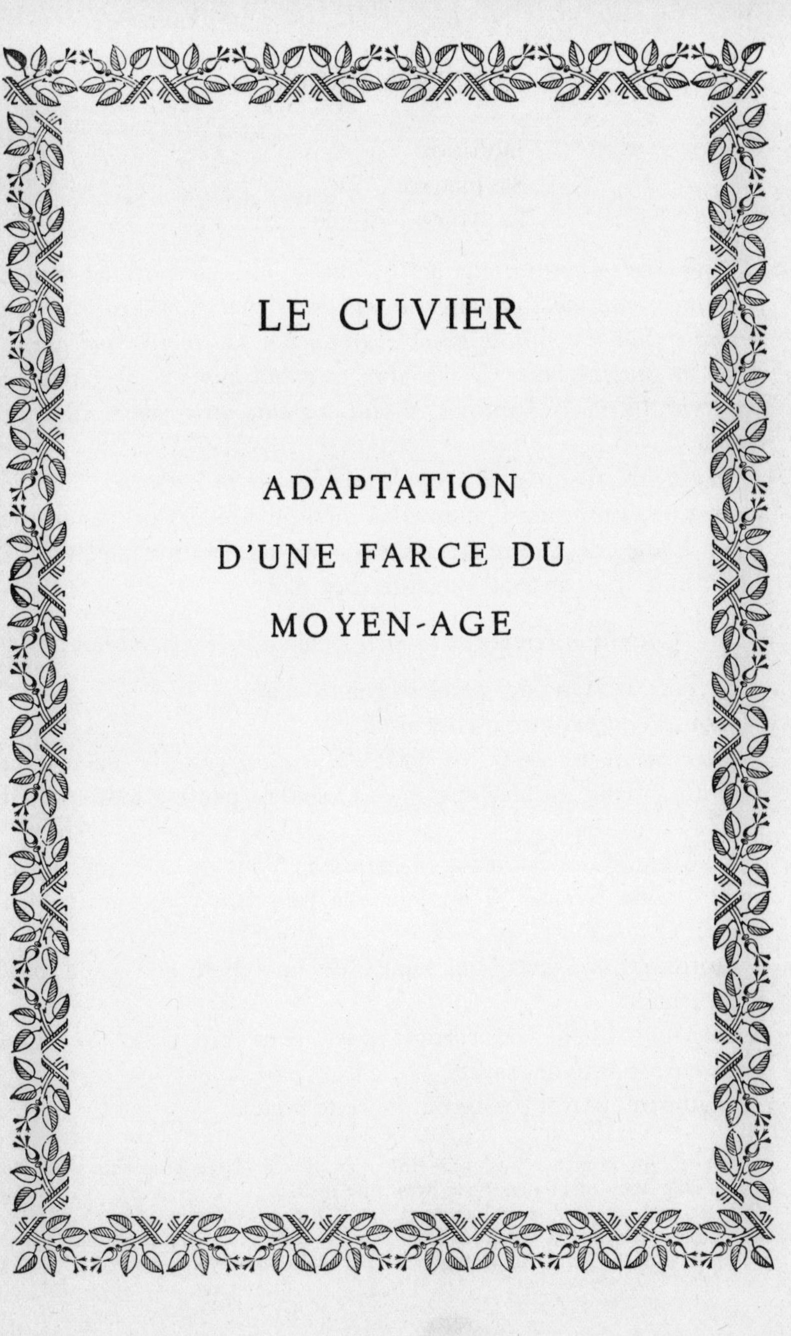

# LE CUVIER

## ADAPTATION D'UNE FARCE DU MOYEN-AGE

## PERSONNAGES

Jaquinot
Sa Femme
La Mère de sa Femme

*Une grande salle. A droite, porte d'entrée; puis, devant une grande cheminée, une table entourée de quelques chaises et escabeaux en désordre. Sur un coin de la table un encrier où trempe une plume d'oie. A gauche, porte de chambre et grand baquet (ou cuvier).*[1] *Au lever du rideau Jaquinot est seul et essuie un escabeau d'un air rageur.*

Jaquinot. Assurément c'est le diable qui m'a donné l'idée de me marier. Entre ma femme et sa mère je n'ai pas un instant de repos. L'une crie, l'autre grogne; l'une maudit, l'autre tempête . . . Mais, je le jure, je serai le maître chez moi . . .

*Entrent la femme et sa mère, venant de la chambre.*

Sa Femme. Que de[2] paroles! Taisez-vous!

Jaquinot. Qu'est-ce qu'il y a?

Sa Femme. Ce qu'il y a! (*Montrant d'un geste le ménage en désordre.*) Tout est à refaire . . . Quand je pense à tout ce qu'il faut[3] à la maison!

La Mère. C'est honteux! (*à Jaquinot*) Vous ne savez même pas obéir à votre femme. Si un jour elle vous bat, vous l'aurez bien mérité.

Jaquinot, *toussant.* Hm! Hm! C'est une chose que je ne souffrirai jamais.

La Mère. Si elle vous corrige, ce sera pour votre bien.[4] C'est une preuve d'amour, vous savez.

Jaquinot. Je n'ai pas besoin de cette preuve.

[1] *cuvier* An immense wash-tub—In the middle ages the soiled linen was kept accumulating for several months, and there were only a few important washing days a year. Accordingly a tub of very large proportions had to be used.

[2] *Que de* = *Combien de*

[3] *ce qu'il faut* that is needed

[4] *votre bien* your own good

LA MÈRE. Alors, faites ce que votre femme vous commande.

JAQUINOT. Elle commande trop de choses à la fois. Je ne peux pas tout me rappeler.

LA MÈRE. Alors pourquoi n'écrivez-vous pas sur une feuille de papier tout ce qu'elle vous dit de faire? Avec ce rollet[5] vous n'oublierez pas si facilement.

JAQUINOT. Bonne idée! (*Il prend une feuille de papier dans le tiroir de la table et s'assied devant l'encrier.*) Je vais commencer à écrire.

SA FEMME. Ecrivez lisiblement . . . Vous m'obéirez toujours et ne me désobéirez jamais. Vous ferez toutes mes volontés.

JAQUINOT. Si elles sont raisonnables.

SA FEMME. Ne m'énervez pas . . . Vous vous lèverez le premier pour faire le travail.

JAQUINOT. Ah non! je m'y oppose. Pourquoi me lèverais-je le premier?

SA FEMME. Pour faire chauffer ma robe.

JAQUINOT, *moqueur*. Est-ce la nouvelle mode?

LA MÈRE, *d'un ton sec*. Ecrivez.

SA FEMME, *menaçante*. Mettez ce que je vous dis, Jaquinot.

JAQUINOT, *radouci*. Attendez un peu . . . J'en suis encore au[6] premier mot. Vous allez trop vite.

LA MÈRE. La nuit, si le bébé se réveille, (cela arrive souvent), il faudra vous lever pour le bercer, le promener et prendre soin de lui.

JAQUINOT. Tout le plaisir est pour moi!

SA FEMME. Ecrivez donc.

JAQUINOT. Ma feuille est déjà pleine. Je ne peux plus rien y mettre.

SA FEMME. Ecrivez ou je vous frotte les oreilles.[7]

JAQUINOT. Alors, je vais tourner la page. (*Les deux femmes se rapprochent de lui et se placent l'une à sa droite, l'autre à sa gauche. Elles parlent très vite et se coupent la parole.*[8])

[5] *rollet* (obsolete) scroll—A long piece of paper which can be rolled up and on which many items can be listed.

[6] *J'en suis encore au* I haven't gone beyond the

[7] *je vous frotte les oreilles* I shall box your ears

[8] *se coupent la parole* = *s'interrompent*

La Mère. Dépêchez-vous donc, Jaquinot! Il faudra boulanger, laver . . .

Sa Femme. Faire le pain et chauffer le four . . .

La Mère. Aller, venir, trotter, courir . . .

Sa Femme. Faire le lit de bon matin;[9] autrement vous serez battu . . .

La Mère. Et puis préparer le pot-au-feu et tenir la cuisine propre . . .

Jaquinot. S'il faut que je mette tout cela, il faudra le répéter mot à mot.

*Les deux femmes dictent très lentement.*

La Mère. Boulanger.

Sa Femme. Laver.

Jaquinot. Laver quoi?

La Mère. La vaisselle.

Jaquinot. Pas si vite, je vous prie. (*Ecrivant.*) La vais-sel-le.

Sa Femme. Et le linge de notre bébé.

Jaquinot. Joli métier pour un homme!

Sa Femme. Avez-vous honte de ce travail? Vous êtes bête.

Jaquinot. Je jure que je ne le ferai pas.

Sa Femme. Alors je vous battrai comme plâtre.[10]

Jaquinot. Hélas! je ne discute plus. Vous le voyez, j'écris . . .

Sa Femme. Cela fait plaisir de vous voir si raisonnable. Il ne reste que deux choses à écrire. Il faudra mettre le ménage en ordre et m'aider à tordre la lessive auprès du cuvier. Ecrivez.

Jaquinot. C'est fait . . .

La Mère. Alors, signez, dépêchez-vous.

Jaquinot, *lentement.* Signé: Jaquinot. (*A sa femme.*) Faites bien attention de ne pas le perdre. Car j'ai décidé de ne pas faire autre chose que ce qu'il y a sur mon rollet. (*Il dépose le rollet sur la table.*)

La Mère. Tenez bien les promesses que vous avez faites. (*Se dirigeant vers la porte de droite.*) Au revoir.

[9] *de bon matin = de bonne heure = très tôt*
[10] *comme plâtre* to a pulp

Sa Femme. Merci, ma mère. Dieu vous garde! (*A son mari.*) Venez par ici. Une bonne suée vous fera du bien. Nous allons tordre la lessive.

Jaquinot. Je ne sais pas ce que vous voulez faire.

Sa Femme. Ne faites donc pas l'imbécile![11] Nous allons tirer le linge du cuvier.

Jaquinot. Ce n'est pas sur mon rollet. (*Il prend le rollet.*)

Sa Femme. Non? Tenez, lisez cette ligne.

Jaquinot. Vous avez raison. Je vais vous aider. (*Il remet le rollet sur la table. Les deux se placent de chaque côté du cuvier.*)

Sa Femme. Attrapez ce bout-là et tirez fort.

Jaquinot. Ce drap ne sent pas la rose![12]

Sa Femme. Si vous m'énervez, je vous le jetterai à la figure.

Jaquinot. Vous ne feriez pas une chose pareille.

Sa Femme, *lui jetant le drap à la figure.* Sentez-le d'un peu plus près. (*Elle éclate de rire.*)

Jaquinot, *piteusement.* Vous m'avez trempé mes habits . . .

Sa Femme, *riant toujours.* Cela vous apprendra à faire votre travail sans grogner. Recommençons. Voilà votre bout. Tirez fort. (*Jaquinot tire brusquement et la femme tombe dans le cuvier.*) Mon Dieu, ayez pitié de ma pauvre âme. Jaquinot, secourez votre femme. Tirez-moi de ce baquet.

Jaquinot, *prenant son rollet.* Ce n'est pas sur mon rollet.

Sa Femme. Mon bon mari, sauvez-moi la vie. Je vais m'évanouir. Donnez-moi la main.

Jaquinot. Ce n'est pas sur mon rollet. (*Il lit lentement.*) Boulanger, laver.

Sa Femme. Mon sang se glace. Je vais mourir.

Jaquinot, *lisant lentement.* Aller, venir, trotter, courir, faire le pain, chauffer le four.

Sa Femme. Vous êtes plus cruel qu'un chien.

Jaquinot, *même jeu.* Faire le lit de bon matin. Préparer le pot-au-feu et tenir la cuisine propre.

[11] *Ne faites donc pas l'imbécile = Ne parlez pas (n'agissez pas) comme un imbécile.*

[12] *ne sent pas la rose = n'a pas l'odeur des roses = ne sent pas bon*

SA FEMME. Appelez donc ma mère.

JAQUINOT. J'ai lu tout ce qu'il y a sur ce papier. Je vous assure que ce n'est pas sur mon rollet. (*Il remet le rollet sur la table.*)

SA FEMME. Pourquoi n'est-ce pas écrit?

JAQUINOT. Parce que vous ne l'avez pas dit. (*On frappe à la porte de droite.*) Qui est là?

LA MÈRE, *de l'extérieur.* C'est moi, votre mère. (*Jaquinot va lui ouvrir la porte. Elle entre en disant:*) Je viens voir comment tout le monde se porte.[13]

JAQUINOT, *moqueur.* Tout va bien. Votre fille se noie dans le cuvier. Au lieu de travailler sérieusement, elle riait en tordant son linge. Alors elle est tombée dans le cuvier.

SA FEMME. Je suis morte si vous ne venez pas à mon secours. Je n'ai plus la force de me relever.

LA MÈRE, *déjà près du cuvier.* Allons, Jaquinot, dépêchez-vous, donnez-moi un coup de main.[14]

JAQUINOT, *se dirigeant vers le rollet.* Ce n'est pas sur mon rollet.

LA MÈRE. Laisserez-vous mourir votre femme?

JAQUINOT. Je ne veux pas être son valet.

LA MÈRE. Aidez-moi donc à la relever.

JAQUINOT. Si elle promet que je serai le maître chez moi.

SA FEMME. Je vous le promets de bon cœur.

JAQUINOT. Vous tiendrez votre promesse?

SA FEMME. Je serai votre servante. Je ferai tout le ménage et je ne vous commanderai que s'il le faut.

JAQUINOT. Je serai donc le maître chez moi, puisque ma femme l'accorde. (*Jaquinot et la mère relèvent la femme et l'aident à sortir du cuvier.*) Que faut-il faire de ce rollet?

SA FEMME. Donnez-le-moi. (*Elle le déchire et dit:*) Il va me servir à allumer le feu. J'ai grand besoin de me réchauffer. Je suis trempée comme une soupe.[15]

LA MÈRE, *hochant la tête.* Un ménage où il y a de la discorde ne saurait réussir.

FIN

[13] *se porte* is getting along

[14] *donnez-moi un coup de main* lend me a hand; help me

[15] *trempée comme une soupe* soaked through and through—The expression derives from the French custom of pouring the soup over slices of bread (*tremper la soupe*).

## QUESTIONNAIRE

1. Qu'est-ce qu'un cuvier?
2. De quoi se plaint Jaquinot?
3. Qu'est-ce qu'il se promet?
4. De quoi se plaint la femme de Jaquinot?
5. De quoi le menace sa belle-mère?
6. Pourquoi la femme battrait-elle Jaquinot?
7. Quelle excuse Jaquinot a-t-il trouvée pour ne pas obéir?
8. Quel conseil la belle-mère donne-t-elle?
9. Qu'est-ce qu'un rollet?
10. Quels sont les devoirs domestiques que Jaquinot accepte de remplir?
11. Jaquinot écrit-il de bonne volonté?
12. Quelle excuse trouve-t-il pour s'arrêter d'écrire?
13. Qu'est-ce qu'il refuse d'écrire?
14. Pourquoi cède-t-il?
15. Que déclare-t-il après avoir tout écrit?
16. Qu'est-ce que sa femme lui demande de faire?
17. Pourquoi Jaquinot refuse-t-il tout d'abord?
18. Où se placent Jaquinot et sa femme?
19. Pourquoi Jaquinot proteste-t-il de nouveau?
20. Pourquoi sa femme éclate-t-elle de rire?
21. Pourquoi Jaquinot tire-t-il le drap brusquement?
22. Qu'arrive-t-il?
23. Pourquoi Jaquinot refuse-t-il d'aider sa femme?
24. Qui revient à l'improviste?
25. Qu'est-ce que Jaquinot exige avant d'aider sa femme?
26. Que promet la femme?

# FRANÇOIS VILLON

## Ballade des Pendus

(*Vieux français*)

I

Freres humains qui apres nous vivez,
N'ayez les cueurs contre nous endurcis,
Car se pitié de nous povres avez,
Dieu en aura plus tost de vous mercis.
Vous nous voiez cy attachez cinq six:
Quant de la chair, que trop avons nourrie,
Elle est pieça devorée et pourrie,
Et nous, les os, devenons cendre et poudre.
De nostre mal personne ne s'en rie;
Mais priez Dieu que tous nous veuille absouldre!

II

Se freres vous clamons, pas n'en devez
Avoir desdaing, quoy que fusmes occis
Pas justice. Toutesfois, vous savez
Que tous hommes n'ont pas bon sens rassis;
Excusez nous, puis que sommes transis,
Envers le fils de la Vierge Marie,
Que sa grace ne soit pour nous tarie,
Nous preservant de l'infernale fouldre.
Nous sommes mors, ame ne nous harie;
Mais priez Dieu que tous nous veuille absouldre!

III

La pluye nous a debuez et lavez,
Et le soleil dessechiez et noircis:
Pies, corbeaulx, nous ont les yeux cavez,
Et arrachié la barbe et les sourcis.
Jamais nul temps nous ne sommes assis;
Puis çà, puis là, comme le vent varie,
A son plaisir sans cesser nous charie,
Plus becquetez d'oiseaulx que dez a couldre.

Ne soiez donc de nostre confrairie;
Mais priez Dieu que tous nous veuille absouldre!

### Envoi

Prince Jhesus, qui sur tous a maistrie,
Garde qu'Enfer n'ait de nous seigneurie:
A luy n'ayons que faire ne que souldre.
Hommes, icy n'a point de moquerie;
Mais priez Dieu que tous nous veuille absouldre!

[*For notes see page 245.*]

## Ballade des Pendus

*(Modern French Transcription)*[1]

I

Frères humains qui après nous vivez
N'ayez les cœurs contre nous endurcis,
Car, si pitié de nous pauvres avez
Dieu en aura plus tôt de vous merci.
Vous nous voyez ici attachés cinq, six.
Quant à la chair que nous avons trop nourrie
Elle est déjà dévorée et pourrie,
Et nous, les os, devenons cendre et poussière.
De notre mal, que personne n'en rie;
Mais priez Dieu qu'il nous veuille tous absoudre!

II

Si nous vous appelons nos frères, vous ne devez pas
En avoir du dédain, bien que nous ayons été tués
Par la Justice. Car vous savez bien
Que tous les hommes n'ont pas un ferme bon sens;
Excusez-nous, puisque nous sommes morts,
Envers le fils de la Vierge Marie,
Afin que sa grâce envers nous ne se tarisse pas,
Et qu'elle nous préserve de la foudre infernale.
Nous sommes morts, que personne ne nous tourmente;
Mais priez Dieu qu'il nous veuille tous absoudre!

[1] By Louis Cons, published with the permission of Henry Holt and Company.

III

La pluie nous a lessivés et lavés,
Et le Soleil desséchés et noircis;
Pies et corbeaux nous ont fouillé les yeux,
Et arraché la barbe et les sourcils.
Jamais, jamais nous ne sommes en repos;
De çà de là, à mesure qu'il change
Le vent nous charrie sans cesse à son plaisir,
Plus piquetés de coups de bec qu'un dé à coudre n'est piqueté de trous.
Ne soyez donc de notre confrérie
Mais priez Dieu qu'il nous veuille tous absoudre!

Envoi

Prince Jésus qui sur tous a maîtrise,
Empêche que l'Enfer n'ait droit de seigneur sur nous:
Qu'avec l'Enfer nous n'ayons rien à faire ni à régler.
Hommes, ici il n'y a point sujet à moquerie;
Mais priez Dieu qu'il nous veuille tous absoudre!

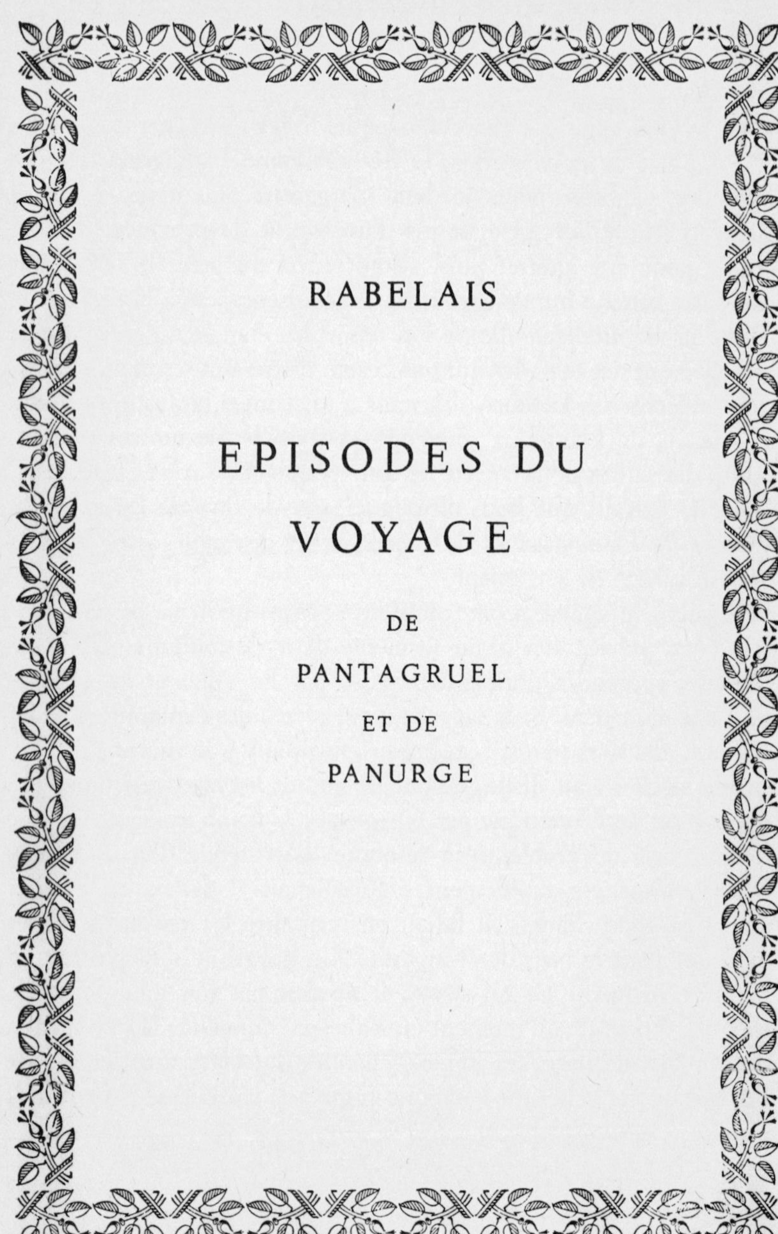

RABELAIS

# EPISODES DU VOYAGE

DE

PANTAGRUEL

ET DE

PANURGE

De 1533 à 1564 ont paru cinq petits livres[1] où l'on racontait les exploits de deux géants, le très renommé Pantagruel, roi des Dipsodes,[2] et son père, le bon Gargantua. L'auteur, François Rabelais (1495?-1553) était fils d'un avocat de province; il avait étudié pour être prêtre; puis, s'étant épris du grec, il s'était fait connaître comme humaniste; enfin il s'était consacré à la médecine. Toute la vie intellectuelle de son temps lui était familière. Pour le soulagement des malades qui ont besoin d'être amusés et aussi pour faire réfléchir ses lecteurs, il a mêlé à ses contes fantastiques toute sa science, de nombreux souvenirs personnels, de grosses plaisanteries, des satires de la société de son époque et des rêves utopiques. Dans les extraits que nous offrons ici, sous le titre de *Episodes du Voyage de Pantagruel et de Panurge,* on distingue assez bien la grande variété de son talent.

Rabelais lui-même a tant aimé les voyages qu'il n'a pu se fixer.[3] Il a donc prêté à son géant le même désir de toujours voir et de toujours apprendre. Pantagruel passe par les villes et les villages où Rabelais a vécu. Si le savant auteur rêve à des explorations, il en attribue, dans ses livres, l'exécution imaginaire à ses héros.

Son siècle s'était distingué par de grands voyages maritimes. La découverte de l'Amérique par Christophe Colomb avait ouvert une longue série de problèmes à résoudre. L'existence d'un Nouveau Monde avait été rapidement établie; mais il fallait en étudier l'étendue et les limites; il fallait en connaître les ressources et les exploiter pour le bien de l'humanité. Ce travail ne s'est pas fait en un jour, ni même en un siècle: il ne s'est pas fait non plus sans théories. En 1548, au moment où Rabelais commença la publication de son *Quart*[4] *livre,* les lignes générales des côtes américaines de l'Atlantique et celles du Pacifique jusqu'à la Californie étaient déjà

[1] The work is known as *Les cinq livres de F. Rabelais.* It contains *La vie de Gargantua* (First Book) and *La vie de Pantagruel* (2d, 3d, 4th and 5th Books).

[2] *Dipsodes* An imaginary people—The word is derived from the Greek, and could be translated "the thirsty."

[3] *se fixer* to settle down

[4] *Quart* (obsolete) = *Quatrième*

connues. Pourtant on continuait à penser qu'entre l'Amérique du Nord et la mer Glaciale[5] il existait[6] une mer toujours ouverte à la navigation. Par ce «passage du Nord-Ouest» on croyait pouvoir arriver plus rapidement en Chine.

C'est dans cette direction que Rabelais fait voyager Pantagruel, Panurge et ses compagnons. Partis de Saint-Malo,[7] ils s'arrêtent dans quelques îles . . . Si les noms de certaines de ces terres rappellent parfois aux savants des noms géographiques, la description des habitants est de pure fantaisie: ils sont généralement destinés à déguiser la satire que veut faire Rabelais[8] de la société française du seizième siècle.

## *Episodes du Voyage de Pantagruel et de Panurge*

Panurge avant de devenir le compagnon habituel du géant Pantagruel avait été le type de l'étudiant bohême. Il avait découvert soixante-trois manières de trouver de l'argent, dont la plus commune était par larcin furtif. Pourtant, son caractère avait changé avec l'âge et la richesse, comme nous le verrons. Il songea à se marier et interrogea toute une série de personnages sur les avantages et les inconvénients que le mariage pourrait avoir pour lui. N'ayant pas obtenu de réponse satisfaisante, il supplia son bienfaiteur et ami de vouloir bien[9] aller avec lui en Chine pour consulter l'oracle célèbre de la Dive Bouteille.[10] Pantagruel avant d'accepter d'une façon définitive voulut avoir l'avis et la permission du roi son père. Le bon Gargantua lui fit un long discours où se trouvent ces mots:

«Apprêtez-vous au voyage de Panurge. De mes trésors faites ce qui vous plaira. A mon arsenal[11] prenez l'équipage que vous vou-

[5] *la mer Glaciale = l'Océan Arctique*

[6] *il existait = il y avait* (*il* is impersonal).

[7] A small French harbor on the English Channel. It is from this port that Jacques Cartier sailed in 1534 to look for the northwest passage to the East. Instead, he was to discover the St. Lawrence river.

[8] *que veut faire Rabelais = que Rabelais veut faire*

[9] *de vouloir bien = de bien vouloir = d'accepter d'*

[10] In order to answer the queries of Panurge, Rabelais has invented the oracle of the Holy Bottle, whose priestess is Bacbuc. (Bacbuc is in Hebrew the personification of the bottle.)

[11] *arsenal* (here) naval headquarters

drez: pilotes, marins, interprètes. Et faites voile lorsque le vent sera opportun.»

Peu de jours après, Pantagruel arriva au port de Saint-Malo, accompagné de Panurge, de frère Jean, l'abbé de Thélème,[12] et de quelques autres compagnons. La route à suivre avait été décidée par le pilote principal. Au lieu de passer par le cap de Bonne-Espérance, comme le faisaient les Portugais,[13] perdant ainsi de vue l'étoile polaire qui sert de guide dans notre hémisphère, l'expédition devait aller vers l'Ouest en tournant autour du pôle Nord sans s'en approcher, de peur d'entrer et d'être retenue dans la mer Glaciale. Par cette route ils pensaient faire en quatre mois un voyage qui prenait au moins trois ans par la route des Portugais.

## *Le Pantagruelion*

Pantagruel emporta dans les douze navires de son expédition tous les hommes et toutes les choses nécessaires à un voyage long et hasardeux. Entre autres choses il fit charger une grande quantité de son herbe, le pantagruelion.[14] Cette plante remarquable était vraiment digne de ce beau nom. En effet, de même que Pantagruel était un modèle de toutes les vertus, de même cette herbe merveilleuse possédait tant de perfection, tant de qualités admirables que si elle avait été connue au temps où les plantes se choisirent un

[12] Brother John accompanies Pantagruel in most of his adventures. Because of his constant helpfulness and bravery, Pantagruel's father, Gargantua, had founded for him the abbey of Thelema. (Thelema is derived from the Greek and means "freedom"). This remarkable institution was open to both young men and women who sought to enjoy life while developing their minds and social qualities to the fullest extent. They were governed by one great principle, worthy of people of honor and decency: "*Fais ce que voudras,*" Do as you please. They often married one another after they left the abbey. We today might be inclined to regard it as an early example of the modern system of coeducation.

[13] The Portuguese navigator Vasco da Gama had discovered, in 1497-1498, the sea-route to India. Sailing around the Cape of Good Hope and then eastward, he reached Calicut, on the Malabar coast of India. This route to the East around Africa was called the Portuguese route.

[14] *pantagruelion* = *chanvre* hemp—The fibrous bark of this plant was used much more extensively in Rabelais' time than it is now. Pantagruel thought so highly of its usefulness that he had given it his own name.

roi,[15] elle aurait sans nul doute obtenu la majorité des suffrages. C'est une plante pleine de fibres textiles qui lui donnent toute sa valeur. Sous différentes formes, fil, corde, tissu, filet, c'est la plus utile des plantes.

Sans elle[16] les cuisines seraient dégoûtantes; les tables, même couvertes de viandes exquises, seraient répugnantes. Sans elle, les lits, même ornés d'or, d'argent, d'ivoire et de porphyre, seraient sans délices. Sans elle les meuniers ne sauraient comment porter le blé au moulin ni comment en rapporter la farine. Sans elle, comment ferait-on sonner les cloches? Cette plante nous fournit de vêtements; elle couvre les armées contre le froid et contre la pluie. Grâce à elle, les filets descendent dans l'eau douce ou salée au profit des pêcheurs. Avec elle sont faits les souliers, les pantoufles. Et comme si c'était une herbe sacrée, les corps humains ne sont pas inhumés sans elle.

Grâce à elle les vents font marcher les bateaux. Les nations, que la nature semblait avoir destinées à rester inconnues, sont venues vers nous et nous sommes allés vers elles. Les dieux marins ou terrestres ont été effrayés de voir franchir les océans. Les dieux de l'Olympe[17] se sont dit avec le même effroi: «Pantagruel et son herbe nous créent plus d'ennuis que les Titans[18] eux-mêmes. Pantagruel se mariera et ses enfants donneront aux humains le moyen de visiter les sources de la pluie et de la foudre. Ils arriveront même à envahir les régions de la lune, à aller de constellation en constellation.[19] Le jour viendra où ils pourront venir s'asseoir à notre table, prendre nos déesses pour femmes, et devenir eux-mêmes

[15] This passage refers to the parable found in "Judges," in the speech of Jonathan to the Sichimites, in which the trees assemble to elect a king.

[16] While reading the following paragraphs, the reader must remember that hemp was used in those days in the making of dishcloths (*torchons*), tablecloths (*nappes*), sacks (*sacs*), ropes (*cordes*), articles of clothing (*tissus*), nets (*filets*), winding-sheets (*linceuls*), sails (*voiles*), etc.

[17] *Olympe* Olympus—The name of several mountains in Greece. The fabled home of the ancient gods.

[18] In Greek mythology, the children of Heaven and Earth. They revolted against Zeus (Greek name for Jupiter) but were finally defeated.

[19] Rabelais seems to have imagined the possible inventions of the balloon and the airplane.

des dieux.» Et les dieux se demandaient ce qu'ils devaient faire pour faire face à ce danger.

## *Les Moutons de Panurge*

Le cinquième jour du voyage on découvrit un navire marchand faisant voile dans notre direction. C'étaient des Français qui venaient des pays que Pantagruel voulait visiter. La joie fut grande pour les deux équipages et l'on put échanger des nouvelles et des renseignements fort utiles.

Peu après, une querelle éclata à bord entre Panurge et un marchand de moutons nommé Dindenault. Celui-ci, remarquant que Panurge portait ses lunettes attachées à son bonnet[20] se moqua de lui d'une façon insultante. Panurge ne manquait pas d'esprit. Il répondit si bien que le marchand voulut[21] tirer son épée pour le tuer comme un bélier. Mais, heureusement, le fer rouille facilement sur mer, à cause de l'humidité, et l'épée ne sortit pas du fourreau. Frère Jean vint au secours de Panurge et il aurait tué le marchand si le patron du bateau et les autres passagers n'avaient supplié Pantagruel de mettre fin à la querelle. Panurge et le marchand se serrèrent donc la main et burent l'un à l'autre[22] en signe de parfaite réconciliation.

Mais Panurge n'avait pas oublié. Un peu plus tard, il s'approcha du marchand et le pria de bien vouloir lui vendre un des ses moutons. Le marchand lui répondit: «Mon ami, vous avez l'air non d'un acheteur de moutons, mais d'un coupeur de bourses.»[23] Panurge ne se fâcha pas et persista à demander combien coûtaient les moutons. Le marchand, impatienté, lui répondit: «Écoutez-moi à votre tour. Vous allez voir le monde?

PANURGE—C'est vrai.

LE MARCHAND—Vous vous appelez Robin Mouton.

PANURGE—Si vous voulez.

[20] Panurge probably does not need glasses; but the pair he wears tied to his bonnet is supposed to give him a more scholarly appearance.

[21] *voulut = essaya de = fit le geste de*

[22] *burent l'un à l'autre* drank each other's health

[23] *coupeur de bourses = voleur* cutpurse—Thieves used to cut off and carry away the purses which were worn at the girdle.

LE MARCHAND—Sans vous fâcher.[24]

PANURGE—Je l'entends bien ainsi.

LE MARCHAND—Vous êtes le fou du roi.

PANURGE—Soit.[25]

LE MARCHAND—Arrêtez-vous là. Vous allez voir le monde; vous êtes le fou du roi; vous vous appelez Robin Mouton. Voyez ce mouton-là: il s'appelle Robin comme vous. (*Il l'appelle:*) Robin! Robin! (Le mouton bêle: Bée . . . , Bée . . . , Bée[26] . . . ) O la belle voix!

PANURGE—Belle et harmonieuse!

LE MARCHAND—Voici un pacte que je vous propose. Vous qui êtes Robin Mouton serez dans ce plateau de la balance et mon mouton Robin sera dans l'autre. Je parie un cent d'huîtres qu'en poids et en valeur, il vous enlèvera haut et court,[27] comme vous serez enlevé le jour où vous serez pendu.

PANURGE—Patience! . . . Vous m'en vendrez un et je vous paierai en argent comptant. (Il montre sa bourse pleine de pièces d'or toutes neuves.)

Le patron du bateau fatigué de ce marchandage dit à Dindenault: «C'est trop marchander. Vends-lui un mouton si tu le veux; sinon ne continue pas la plaisanterie.»

LE MARCHAND—Je le veux[28] pour l'amour de vous. Mais il paiera trois livres[29] le mouton qu'il choisira.

PANURGE—C'est beaucoup. Dans mon pays j'en aurais cinq ou six pour la même somme. Ne demandez pas trop. Vous ne seriez pas le premier qui en voulant devenir riche trop rapidement, est retombé dans la pauvreté et même quelquefois s'est cassé le cou.

Cependant, Panurge ayant payé le marchand, choisit dans le troupeau un mouton grand et fort. Il l'emporta criant et bêlant. Le reste du troupeau bêlait aussi en regardant où l'on menait leur compagnon.

Soudain Panurge jeta à la mer son mouton criant et bêlant. Tous

[24] *Sans vous fâcher—Je n'ai pas l'intention de vous fâcher*

[25] *Soit = Si vous voulez*

[26] *Bée* baa (the bleating of the sheep)

[27] *haut et court* right up (*court* is here an adverb, meaning "quickly, shortly")

[28] *Je le veux = Je le ferai*

[29] A monetary unit whose value changed from one century to the next.

les autres moutons, criant et bêlant, se précipitèrent dans l'océan à la suite du[30] mouton de Panurge. Il fut impossible de les en empêcher, car c'est la nature du mouton de toujours suivre le premier.

Le marchand, effrayé de voir périr ses moutons, essayait de les retenir. Mais c'était en vain. Tous à la file ils sautaient et périssaient. Enfin il attrapa un grand bélier par la toison, espérant ainsi sauver le reste du troupeau. Mais le mouton était si puissant qu'il emporta avec lui le marchand qui se noya lui aussi.

Cependant, du pont du navire, Panurge lui faisait de grands discours, lui rappelant les misères de ce monde et lui promettant de faire ériger en son honneur un magnifique tombeau au sommet d'une montagne.

## *Le Géant Bringuenarilles*

Continuant leur route, Pantagruel, Panurge et leurs compagnons arrivèrent aux îles de Tohu et de Bohu[31] où il leur fut bien impossible de cuisiner comme ils l'espéraient, car le grand géant Bringuenarilles avait avalé toutes les poêles et les marmites de la région. Ce n'était pas là son repas ordinaire, et il avait l'habitude de se nourrir de moulins à vent. Aussi, sans doute à cause de cette infraction à son régime, à l'heure de la digestion, Bringuenarilles était-il tombé[32] gravement malade. Comme le[33] disaient les médecins, son estomac naturellement apte à digérer les moulins à vent, n'avait pu consommer sans douleur les poêles et les marmites.

Pour le secourir on usa des divers remèdes de l'art médical. Mais le mal fut plus fort que les remèdes. Et le jour de l'arrivée de l'expédition de Pantagruel le noble Bringuenarilles était trépassé d'une façon si étrange qu'il ne faut plus s'étonner des morts extraordinaires racontées par tant de grands auteurs de l'antiquité. . . . Le bon Bringuenarilles était mort étranglé en mangeant un coin

[30] *à la suite du* = *en suivant le*

[31] *Tohu-Bohu* A Hebrew word meaning "chaos." It is sometimes used in French to express a great disorder.

[32] *était-il tombé* = *était tombe*—The interrogative form is used because the sentence begins with *aussi* (and so . . .)

[33] Pleonastic neuter pronoun. (Not to be translated.) The antecedent is the whole following clause.

de beurre frais à la gueule d'un four chaud,[34] selon l'ordonnance des médecins.

## Tempête

Un jour Pantagruel semblait tout pensif et mélancolique. Frère Jean allait lui demander d'où venait cette tristesse inaccoutumée quand le capitaine du navire, ayant considéré les claquements du drapeau qui flottait à la poupe, et prévoyant une tempête, donna l'alerte et fit baisser les voiles.

Soudain la mer commença à s'enfler; de fortes vagues battirent les flancs du vaisseau. Le vent se mit à siffler dans les cordages et le ciel à tonner. Puis vinrent la pluie et la grêle. L'air perdit sa transparence et devint opaque. Il n'y avait plus d'autre lumière que[35] celle des éclairs.

Panurge, qui avait nourri les poissons du contenu de son ample estomac, restait accroupi dans un coin. A demi mort, il appela à son aide tous les saints et les saintes du paradis et s'écria en grand effroi: «Majordome, mon ami, apportez un peu de porc salé, nous ne boirons que trop, à[36] ce que je vois. Plût à Dieu[37] que je fusse bien à mon aise sur la terre ferme! Que les planteurs de choux sont heureux! Ils ont toujours un pied sur terre et l'autre n'en est pas loin . . . Oh! cette vague va nous emporter! Les voiles sont déchirées. Tout est perdu!» Et il se mit à sangloter.

Cependant Pantagruel, ayant imploré l'aide de Dieu, tenait ferme la barre du gouvernail. Avec les autres passagers Frère Jean aidait les marins. Il remarqua Panurge qui pleurait et se lamentait et il lui cria: «Tu ferais beaucoup mieux de venir nous aider plutôt que de pleurer là comme une vache . . .»

Mais Panurge n'écoutait que sa peur. L'eau de mer était entrée par le haut dans ses souliers et il se croyait sûr d'être noyé. Aussi

[34] *en mangeant . . . chaud* because he ate a pound of fresh butter while sitting before a hot oven—This is of course the most ludicrous cause of death imaginable for a giant who was used to eating windmills. It is no doubt meant to reflect upon the shortcomings of medicine.

[35] *ne . . . plus . . . que* no longer . . . but

[36] *à = d'après* according to

[37] *Plût à Dieu = Je voudrais qu'il plût à Dieu* Would to Heaven

ne pensait-il[38] qu'à confesser ses péchés. On l'entendait crier: «Mea culpa, Deus![39] . . . Hélas, cette vague va nous entraîner au fond de la mer . . . Hélas, Frère Jean, mon ami, confession! . . . Vous me voyez à genoux. Confiteor, votre sainte bénédiction!»

Frère Jean se détourna de lui et ne fit plus attention à ses lamentations. Il aperçut le mousse et lui demanda tendrement: «T'es-tu blessé, mon enfant?» Et il l'aida dans son travail. Panurge pouvait bien continuer à pleurer et à se plaindre de ce qu'il[40] lui était entré dix-huit seaux d'eau de mer dans la bouche . . . Frère Jean aidait ses compagnons à lutter contre tous les diables déchaînés.

Cependant le capitaine avertit tout le monde de penser à son âme, n'espérant plus de secours que par un miracle des cieux. Mais Frère Jean continuait à travailler, à plaisanter et à encourager les autres: «Tenez bon là-haut, je vous en prie. Quand aurons-nous la fête de tous les saints? Je crois qu'aujourd'hui c'est la fête de tous les millions de diables.»

Panurge, pensant à toutes ses richesses, voulait faire son testament. Un de ses compagnons, Epistemon, lui dit: «A cette heure où il faut travailler et aider l'équipage, faire son testament me semble bien mal à propos.[41] Tu me rappelles certains soldats de César à leur entrée en Gaule, qui s'amusaient à[41] faire leur testament et déploraient l'absence de leurs femmes et de leurs amis de Rome, alors qu'il convenait de courir aux armes et d'attaquer l'ennemi.»

Cependant la tempête continuait. L'héroïque Pantagruel lui-même s'écria: «Seigneur Dieu, sauvez-nous, nous périssons . . .» Panurge fit aussi une prière: «Vrai Dieu, envoyez-moi un dauphin pour me porter à terre.» Frère Jean, furieux, criait, tempêtait, jurait, envoyait à tous les diables Panurge et ses lamentations.[43]

[38] See note 32

[39] *Mea culpa, Deus* (Latin) = *Par ma faute, mon Dieu*—It is part of a Catholic prayer said at mass or before confession which begins with the latin verb "Confiteor," I confess.

[40] *de ce qu'il . . .* of the fact that there . . .

[41] *mal à propos* = *inopportun* unseemly

[42] *s'amusaient à* = *passaient leur temps à*

[43] Rabelais takes pleasure in contrasting the effects of the storm upon Panurge and Frère Jean. While the former, who was apt to be irreligious and even irreverent, turns to confession and prays for God's help, the latter, carried away by the struggle with the elements and by his contempt for

Soudain: «Terre! terre!, cria Pantagruel. Je vois la terre. Courage, mes enfants! Voici des bateaux envoyés à notre secours par les bonnes gens de cette île que vous voyez là-bas.»

«Ha! Ha!» dit Panurge, «tout va bien. L'orage est passé. De grâce,[44] permettez-moi de descendre le premier! Vous aiderai-je encore là-bas? Donnez-moi cette corde, je vais la rouler . . . Comment! vous ne faites rien, Frère Jean? Est-ce le moment de boire? On devrait vous appeler Frère Jean le fainéant, et moi Guillaume sans peur.[45] Je ne crains rien que les dangers.»

## Une Baleine

Comme on approchait de l'île Farouche Pantagruel aperçut au loin un monstrueux physétère[46] qui venait droit vers le bateau, jetant en l'air une trombe d'eau qui faisait penser à une rivière tombant d'une montagne. Pendant que tout le monde s'apprêtait à attaquer le monstre, Panurge se lamentait une fois de plus. Pantagruel voulut[47] le rassurer: «Le monstre sera percé par moi, lui dit-il. N'ayez pas peur.» Panurge répondit: «Quand voulez-vous que j'aie peur sinon quand le danger est évident.»

On attaqua le physétère à coups de canon. Mais les gros boulets de fer et de bronze semblaient fondre en entrant dans la peau du monstre marin. Alors Pantagruel montra ce qu'il savait faire. Il n'avait pas d'égal dans l'art de jeter des dards. A une distance de mille pas il ouvrait[48] des huîtres sans en briser les écailles, il tuait des oiseaux en les frappant à l'œil et tournait les pages d'un livre sans les déchirer. Son premier dard perça le front du monstre et lui traversa les deux mâchoires et la langue. Le physétère cessa de jeter de l'eau en l'air. Le deuxième dard lui creva l'œil droit et le troisième, l'œil gauche. A la grande joie de tous, le monstre, portant au front ces trois cornes, se mit à tournoyer, aveuglé et prêt à mourir. Pantagruel l'acheva[49] d'une centaine de dards artistement placés.

Panurge's cowardice, resorts to a language ill becoming a pious monk.

[44] *De grâce* = *Je vous prie* = *S'il vous plaît*

[45] *Guillaume sans peur* William the Fearless—A reference to the famous epic hero William of Orange. One of the poems of the epic cycle of William is entitled *"Guillaume sans peur."*

[46] *physétère* (obsolete) physeter, whale

[47] *voulut* = *essaya de*

[48] *il ouvrait* = *il réussissait à ouvrir* he could open

[49] *l'acheva* put him to death

En mourant le physétère se renversa sur le dos, comme un poisson mort.

Des marins l'emmenèrent jusqu'à l'île voisine pour en faire l'anatomie et en recueillir la graisse qu'ils disaient très utile à la guérison de certaine maladie nommée *Faute d'argent.*[50]

## Messire Gaster

Quelques jours plus tard, Pantagruel descendit dans une île admirable dont le gouverneur était Messire Gaster,[51] premier maître ès arts du monde.

Ce personnage ne parle que par signes, mais à ses signes tout le monde obéit. Car son commandement est: «Il faut le faire tout de suite ou mourir.» C'est pourquoi tout le monde travaille pour le servir. Et lui, pour récompenser ses serviteurs, invente tous les arts, toutes les machines, tous les métiers.

On sait que la nature a donné à l'homme le pain pour provision et aliment, avec cette promesse du Ciel que rien ne lui manquerait pour trouver et garder cette nourriture. Tout au commencement Messire Gaster inventa l'art de forger et les charrues pour cultiver la terre et lui faire produire du grain. Il inventa l'art militaire et les armes pour défendre son grain. Il inventa les moulins à eau et à vent pour transformer le grain en farine. Il inventa le levain pour fermenter la pâte et le sel pour lui donner du goût. Il inventa le feu pour cuire le pain et les horloges pour mesurer le temps nécessaire à la cuisson.

Cependant le grain manquait parfois dans un pays. Messire Gaster inventa donc les moyens de l'envoyer d'un pays à l'autre; il inventa les chariots et les charrettes pour le transporter plus facilement. La mer ou les rivières empêchant les voitures de passer, il inventa les bateaux qui établirent des communications même avec les nations barbares, inconnues et lointaines.

Les brigands volaient le grain et le pain. Messire Gaster inventa l'art de bâtir des villes, des forteresses, des châteaux. Lorsqu'il ne

[50] Whale-oil was rare and sold at a high price.

[51] *Messire* (Sir) was a title given during the middle ages to members of the nobility and to wealthy merchants. *Gaster* in Latin means "abdomen, stomach."

trouvait pas de pain dans les champs, il se disait qu'il y en avait dans les places fortes.[52] Alors il inventa l'art et les moyens d'attaquer et de démolir les forteresses et les châteaux avec des machines de guerre et récemment avec des canons. Grâce à la poudre dont la Nature même fut si étonnée qu'elle s'est avouée vaincue par l'Art, les canons qu'il inventa lancent des boulets de fer plus lourds que des enclumes; ils tuent plus de gens et démolissent plus de murailles d'un seul coup que ne le feraient cent coups de tonnerre.

Vraiment on peut se demander ce que n'a pas inventé Messire Gaster qui mérite bien certainement son titre de premier maître ès arts du monde.

## *Accalmie*

Un jour de la longue traversée le vent manqua: la mer fut calme . . . Tous les compagnons restaient pensifs, inquiets, sans dire un mot. Tenant en main un livre grec, Pantagruel sommeillait. Frère Jean était allé aux cuisines savoir à quelle heure on mangerait. Panurge s'amusait à faire bouillonner de l'eau en soufflant dans un chalumeau. Un autre se grattait la tête et se chatouillait pour se faire rire. Chacun cherchait à se distraire dans sa solitude. Frère Jean, revenant de la cuisine, s'aperçut que Pantagruel était réveillé. Alors le bon moine rompit le long silence et la conversation fut bientôt générale. Panurge demanda un remède contre la mauvaise humeur. Un de ses compagnons demanda un remède contre l'éblouissement des yeux; un autre contre les bâillements. Un troisième demanda la manière de ne pas dormir en chien. On le pria d'expliquer cette expression bizarre et il répondit: «C'est dormir à jeun,[53] au soleil, comme font les chiens.» . . .

«Amis, répondit Pantagruel, à toutes vos questions il n'y a qu'une réponse; pour toutes vos misères il n'existe qu'une médecine. Mais comme l'estomac affamé n'a pas d'oreilles,[54] nous commencerons par manger. Car il est précisément l'heure de dîner. Rappelez-vous

[52] *places fortes* = *places* (*villes*) *fortifiées*

[53] *à jeun* = *avec l'estomac vide*

[54] *n'a pas d'oreilles* = *refuse d'écouter*

que Diogène,[55] interrogé sur l'heure à laquelle l'homme doit prendre ses repas, répondit: ‹Le riche, quand il aura faim; le pauvre, quand il aura de quoi.› »[56]

A peine avait-il dit ces mots, que l'on servit le dîner. On apporta quatre pâtés de jambon si énormes qu'ils faisaient penser aux bastions d'une ville. Dieu! comme tout le monde mangea, but et rit!

Au dessert, Pantagruel demanda: «Eh bien, mes amis, êtes-vous guéris de tous vos maux?—Je ne bâille plus, dit l'un.—Et moi, je ne dors plus en chien, dit l'autre.—Je n'ai plus les yeux éblouis, dit le troisième.—Je ne suis plus fâché, ajouta Panurge. Je suis gai comme un oiseau, allègre comme un papillon. Et pendant que nous mangions, le temps lui aussi a changé selon le proverbe connu:

Le mal[57] temps passe et retourne le bon,[58]
Pendant qu'on trinque autour de[59] gras jambon.»

## *La Fin du Voyage*[60]

Continuant leur voyage, Panurge et ses compagnons furent trois jours sans rien découvrir. Le quatrième ils aperçurent une terre. C'était l'Ile Sonnante.[61] De loin ils entendirent un bruit tumultueux comme celui des cloches de Paris, les jours de grandes fêtes. Approchant davantage ils distinguèrent, malgré la perpétuelle sonnerie des cloches, le chant infatigable des habitants.

Après avoir visité cette île, ils reprirent leur chemin et bientôt passèrent, sans s'y arrêter, devant le pays des Chats-fourrés.[62] Ceux-ci sont vraiment des bêtes bien horribles et épouvantables. Ils mangent les petits enfants et vivent de corruption. Ils pendent, brûlent et ruinent tout sans distinguer entre le bien et le mal.

[55] *Diogène* Diogenes, the Cynic; a Greek philosopher (412-323 B.C.)

[56] *de quoi* = *de quoi manger* something to eat.

[57] *le mal* (obsolete) = *le mauvais*

[58] *retourne le bon* = *le bon* (*temps*) *revient*

[59] *de* = *d'un*

[60] The following passage belongs to the Fifth Book which appeared in its complete form in 1564, 10 years after Rabelais had died. Many scholars doubt that it is the work of Rabelais. One finds in it a rather violent satire of the society and the institutions of the 16th century.

[61] *Ile Sonnante* The Ringing Island —This episode is largely devoted to a satire of the clergy and of the monks of the 16th century.

[62] *Chat-fourrés* Furred Cats—These represent the legal profession (lawyers, barristers, judges) who preyed upon the people. They wore robes decorated with ermine.

D'autres îles furent aperçues, mais la plus belle et la plus délicieuse de toutes fut découverte par le capitaine. C'était le pays de Satin[63] dont les arbres et les herbes ne perdaient jamais ni fleurs, ni feuilles. Les bêtes et les oiseaux ressemblaient à ceux de France, mais ils ne mangeaient rien et ne chantaient ni ne mordaient.

Enfin les voyageurs arrivèrent au but de leur voyage, le temple de la Dive Bouteille. Pour y entrer ils furent obligés de descendre sous terre par un escalier de plus de cent marches. Au-dessus du portail ils lurent ces mots écrits en lettres d'or pur: «En vin vérité.» Sous la conduite de la prêtresse Bacbuc, ils furent menés devant l'oracle de la Dive Bouteille. Bientôt on entendit le mot: «Trinch.»[64] L'oracle était prononcé; il ne restait plus qu'à l'interpréter, chacun selon son tempérament et son caractère. Bacbuc fit aux voyageurs des adieux chargés de pensées: «Allez, mes amis. En rentrant dans votre pays témoignez que sous terre il y a de grands trésors et des choses admirables . . . Qu'est devenu l'art de capter la foudre et le feu céleste jadis inventé par le sage Prométhée?[65] Vous l'avez perdu. Vos philosophes disent que tout a été dit dans les livres des Anciens et qu'il ne leur reste rien de nouveau à inventer. Ils ont tort évidemment. Si vos savants poursuivent courageusement leurs recherches, selon la haute loi humaine, ils verront que toutes les choses inconnues ont été découvertes par le temps et que par le temps d'autres[66] encore seront découvertes. C'est pourquoi les Anciens ont dit que le Temps est le père de la Vérité et que la Vérité est la fille du Temps. Vous trouverez dans vos navires tout ce qui pourra vous être utile pour votre voyage. Partez en gaieté d'esprit et que Dieu vous conduise.»

[63] *pays de Satin* land of Satin; land of tapestry—Probably an ideal society which finds expression only in the domain of art. It may also mean the land of precious things. Satin was quite rare at the time, and had just been brought to France from Italy.

[64] *«En vin vérité»* . . . *«Trinch» Trinch = Trinquez = Buvez*—Rabelais expresses better than any other French writer the thirst for learning of the early Renaissance. He was a humanist as well as a great writer. His own life was guided by two principles: the fullest enjoyment of material existence and the acquisition, the constant absorption of all the knowledge of his day. These two principles seem to be implied in the words of the oracle.

[65] *Prométhée* Prometheus—He was the benefactor of mankind and defended men against Zeus. According to mythology he stole fire from Heaven to animate men who had been made of clay.

[66] *d'autres = d'autres choses*

## QUESTIONNAIRE

1. Quand Rabelais a-t-il vécu?
2. Qu'est-ce qu'il a écrit?
3. Qu'a-t-il mis dans ses livres?
4. Pourquoi Rabelais s'intéressait-il tant aux grands voyages?
5. Quel est le but du voyage de Pantagruel et de Panurge?
6. Qu'est-ce que c'est que l'abbaye de Thélème?
7. Qu'appelait-on la route des Portugais?

### *Le Pantagruelion*

1. Qu'est-ce que le Pantagruelion?
2. Pourquoi lui avait-on donné ce nom-là?
3. A quoi sert cette plante?
4. Pourquoi les dieux virent-ils un danger dans l'usage que les hommes ont su faire du pantagruelion?

### *Les Moutons de Panurge*

1. Pourquoi Panurge et Dindenault se sont-ils querellés?
2. Pourquoi Panurge portait-il des lunettes attachées à son bonnet?
3. Qu'est-ce qui montre la méchanceté du marchand?
4. Qu'est-ce que Panurge voulait acheter au marchand?
5. Comment Dindenault s'est-il une fois de plus moqué de Panurge?
6. Qu'est-ce qu'il voulait parier?
7. Pourquoi a-t-il finalement accepté de vendre un mouton à Panurge?
8. Qu'est-ce que Panurge a fait de son mouton?
9. Qu'ont fait les autres moutons?
10. Comment le marchand a-t-il essayé de sauver le reste de son troupeau?
11. Qu'est-il arrivé?

### *Le Géant Bringuenarilles*

1. Dans quelle île habitait le géant Bringuenarilles?
2. Pourquoi ne pouvait-on plus cuisiner dans cette île?
3. Pourquoi le géant était-il tombé malade?
4. Quel remède les médecins ont-il recommandé?
5. Qu'est-il arrivé?

### *Tempête*

1. Décrivez la tempête.
2. Comment se sentait Panurge?
3. Comment exprimait-il ses craintes?

4. Que faisait Frère Jean?
5. Comment exprimait-il ses sentiments?
6. Quelle est l'attitude de Panurge après la tempête?

### *Une Baleine*

1. Qui a eu très peur du monstre marin?
2. Comment a-t-on essayé de le tuer?
3. Qu'est--ce qui démontrait que Pantagruel était un véritable champion dans l'art de lancer des dards?
4. Comment Pantagruel a-t-il tué la baleine?
5. Pourquoi a-t-on recueilli la graisse de l'animal?

### *Messire Gaster*

1. Qui est Messire Gaster?
2. Pourquoi Messire Gaster mérite-t-il le titre de premier maître ès arts du monde?
3. Quels ordres donne-t-il?
4. Enumérez les principales inventions qu'il a inspirées.

### *Accalmie*

1. Qu'est-ce qu'une accalmie en mer?
2. Que faisaient les compagnons de voyage?
3. De quelle maladie souffraient-ils?
4. Qu'est-ce que Pantagruel a proposé?
5. Qu'a-t-on servi?
6. Quel a été l'effet du bon repas sur Panurge?

### *La Fin du Voyage*

1. Qu'est-ce que c'est que l'Ile Sonnante?
2. Qui sont les Chats-fourrés?
3. Qu'est-ce que c'est que le pays de Satin?
4. Où se trouvait le temple de la Dive Bouteille?
5. Quelle parole l'oracle a-t-il prononcée?
6. Quelle interprétation peut-on en donner?
7. Montrez la grande variété du talent de Rabelais, telle qu'elle apparaît dans les extraits que vous venez de lire.

## PIERRE DE RONSARD

### Ode à Cassandre

Mignonne, allons voir si la rose
Qui ce matin avait déclose
Sa robe de pourpre au soleil,
A point perdu, cette vêprée,
Les plis de sa robe pourprée
Et son teint au vôtre pareil.

Las! voyez comme en peu d'espace,
Mignonne, elle a dessus la place,
Las, las! ses beautés laissé choir;
O vraiment marâtre Nature,
Puisqu'une telle fleur ne dure
Que du matin jusques au soir!

Donc, si vous me croyez, mignonne,
Tandis que votre âge fleuronne
En sa plus verte nouveauté,
Cueillez, cueillez votre jeunesse:
Comme à cette fleur, la vieillesse
Fera ternir votre beauté.

[*For notes on this and the next poem see page 245.*]

Simon Lissim

## JOACHIM DU BELLAY

### D'un Vanneur de Blé aux Vents

A vous, troupe légère,
Qui d'aile passagère,
Par le monde volez,
Et d'un sifflant murmure
L'ombrageuse verdure
Doucement ébranlez,

J'offre ces violettes,
Ces lis et ces fleurettes,
Et ces roses ici,
Ces vermeillettes roses,
Tout fraîchement écloses,
Et ces œillets aussi.

De votre douce haleine
Éventez cette plaine,
Éventez ce séjour,
Cependant que j'ahanne
A mon blé que je vanne
A la chaleur du jour.

MOLIÈRE

# LE BOURGEOIS GENTILHOMME

I. Louis XIV prenait très au sérieux[1] son métier de roi. Ayant décidé d'être lui-même son premier ministre, il travaillait de six à huit heures par jour à gouverner la France. Mais il ne voulait négliger aucune gloire. Sachant que pour la grandeur d'un pays les arts et les sciences sont aussi importants que la prospérité matérielle et les victoires, il protégeait l'élite intellectuelle, l'attirait à sa cour et la faisait parfois travailler à ses divertissements.[2] Car pour se reposer il aimait à donner des fêtes dignes d'un roi.

C'est ainsi qu'il avait chargé le grand auteur et acteur, Molière, et le grand musicien, Lulli,[3] de préparer un spectacle pour la partie de chasse qu'il voulait organiser à Chambord,[4] en octobre 1670. Le résultat de cette collaboration fut une comédie-ballet[5] où l'observation réaliste des types humains se mêle aux fantaisies de la musique, de la danse et de la farce. C'est le *Bourgeois Gentilhomme.*

La famille Jourdain appartient à la bonne bourgeoisie.[6] Le père et le beau-père de M. Jourdain avaient fait fortune en vendant du drap à Paris. Mme Jourdain jouit sans ostentation de cet argent et ne désire qu'une chose: voir sa fille, Lucile, mariée au jeune bourgeois Cléonte qui en est amoureux.

M. Jourdain, lui, a une âme plus fière et une intelligence moins solide: il n'est pas satisfait d'être bourgeois; il voudrait être gentilhomme[7] ou du moins en avoir l'air. C'est pourquoi il va donner, le jour même, une fête comme en donnent les grands seigneurs. Il prend des leçons de danse et il a fait venir, à l'heure de sa leçon, outre son maître à danser et quelques danseurs, un maître de mu-

[1] *au sérieux = à cœur; sérieusement*

[2] *ses divertissements = son amusement*

[3] *Jean-Baptiste Lulli* (1639-1687) is a famous French composer of Italian birth, a friend of Molière and a protégé of Louis XIV. He is the founder of French opera. His most important operas are Alceste (1678), and Armide (1686).

[4] A magnificent renaissance château in the village bearing the same name, and located near Blois, some 110 miles south-west of Paris. The château was begun by Francis I (1526) and completed under Henry II.

[5] A "*comédie-ballet*" is a comedy or farce with interludes of music, singing and above all dancing.

[6] *bonne bourgeoisie = classe moyenne aisée* well-to-do middle class

[7] *gentilhomme = noble* a nobleman

sique et quelques musiciens. Tout ce monde doit répéter les chants et les danses de la fête. En l'attendant, les deux professeurs échangent leurs impressions sur le pauvre M. Jourdain. Ils le considèrent comme un bourgeois ignorant qui parle à tort et à travers[8] et applaudit toujours à contretemps.[9] Heureusement, son argent redresse les erreurs de son jugement . . .

M. Jourdain paraît enfin, accompagné de deux laquais. Il s'excuse d'être en retard. C'est qu'[10]il se fait habiller comme les gens de qualité; et que son tailleur lui a envoyé des bas de soie si étroits qu'il a pensé ne pas pouvoir[11] les mettre. Il fait admirer la robe de chambre qu'il porte le matin, comme le font les grands seigneurs. Il l'entr'ouvre pour montrer son haut-de-chausse étroit de velours rouge et sa camisole[12] de velours vert. Il n'a aucune honte à mendier les compliments.

Le maître de musique fait chanter par une musicienne un air nouveau spécialement composé pour la fête de M. Jourdain. Sans égard pour les goûts du jour et pour les sentiments de la chanteuse, le bon bourgeois dit ce qu'il pense: il trouve la chanson lugubre et endormante. Il faudrait la rendre plus gaie, plus vivante . . . comme un air qu'il a appris quelque temps auparavant et qu'il chante assez gauchement:

Je croyais Jeanneton
Aussi douce que belle;
Je croyais Jeanneton
Plus douce qu'un mouton.
Hélas! Hélas! elle est cent fois,
Mille fois plus cruelle
Que n'est le tigre au bois.

Voilà le goût de M. Jourdain. Cependant, ses professeurs lui en font des compliments. Le Maître à danser lui dit même qu'il chante fort bien et M. Jourdain répond avec satisfaction: «C'est sans avoir appris la musique!» Cette naïveté ne plaît guère au maître de

[8] *à tort et à travers* = *sans bien savoir ce qu'il dit*

[9] *à contretemps* = *mal à propos* at the wrong time

[10] *C'est qu'* = *C'est parce qu'*

[11] *il a pensé ne pas pouvoir* = *il a pensé qu'il ne pourrait jamais*

[12] *camisole* waistcoat—A short doublet with sleeves worn over or under the shirt.

musique qui conseille vivement à M. Jourdain de prendre des leçons. Celui-ci y consentirait volontiers, mais où trouver le temps? Il a déjà arrêté[13] un maître d'armes et un maître de philosophie. On arrive pourtant à[14] le convaincre en lui disant que sans la musique un État ne peut subsister, puisque la guerre n'est que le manque d'harmonie entre les hommes, et que si l'on fait un faux pas dans la vie, c'est simplement parce qu'on n'a pas appris à danser. Après avoir assisté à la répétition[15] des chants et des danses préparés pour la fête, M. Jourdain prend sa leçon de danse: il essaye un menuet qui est son pas favori. C'est un spectacle bien amusant que de voir danser M. Jourdain. Par les critiques que lui fait son professeur, on peut juger de sa maladresse: «En cadence, s'il vous plaît . . . Ne remuez pas tant les épaules . . . Vos deux bras sont estropiés[16] . . . Haussez la tête . . . Dressez votre corps . . .» Cette fois, c'est au tour du maître de musique à lui faire un compliment: «Voilà qui est le mieux du monde!»

Savoir danser, c'est une chose nécessaire assurément. Mais M. Jourdain a une chose plus pressante à apprendre. Il attend une marquise du nom de Dorimène, à qui il désire plaire et pour qui, en réalité, il a commandé la fête qui se prépare. Il demande donc à son maître à danser de lui apprendre à faire une révérence. Le professeur croit évidemment au proverbe: «En forgeant on devient forgeron.»[17] Il voudrait faire répéter[18] M. Jourdain, mais celui-ci refuse. Il suffit qu'on lui donne quelques explications. La maître à danser explique donc: «Si vous voulez la saluer avec beaucoup de respect il faut faire d'abord une révérence en arrière, puis marcher vers elle avec trois révérences en avant, et à la dernière vous baisser jusqu'à ses genoux.» Le professeur, tout en parlant, fait les gestes qui conviennent.

Juste à ce moment un laquais annonce le maître d'armes. Bien entendu M. Jourdain veut montrer à ses autres professeurs ce qu'il

[13] *arrêté* engaged

[14] *On arrive . . . à = On réussit . . . à* One succeeds in

[15] *répétition* rehearsal

[16] *estropiés* hanging loosely as if you were crippled (Literally: crippled)

[17] *En forgeant on devient forgeron* Practice makes perfect (Literally: It's by hammering that one becomes a blacksmith)

[18] *répéter* rehearse

sait faire. Mais l'escrime est un exercice un peu violent pour lui et il ne réussit pas très bien à parer les coups comme on le lui a appris. Il a pourtant le plus grand désir de se perfectionner, encouragé peut-être par son manque de courage. Il demande en effet à son professeur: «De cette façon un homme, sans avoir du cœur,[19] est sûr de tuer son homme et de n'être point tué?» Le maître d'armes n'a aucun doute à ce sujet. Il profite de l'occasion pour dire combien la science des armes l'emporte sur les[20] autres sciences inutiles, comme la danse, la musique . . . Le maître à danser et le maître de musique ne peuvent évidemment pas tolérer une telle appréciation de leurs professions. Au grand effroi de M. Jourdain ses trois professeurs se mettent à se lancer des injures,[21] veulent en venir aux mains,[22] et le pauvre homme court de l'un à l'autre pour tâcher de rétablir la paix . . . .

Entre le maître de philosophie. Il ne pouvait arriver plus à propos avec sa philosophie. Il demande aux trois énergumènes s'il y a rien de plus honteux que la colère qui fait d'un homme une bête féroce. «Un homme sage, dit-il, est au-dessus de toutes les injures.» Pour s'excuser, chacun des trois adversaires a l'impertinence de proclamer l'estime que l'on devrait accorder à la science qu'il enseigne. Alors le philosophe proteste hautement: «Et que sera donc la philosophie?» Il se fâche, lui aussi, oublie ses conseils, abandonne la sagesse, et la querelle reprend de plus belle[23] entre les quatre professeurs qui sortent en se battant.

Un instant plus tard le maître de philosophie rentre seul.

Le Maître de Philosophie, (*en arrangeant son collet.*) Venons à notre leçon.

M. Jourdain. Ah! monsieur, je suis fâché des coups qu'ils vous ont donnés.

Le Maître de Philosophie. Cela n'est rien. Un philosophe sait recevoir comme il faut les choses, et je vais composer contre

[19] *du cœur = du courage*
[20] *l'emporte sur les = est supérieure aux*
[21] *injures = insultes*
[22] *en venir aux mains (aux coups)* come to blows
[23] *de plus belle* more than ever

eux une satire du style de Juvénal,[24] qui les déchirera de la belle façon. Laissons cela. Que voulez-vous apprendre?

M. Jourdain. Tout ce que je pourrai, car j'ai toutes les envies du monde d'être savant; et j'enrage[25] que mon père et ma mère ne m'aient pas fait bien étudier dans toutes les sciences, quand j'étais jeune.

Le Maître de Philosophie. Ce sentiment est raisonnable, *Nam, sine doctrina, vita est quasi mortis imago.* Vous entendez[26] cela, et vous savez le latin, sans doute.

M. Jourdain. Oui, mais faites comme si je ne le savais pas. Expliquez-moi ce que cela veut dire.

Le Maître de Philosophie. Cela veut dire que *Sans la science la vie est presque une image de la mort.*

M. Jourdain. Ce latin-là a raison.

Le Maître de Philosophie. N'avez-vous point quelques principes, quelques commencements des sciences?

M. Jourdain. Oh! oui. Je sais lire et écrire.

C'est sur ces fondements que le maître de philosophie devra bâtir. Il offre d'enseigner la logique, la morale, la physique. Toutes ces sciences déplaisent à M. Jourdain. Il finit par dire:

M. Jourdain. Apprenez-moi l'orthographe.

Le Maître de Philosophie. Très volontiers.

M. Jourdain. Après, vous m'apprendrez l'almanach, pour savoir quand il y a de la lune, et quand il n'y en a point.

Le Maître de Philosophie. Soit. Pour bien suivre votre pensée, et traiter cette matière en philosophe, il faut commencer selon l'ordre des choses, par une exacte connaissance de la nature des lettres et de la différente manière de les prononcer toutes. Et là-dessus j'ai à vous dire que les lettres sont divisées en voyelles, ainsi dites voyelles parce qu'elles expriment les voix;[27] et en consonnes, ainsi appelées consonnes parce qu'elles sonnent avec les voyelles et ne font que marquer les diverses articulations des voix. Il y a cinq voyelles ou voix, A, E, I, O, U.

[24] A famous satirical Latin poet (about 42-125 A.D.)

[25] *j'enrage = je suis furieux*

[26] *entendez = comprenez*

[27] *voix* sounds

M. Jourdain. J'entends tout cela.

Le Maître de Philosophie. La voix A se forme en ouvrant fort[28] la bouche: A.

M. Jourdain. A, A. Oui.

Le Maître de Philosophie. La voix E se forme en rapprochant la mâchoire d'en bas de celle d'en haut: A, E.

M. Jourdain. A, E, A, E. Ma foi! oui. Ah! que cela est beau!

Le Maître de Philosophie. Et la voix I, en rapprochant encore davantage les mâchoires l'une de l'autre, et écartant les deux coins de la bouche vers les oreilles: A, E, I.

M. Jourdain. A, E, I, I, I, I. Cela est vrai. Vive la science!

Le Maître de Philosophie. La voix O se forme en rouvrant les mâchoires et rapprochant les lèvres par les deux coins: O.

M. Jourdain. O, O. Il n'y a rien de plus juste. A, E, I, O, I, O. Cela est admirable! I, O, I, O.[29]

Le Maître de Philosophie. L'ouverture de la bouche fait justement comme un petit rond qui représente un O.

M. Jourdain. O, O, O. Vous avez raison, O. Ah! la belle chose que de[30] savoir quelque chose!

Le Maître de Philosophie. La voix U se forme en rapprochant les dents sans les joindre entièrement, et allongeant les deux lèvres en dehors, les approchant aussi l'une de l'autre, sans les joindre tout à fait: U.

M. Jourdain. U, U. Il n'y a rien de plus véritable, U.

Le Maître de Philosphie. Vos deux lèvres s'allongent comme si vous faisiez la moue.

M. Jourdain. U, U. Cela est vrai. Ah! que n'ai-je[31] étudié plus tôt pour savoir tout cela!

Le Maître de Philosophie. Demain, nous verrons les autres lettres, qui sont les consonnes.

M. Jourdain. Est-ce qu'il y a des choses aussi curieuses qu'à celles-ci?

Le Maître de Philosphie. Sans doute. La consonne D, par

[28] *fort = largement* wide

[29] Some actors heighten the humor at this moment by making these sounds (I-O) resemble the braying of an ass.

[30] *la belle chose que de = comme c'est beau de*

[31] *que n'ai-je = pourquoi n'ai-je pas*

exemple, se prononce en donnant du bout[32] de la langue au-dessus des dents d'en haut: DA.

M. Jourdain. DA, DA. Oui. Ah! les belles choses! les belles choses!

Le Maître de Philosophie. L'F, en appuyant les dents d'en haut sur la lèvre de dessous: FA.

M. Jourdain. C'est la vérité. Ah, mon père et ma mère, que je vous veux de mal![33]

Le Maître de Philosophie. Et l'R, en portant le bout de la langue jusqu'au haut du palais; de sorte qu'étant frôlée par l'air qui sort avec force, elle lui cède et revient toujours au même endroit, faisant une manière de tremblement: R, RA.

M. Jourdain. R, R, RA; R, R, R, R, R, RA. Cela est vrai. Ah! l'habile homme que vous êtes! et que j'ai perdu de temps! R, R, R, RA.

Comme on le sait, M. Jourdain est amoureux de la Marquise Dorimène. Il voudrait lui écrire, avec l'aide de son professeur, un petit billet galant qu'il veut laisser tomber à ses pieds.

Le Maître de Philosophie. Sont-ce des vers que vous voulez lui écrire?

M. Jourdain. Non, non, point de vers.

Le Maître de Philosophie. Vous ne voulez que de la prose?

M. Jourdain. Non, je ne veux ni prose, ni vers.

Le Maître de Philosophie. Mais, monsieur, il n'y a pour s'exprimer que la prose ou les vers.

M. Jourdain. Il n'y a que la prose ou les vers?

Le Maître de Philosophie. Non,[34] monsieur. Tout ce qui n'est point prose est vers et tout ce qui n'est point vers est prose.

M. Jourdain. Et comme l'on parle, qu'est-ce que c'est donc que cela?

Le Maître de Philosophie. De la prose.

M. Jourdain. Quoi! quand je dis, «Nicole, apportez-moi mes

[32] *en donnant du bout* = *en touchant avec le bout*

[33] *que je vous veux de mal* = *comme je vous en veux* I certainly am angry at you (understood: because you did not have me taught these things)

[34] *Non* = *Rien d'autre*

pantoufles et me donnez[35] mon bonnet de nuit,» c'est de la prose?

Le Maître de Philosophie. Oui, monsieur.

M. Jourdain. Par ma foi, il y a plus de quarante ans que je dis de la prose sans le savoir. Je vous suis le plus obligé du monde de m'avoir appris cela.

Dans le billet qu'il veut écrire M. Jourdain voudrait exprimer cette idée: «Belle marquise, vos beaux yeux me font mourir d'amour.» Mais il la voudrait tournée à la mode, dite d'une façon élégante, mais sans rien y ajouter. Son professeur s'amuse à tourner cette phrase de quatre manières. En voici une: «D'amour mourir me font, belle marquise, vos beaux yeux.» Il doit reconnaître pourtant que la phrase de M. Jourdain, dans sa simplicité, est la meilleure, et celui-ci est très fier de l'apprendre. Il s'écrie: «Cependant je n'ai point étudié et j'ai fait cela du premier coup.»[36] La leçon est finie. C'est l'heure des tailleurs: ils viennent habiller M. Jourdain en cadence et dansent un ballet.

II. Quand on a un habit neuf, il faut bien le montrer. M. Jourdain veut aller en ville, accompagné de ses laquais. Avant de sortir il doit donner quelques ordres à sa servante, Nicole. Dès que celle-ci aperçoit son maître, tout fier dans ses beaux habits, elle est prise d'un fou rire irrésistible. Elle essaie bien de l'écouter, de lui répondre; mais elle ne peut se tenir debout à force de rire. «Tenez, monsieur, dit-elle, battez-moi plutôt et me laissez[1] rire tout mon saoul; cela me fera plus de bien.» Pourtant, elle se relève et n'a plus envie de rire quand M. Jourdain lui dit de préparer la maison pour la compagnie qu'il attend. Nicole n'apprécie pas beaucoup les nouveaux amis de son maître.

Mais voici Mme Jourdain. Loin de s'extasier sur le bel habit de cour, elle demande ce que c'est que cet équipage[2] et reproche à son mari de remplir sa maison de danseurs, de musiciens et de professeurs. M. Jourdain n'a pas honte de son ambition. Il serait heureux, déclare-t-il, d'avoir le fouet devant tout le monde, comme un

[35] *me donnez* (obsolete) = *donnez-moi*

[36] *du premier coup* = *à mon premier essai*

[1] *me laissez* (obsolete) = *laissez-moi*

[2] *équipage* outfit

écolier, si, à ce prix, il pouvait savoir ce qu'on apprend au collège. Il s'impatiente des moqueries de Mme Jourdain et de Nicole.

M. JOURDAIN. Vous parlez toutes deux comme des bêtes, et j'ai honte de votre ignorance. (*A Mme Jourdain*) Par exemple, savez-vous, vous, ce que c'est que vous dites à cette heure?

MME JOURDAIN. Oui, je sais que ce que je dis est fort bien dit, et que vous devriez songer à vivre d'autre sorte.

M. JOURDAIN. Je ne parle pas de cela. Je vous demande ce que c'est que les paroles que vous dites ici?

MME JOURDAIN. Ce sont des paroles bien sensées, et votre conduite ne l'est guère.

M. JOURDAIN. Je ne parle pas de cela, vous dis-je. Je vous demande, ce que je parle avec vous, ce que je vous dis à cette heure, qu'est-ce que c'est?

MME JOURDAIN. Des chansons.[3]

M. JOURDAIN. Hé non! ce n'est pas cela. Ce que nous disons tous deux, le langage que nous parlons à cette heure?

MME JOURDAIN. Eh bien?

M. JOURDAIN. Comment est-ce que cela s'appelle?

MME JOURDAIN. Cela s'appelle comme on veut l'appeler.

M. JOURDAIN. C'est de la prose, ignorante.

MME JOURDAIN. De la prose!

M. JOURDAIN. Oui, de la prose. Tout ce qui est prose n'est point vers, et tout ce qui n'est point vers n'est point prose.[4] Hé, voilà ce que c'est d'étudier. (*A Nicole.*) Et toi, sais-tu bien comme il faut faire pour dire un U?

NICOLE. Comment?

M. JOURDAIN. Oui, qu'est-ce que tu fais quand tu dis un U?

NICOLE. Quoi?

M. JOURDAIN. Dis un peu U, pour voir.[5]

NICOLE. Eh bien, U.

M. JOURDAIN. Qu'est-ce que tu fais?

NICOLE. Je dis U.

[3] *Des chansons* Utter nonsense

[4] Jourdain is evidently getting mixed up.

[5] *pour voir* just to see how you do it

M. Jourdain. Oui; mais quand tu dis U, qu'est-ce que tu fais?

Nicole. Je fais ce que vous me dites.

M. Jourdain. Oh! l'étrange chose que d'avoir à faire à des bêtes! Tu allonges les lèvres en dehors et approches la mâchoire d'en haut de celle d'en bas. U, vois-tu? U. Je fais la moue, U.

Nicole. Oui, cela est biau![6]

Mme Jourdain. Voilà qui est admirable.

M. Jourdain. C'est bien autre chose,[7] si vous aviez vu O, et DA, DA, et FA, FA.

Mme Jourdain. Qu'est-ce que c'est donc que tout ce galimatias-[8] là?

Nicole. De quoi est-ce que tout cela guérit?[9]

M. Jourdain. J'enrage quand je vois des femmes ignorantes.

Mme Jourdain. Vous êtes fou, mon mari, avec toutes vos fantaisies et cela vous est venu depuis que vous vous mêlez de hanter la noblesse.

Mais M. Jourdain a confiance en son jugement. Il pense qu'avec les grands seigneurs on ne reçoit qu'honneur et civilité. Ils lui font tant de compliments! Il ne peut supporter que sa femme se méfie des intentions de son bon ami, le comte Dorante qui, dit-il, «parle au roi, tout comme je vous parle,» et qui a pour M. Jourdain «des bontés qu'on ne devinerait jamais.» Le bon bourgeois doit cependant avouer que ce seigneur lui emprunte de l'argent. Mais n'est-ce pas un honneur de prêter de l'argent à un homme de cette condition-là?[10] D'ailleurs le comte Dorante fait pour son ami des choses dont on serait étonné si on les savait. Mme Jourdain voudrait bien les connaître, mais son mari a bien soin de ne pas dire que c'est le comte qui lui a suggéré l'idée d'offrir une fête et des cadeaux à la marquise Dorimène. Le pauvre Jourdain ne sait pas que Dorante lui-même est amoureux de la marquise, qu'il est à court d'argent, qu'il espère décider Dorimène à l'épouser en l'éblouissant par la

[6] *biau* (provincial dialect) = *beau*

[7] *bien autre chose* = *encore mieux*

[8] *galimatias* stuff and nonsense

[9] Nicole pretends to believe that the sounds Jourdain is uttering must be cabalistic formulae to conjure away diseases.

[10] *de cette condition-là* = *qui occupe une situation sociale si élevée*

fête somptueuse à laquelle il l'a conviée lui-même, alors que[11] c'est Jourdain qui doit en payer les frais.

On ne peut parler du soleil sans en voir les rayons. Au théâtre quand on parle d'une personne, on la voit généralement paraître. Dorante fait donc son entrée. Il admire le bel habit neuf qui faisait rire Nicole et rager Mme Jourdain. Il dit à son ami que le matin même il a parlé de lui dans la chambre du roi. Il vient en ce moment pour faire ses comptes[12] avec M. Jourdain. Celui-ci est malgré tout resté bon commerçant. Il se rappelle jusqu'au dernier sou toutes les sommes qu'il a avancées à son ami; il les énumère sans hésitation. Cela fait une somme totale de quinze mille huit cents livres.[13] Dorante ne discute pas ces chiffres, il propose tout bonnement[14] d'y ajouter deux mille deux cents livres. Cela fera dix-huit mille francs qu'il paiera au premier jour.[15] Mme Jourdain avait bien prévu le but de cette visite. Mais comment M. Jourdain pourrait-il refuser à Dorante, qui a parlé de lui dans la chambre du roi? Puis le comte trouve vraiment un argument irrésistible. «J'ai[16] bien des gens, dit-il, qui me prêteraient de l'argent avec joie; mais comme vous êtes mon meilleur ami, j'ai cru que je vous ferais tort[17] si j'en demandais à un autre.»

Le comte reçoit donc son argent. En compensation, il assure à M. Jourdain qu'en faisant des dépenses pour Dorimène il a trouvé le moyen de toucher son cœur et qu'elle ne tardera pas à arriver pour la fête.

Or, Nicole a entendu une partie de cette conversation et elle s'empresse de faire part de[18] ses soupçons à Mme Jourdain. La bonne dame s'inquiète un peu des folies de son mari, mais elle songe surtout à sa fille Lucile. Elle voudrait voir celle-ci mariée, et pour hâter les choses elle envoie Nicole chez le jeune Cléonte pour lui dire de venir faire sa demande[19] sans plus attendre. Nicole est

[11] *alors que* when in fact
[12] *faire ses comptes* settle accounts
[13] *livres = francs*
[14] *tout bonnement = simplement*
[15] *au premier jour* in the near future
[16] *J'ai = Je connais*
[17] *je vous ferais tort = je serais impoli envers vous*
[18] *faire part de = communiquer* impart
[19] *sa demande (en mariage)*

ravie de cette commission, car elle voudrait bien elle-même se marier avec Covielle, le valet de Cléonte.

Elle trouve les deux jeunes gens sans difficulté mais, chose étrange, elle est bien loin de recevoir l'accueil qu'elle espérait. On l'appelle perfide; on accuse sa maîtresse d'être infidèle. Ne pouvant en croire ses oreilles, Nicole rentre avertir Lucile de toute cette histoire,[20] sans avoir expliqué à Cléonte le but de sa visite. Ce dernier reste donc en face de son valet et les deux jeunes gens se mettent à ressasser[21] les causes de leur abattement. Cléonte est fort amoureux de Lucile, Covielle l'[22]est de Nicole. Tous deux avaient des raisons de se croire aimés. Or, le matin même, ils ont rencontré les deux jeunes filles dans la rue et elles ont détourné les yeux et passé brusquement comme si elles ne les connaissaient pas! Après cela des garçons qui se respectent doivent briser les premiers[23] et ne pas laisser à ces cruelles[24] la gloire de les quitter. Pour affermir sa décision de rompre, Cléonte demande à Covielle de lui rappeler tous les défauts de Lucile.

COVIELLE. Elle a les yeux petits.

CLÉONTE. Oui, mais elle les a pleins de feu, les plus brillants, les plus perçants du monde.

COVIELLE. Elle a la bouche grande.

CLÉONTE. Oui, mais on y voit des grâces[25] qu'on ne voit point aux autres bouches.

COVIELLE. Elle affecte une nonchalance dans son parler.

CLÉONTE. Oui, mais elle a grâce à[26] tout cela.

COVIELLE. Elle est capricieuse.

CLÉONTE. Oui, mais cela sied aux belles.[27]

COVIELLE. Je vois bien que vous l'aimez toujours.

CLÉONTE. Moi! j'aimerais mieux mourir, et je veux faire voir toute la force de mon cœur à la haïr, à la quitter, toute belle, toute aimable que[28] je la trouve.

[20] *cette histoire = cette complication*

[21] *ressasser = répéter sans cesse*

[22] *l' = amoureux*

[23] *briser les premiers = être les premiers à briser toute relation*

[24] *ces cruelles = ces jeunes filles cruelles*

[25] *grâces = charmes*

[26] *a grâce à* is graceful in

[27] *cela sied aux belles* it befits a beautiful girl

[28] *toute . . . que* however

Les deux jeunes filles viennent pour expliquer leur conduite du matin; mais les jeunes gens ne veulent pas les écouter. Alors les jeunes filles se fâchent à leur tour et ne veulent plus rien dire malgré les supplications des jeunes gens. Mais dans les querelles d'amoureux, c'est souvent au moment où tout semble perdu que les cœurs s'attendrissent et que les choses s'arrangent. Lucile explique enfin qu'elle était sortie avec une vieille tante qui croit que parler à un homme, surtout dans la rue, déshonore une jeune fille. Elle avait donc dû éviter de regarder Cléonte.

Maintenant que les amoureux sont réconciliés, le jeune homme va pouvoir faire sa demande. Voici justement M. Jourdain.

CLÉONTE. L'honneur d'être votre gendre est une faveur glorieuse que je vous prie de m'accorder.

M. JOURDAIN. Avant de vous rendre réponse, monsieur, je vous prie de me dire si vous êtes gentilhomme.

CLÉONTE. Je ne veux point me donner un titre que d'autres, à ma place, croiraient pouvoir prendre. Je ne suis point gentilhomme.

M. JOURDAIN. Eh bien! ma fille n'est pas pour vous.

Mme Jourdain essaie en vain de rappeler à son mari qu'eux-mêmes ils ont eu pour pères des marchands de drap. Son mari ne veut rien entendre.

M. JOURDAIN. J'ai assez de biens[29] pour ma fille. Je n'ai besoin que d'honneurs, je veux la faire marquise . . . et si vous me mettez en colère je la ferai duchesse.

La bonne Mme Jourdain n'a pas la moindre envie de donner sa fille à un grand seigneur. Quand elle aura un gendre elle veut pouvoir lui dire: «Mettez-vous[30] là et dînez avec moi.» Elle engage Cléonte à[31] ne pas perdre courage et Lucile à refuser de se marier avec un autre. Covielle, lui, n'est qu'un valet, mais il a de l'imagination. Il voudrait trouver un moyen pratique de faire le bonheur de son maître. Puisque M. Jourdain est fou, pourquoi ne pas flatter sa folie? Covielle va donc réfléchir et tâcher d'inventer une solution ingénieuse.

[29] *biens = argent; fortune*
[30] *Mettez-vous = Asseyez-vous*
[31] *engage . . . à = recommande à . . . de*

Mais voici les invités de M. Jourdain qui arrivent. La Marquise est accompagnée du comte Dorante. Elle lui fait de tendres reproches. Il vient en effet de la forcer à accepter un diamant de grand prix et elle s'inquiète de le voir faire tant de dépenses[32] pour elle. Dorante se défend fort galamment, mais il a bien soin de ne pas lui dire que le diamant a été payé par M. Jourdain et est en réalité un cadeau de celui-ci. Voici justement le pauvre homme qui s'approche. Il veut faire à la marquise la belle révérence que son maître à danser lui a apprise. Tout va bien . . . jusqu'à la troisième révérence en avant . . . Alors il se trouve trop près de la belle dame et lui dit: «Un peu plus loin, madame.» Dorimène ne comprend pas et le pauvre M. Jourdain doit lui dire: «Reculez un peu pour la troisième.» Puis il s'engage dans[33] un compliment aussi gauche que son salut. Heureusement, Dorante sauve la situation et rappelle que c'est l'heure de se mettre à table. Comme la pièce est une comédie-ballet, les cuisiniers dansent en servant le festin.

Ce repas tout à fait magnifique plaît à Dorimène et elle en fait des compliments à Dorante. Cependant M. Jourdain est heureux. Il suit les recommandations de Dorante et veut être aussi discret que doit l'être un galant homme; mais en présence de l'enthousiasme de Dorimène le voilà qui se lance dans des compliments. Il allait même devenir très galant lorsque paraît Mme Jourdain qui n'avait pas été invitée à la fête. Elle a vite fait de briser[34] son inspiration. Mme Jourdain est le bon sens même.[35] Sûre de ses droits à défendre sa famille, elle dit à tout le monde ce qu'elle pense. La pauvre marquise, qui se croyait[36] l'invitée de Dorante, sort indignée. On peut imaginer la colère de M. Jourdain.

C'est à ce moment précis qu'il aperçoit un Turc dans sa maison! C'est Covielle qui s'est ainsi déguisé. Ses réflexions n'ont pas été vaines et il semble avoir manigancé[37] toute une petite comédie aux dépens de M. Jourdain. Il prétend[38] avoir connu le père de celui-ci

[32] *faire tant de dépenses = dépenser tant d'argent*
[33] *il s'engage dans = il se met à faire*
[34] *a vite fait de briser = brise bien vite*
[35] *le bon sens même* common sense personified
[36] *se croyait = croyait être*
[37] *manigancé = organisé secrètement*
[38] *prétend* claims

et affirme que c'était un fort honnête gentilhomme qui certes ne vendait pas de drap, mais qui en donnait à ses amis . . . pour de l'argent. Mais le plus beau de l'histoire de Covielle c'est que le fils du Grand Turc[39] est amoureux de Lucile et veut l'épouser. Quant à M. Jourdain il va devenir mamamouchi,[40] ce qui est une haute dignité turque.

Quelques instants plus tard le fils du Grand Turc entre à son tour. C'est Cléonte, qui s'est lui aussi déguisé et qui joue ce rôle. Il prétend ne pas savoir un mot de français et parle une sorte de jargon que Covielle interprète brillamment pour M. Jourdain. Le bon bourgeois parisien va donc enfin devenir gentilhomme, gentilhomme turc. On l'habille pour la cérémonie qui sera accompagnée de chants et de danses.

Quand Mme Jourdain aperçoit son mari habillé en turc elle veut savoir si c'est la saison du carnaval. Le nouveau mamamouchi essaie bien[41] de faire comprendre et respecter sa dignité. Mais sa femme s'écrie: «Hélas! mon mari est devenu fou.»

Dorante et Dorimène, voulant s'amuser de la folie du bourgeois gentilhomme et rendre service à Cléonte, viennent complimenter M. Jourdain. Comme Dorimène veut empêcher Dorante de se ruiner, elle consent enfin à devenir sa femme. Lucile, qui avait absolument refusé d'obéir à son père, lorsqu'elle s'aperçoit que c'est Cléonte qui est le fils du Grand Turc, devient une fille très obéissante. Mme Jourdain cependant rage contre tout le monde, y compris[42] sa fille qu'elle accuse d'oublier Cléonte. Sa colère est telle que Covielle a bien du mal à[43] lui faire comprendre la supercherie. Elle accepte alors de se rendre[44] aux instances de son mari le mamamouchi.

Comme celui-ci donne bénévolement Nicole à Covielle, cela fera trois mariages pour bien finir la comédie. Il ne manque plus que le

[39] *Grand Turc* Sultan of Turkey

[40] *mamamouchi* This title was invented by Molière. It may have been derived from the Arabic *mā menou schi* meaning "good-for-nothing."

[41] *bien* indeed

[42] *y compris* including

[43] *a bien du mal à = trouve très difficile de*

[44] *se rendre = céder* yield, surrender

notaire.[45] En l'attendant on assiste au Ballet des Nations, un divertissement que M. Jourdain avait commandé pour plaire à la belle marquise Dorimène.

Ainsi se termine une des plus joyeuses pièces qu'ait écrites le plus grand des auteurs comiques. Chants, danses, déguisements; amours juvéniles et amour mondain; vanité et bêtise, honnêteté et solide bon sens; observation profonde et bouffonnerie; tout s'y rencontre, tout s'y mêle pour l'enseignement et le plaisir des spectateurs. Louis XIV et sa cour s'y sont divertis, mais la pièce reste aussi jeune, aussi pleinement amusante pour le public et même le lecteur du vingtième siècle.

[45] A marriage contract was usually signed before a notary before the religious ceremony could take place.

## QUESTIONNAIRE

### I

1. Pourquoi Louis XIV protégeait-il les arts?
2. A quelle occasion cette comédie a-t-elle été jouée pour la première fois?
3. Qui est Lulli?
4. D'où provient la fortune de la famille Jourdain?
5. Quelle est l'ambition de M. Jourdain?
6. Qui attend M. Jourdain au début de la pièce?
7. Pourquoi M. Jourdain est-il en retard?
8. Quelle sorte de musique M. Jourdain aime-t-il?
9. Comment danse-t-il?
10. Comment salue-t-on une dame avec respect?
11. Pourquoi M. Jourdain désire-t-il apprendre l'escrime?
12. Pourquoi une querelle éclate-t-elle entre les trois maîtres?
13. Pourquoi le professeur de philosophie se fâche-t-il, lui aussi?
14. Comment se consolera-t-il des coups qu'il a reçus?
15. En quoi consistent les connaissances de M. Jourdain?
16. Qu'est-ce que le maître de philosophie apprend à M. Jourdain?
17. Comment prononce-t-on la voyelle U?
18. Que pense M. Jourdain des choses qu'il vient d'apprendre?
19. Qu'est-ce que M. Jourdain désire envoyer à la marquise Dorimène?
20. Qu'est-ce qu'il apprend avec la plus grande satisfaction?

### II

1. Pourquoi Nicole éclate-t-elle de rire en voyant M. Jourdain?
2. Quels reproches Mme Jourdain fait-elle à son mari?
3. Qu'est-ce que M. Jourdain voudrait expliquer à sa femme?
4. Que pense Nicole de la leçon de phonétique que veut lui faire son maître?
5. Qu'est-ce que M. Jourdain pense de sa femme et de sa bonne?
6. Pourquoi M. Jourdain aime-t-il beaucoup le comte Dorante?
7. Pourquoi Dorante a-t-il donné à M. Jourdain l'idée d'offrir une fête à Dorimène?
8. Comment Dorante arrive-t-il à emprunter deux mille deux cents francs de plus à M. Jourdain?
9. Quelle commission Mme Jourdain confie-t-elle à Nicole?
10. Pourquoi Cléonte et Covielle sont-ils si découragés?
11. Comment Covielle décrit-il Lucile à son maître et pourquoi la décrit-il ainsi?
12. Arrive-t-il à convaincre Cléonte?

13. Lucile a-t-elle une bonne excuse à offrir?
14. M. et Mme Jourdain sont-ils d'accord sur le choix d'un gendre?
15. Comment M. Jourdain salue-t-il la marquise?
16. Qui vient interrompre le festin et avec quelles conséquences?
17. Quelle comédie Covielle a-t-il inventée?
18. Quel titre donne-t-on à M. Jourdain?
19. Comment finit la pièce pour les divers personnages?
20. On dit que le comique théâtral peut se diviser en comique de gestes, comique de mots, comique de situation et comique de caractère. Trouve-t-on ces quatre éléments dans cette pièce?

## JEAN DE LA FONTAINE

### Le Loup et l'Agneau

La raison du plus fort est toujours la meilleure:
Nous l'allons montrer tout à l'heure.

Un Agneau se désaltérait
Dans le courant d'une onde pure;
Un Loup survient à jeun, qui cherchait aventure,
Et que la faim en ces lieux attirait.
«Qui te rend si hardi de troubler mon breuvage?
Dit cet animal plein de rage:
Tu seras châtié de ta témérité.
—Sire, répond l'Agneau, que Votre Majesté
Ne se mette pas en colère;
Mais plutôt qu'Elle considère
Que je me vas désaltérant
Dans le courant
Plus de vingt pas au-dessous d'Elle;
Et que par conséquent, en aucune façon,
Je ne puis troubler sa boisson.
—Tu la troubles, reprit cette bête cruelle;
Et je sais que de moi tu médis l'an passé.
—Comment l'aurais-je fait si je n'étais pas né?
Reprit l'Agneau, je tette encor ma mère.
—Si ce n'est toi, c'est donc ton frère.
—Je n'en ai point.—C'est donc quelqu'un des tiens;
Car vous ne m'épargnez guère,
Vous, vos bergers et vos chiens.
On me l'a dit: il faut que je me venge.»
Là-dessus, au fond des forêts
Le Loup l'emporte, et puis le mange,
Sans autre forme de procès.

[*For notes on these poems see pages 245-6.*]

## Le Corbeau et le Renard

Maître Corbeau, sur un arbre perché,
Tenait en son bec un fromage.
Maître Renard, par l'odeur alléché,
Lui tint à peu près ce langage:
Hé! bonjour, Monsieur du Corbeau,
Que vous êtes joli! que vous me semblez beau!
Sans mentir, si votre ramage
Se rapporte à votre plumage,
Vous êtes le phénix des hôtes de ces bois.
A ces mots le Corbeau ne se sent pas de joie;
Et, pour montrer sa belle voix,
Il ouvre un large bec, laisse tomber sa proie.
Le Renard s'en saisit, et dit: Mon bon Monsieur,
Apprenez que tout flatteur
Vit aux dépens de celui qui l'écoute.
Cette leçon vaut bien un fromage, sans doute.
Le Corbeau, honteux et confus,
Jura, mais un peu tard, qu'on ne l'y prendrait plus.

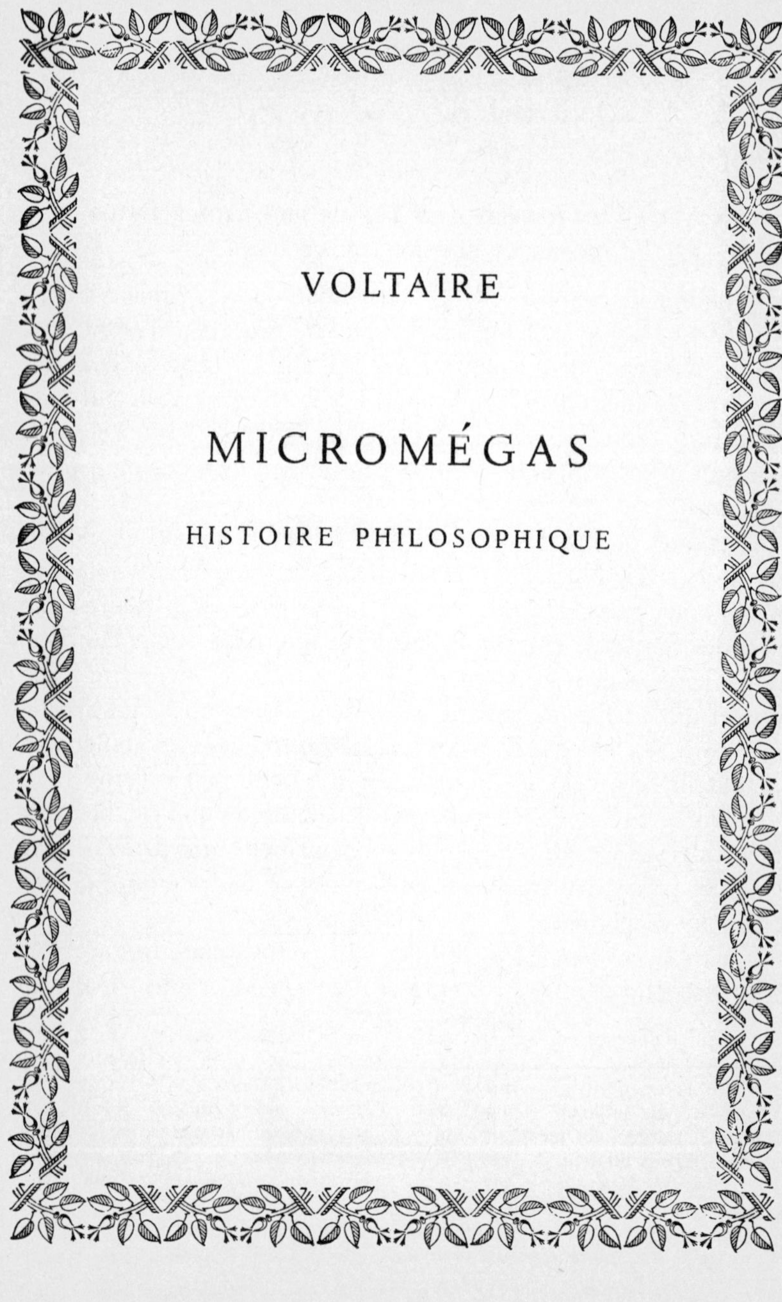

VOLTAIRE

# MICROMÉGAS

## HISTOIRE PHILOSOPHIQUE

# Chapitre I

## VOYAGE D'UN HABITANT DU MONDE DE L'ÉTOILE SIRIUS DANS LA PLANÈTE DE SATURNE

Dans une de ces planètes qui tournent autour de l'étoile nommée Sirius, il y avait un jeune homme de beaucoup d'esprit, que j'ai eu l'honneur de connaître dans le dernier voyage qu'il fit sur notre petite fourmilière;[1] il s'appelait Micromégas,[2] nom qui convient fort[3] à tous les grands.[4] Il avait huit lieues de haut: j'entends par huit lieues, vingt-quatre mille pas géométriques[5] de cinq pieds chacun.

Quelques géomètres, gens toujours utiles au public, prendront sur-le-champ la plume, et trouveront que, puisque M. Micromégas, habitant du pays de Sirius, a de la tête aux pieds vingt-quatre mille pas, qui font cent vingt mille pieds, et que nous autres citoyens[6] de la Terre nous n'avons guère que cinq pieds, et que notre globe a neuf mille lieues de tour; ils trouveront, dis-je, qu'il faut absolument que le globe qui l'a produit ait au juste[7] vingt-un millions six cent mille fois plus de circonférence que notre petite Terre.

La taille de Son Excellence étant de la hauteur que j'ai dite, tous nos sculpteurs et tous nos peintres conviendront sans peine[8] que sa ceinture peut avoir cinquante mille pieds de tour; ce qui fait une très jolie proportion.

Quant à son esprit, c'est un des plus cultivés que nous ayons; il sait beaucoup de choses; il en a inventé quelques-unes: il n'avait

[1] *notre petite fourmilière* this ant-hill world of ours

[2] The name derives from the two Greek words "mikros" (small) and "megas" (large). It seems to imply that all size is relative.

[3] *fort* = *très bien*

[4] *les grands* men of high rank

[5] *pas géométriques* A unit of length no longer in use. It measured five "*pieds royaux*" or feet of thirteen inches. The "*lieue*" or league equals about three miles.

[6] *nous autres citoyens* we the citizens—"*Autre*" is merely an emphatic adjective used as a rule to place the person or persons it qualifies in contrast with some one else.

[7] *au juste* = *exactement*

[8] *sans peine* = *facilement*

pas encore deux cent cinquante ans, et il étudiait, selon la coutume, au collège des jésuites[9] de sa planète, lorsqu'il devina, par la force de son esprit, plus de cinquante propositions d'Euclide.[10] Vers les quatre cent cinquante ans, au sortir de l'enfance, il disséqua beaucoup de ces petits insectes qui n'ont pas cent pieds de diamètre, et qui se dérobent aux[11] microscopes ordinaires; il en composa un livre fort curieux, mais qui lui fit quelques affaires.[12] Le mufti[13] de son pays, grand vétillard et fort ignorant, trouva dans son livre des propositions suspectes, malsonnantes, téméraires, hérétiques, sentant l'hérésie, et le poursuivit vivement: il s'agissait de savoir si la forme substantielle des puces de Sirius était de même nature que celle des colimaçons. Micromégas se défendit avec esprit, il mit les femmes de son côté; le procès dura deux cent vingt ans. Enfin le mufti fit condamner le livre par des jurisconsultes qui ne l'avaient pas lu, et l'auteur eut ordre de ne paraître à la cour de[14] huit cents années.

Il ne fut que médiocrement affligé d'être banni d'une cour qui n'était remplie que de tracasseries et de petitesses. Il fit une chanson fort plaisante[15] contre le mufti, dont celui-ci ne s'embarrassa guère; et il se mit à voyager de planète en planète, pour achever de se former l'esprit. Ceux qui ne voyagent qu'en chaise de poste ou en berline seront sans doute étonnés des équipages de là-haut; car nous autres,[16] sur notre petit tas de boue, nous ne concevons rien au delà de nos usages. Notre voyageur connaissait merveilleusement les lois de la gravitation, et toutes les forces attractives et répulsives. Il s'en servait si à propos, que, tantôt à l'aide d'un rayon de soleil, tantôt par la commodité d'une comète, il allait de globe en globe, lui et

[9] There were a great many Jesuit colleges in France in the eighteenth century. Voltaire himself had been educated in one of them. He seems here to pay a tribute to the excellent education these schools provided by imagining that even in Sirius the best training must have been given by a Jesuit college.

[10] *Euclide* Euclid—Famous Greek mathematician (lived around 300 B.C.). His "Elements" constitute the basis of plane geometry.

[11] *se dérobent aux = ne peuvent pas être vus dans les*

[12] *lui fit quelques affaires = lui causa quelques ennuis* (troubles)

[13] *mufti* high priest—A mufti is in fact a high dignitary of the Mohammedan church.

[14] *de = pendant; durant*

[15] *plaisante = amusante*

[16] See note 6.

les siens, comme un oiseau voltige de branche en branche. Micromégas arriva dans le globe de Saturne. Quelque accoutumé qu'il fût à voir des choses nouvelles, il ne put d'abord, en voyant la petitesse du globe et de ses habitants, se défendre de[17] ce sourire de supériorité qui échappe quelquefois aux plus sages. Car enfin Saturne n'est guère que neuf cents fois plus gros que la Terre, et les citoyens de ce pays-là sont des nains qui n'ont que mille toises[18] de haut environ. Il s'en moqua d'abord un peu avec ses gens. Mais, comme le Sirien avait un bon esprit, il comprit bien vite qu'un être pensant peut fort bien n'être pas ridicule pour n'avoir que[19] six mille pieds de haut. Il se familiarisa avec les Saturniens, après les avoir étonnés. Il lia une étroite amitié avec le secrétaire de l'Académie de Saturne,[20] homme de beaucoup d'esprit, qui n'avait, à la vérité, rien inventé, mais qui rendait un fort beau compte des inventions des autres, et qui faisait passablement de petits vers et de grands calculs. Après s'être communiqué l'un à l'autre un peu de ce qu'ils savaient et beaucoup de ce qu'ils ne savaient pas, après avoir raisonné pendant une révolution du Soleil, ils résolurent de faire ensemble un petit voyage philosophique.

## *Chapitre II*

### VOYAGE DES DEUX HABITANTS DE SIRIUS ET DE SATURNE

Nos deux philosophes étaient prêts à s'embarquer dans l'atmosphère de Saturne, avec une jolie provision d'instruments de mathématiques, lorsque la maîtresse[1] du Saturnien, qui en eut des nouvelles, vint en larmes faire ses remontrances. C'était une jolie petite brune qui n'avait que six cent soixante toises, mais qui réparait[2] par bien des agréments la petitesse de sa taille.—Ah! cruel, s'écria-t-elle, après t'avoir résisté quinze cents ans, lorsque

[17] *se défendre de = s'empêcher d'avoir* help having, resist

[18] Old linear measure; about six feet and a half

[19] *pour n'avoir que = même s'il a seulement*

[20] Voltaire had in mind Fontenelle (1657-1757), at that time secretary of the French Academy, who, in his "*Entretiens sur la pluralité des mondes*" had adapted astronomy to the taste of society people.

[1] *la maîtresse = l'amie* the ladylove; the sweetheart

[2] *réparait* made up . . . for

enfin je commençais à me rendre,[3] tu me quittes pour aller voyager avec un géant d'un autre monde; va, tu n'es qu'un curieux,[4] tu n'as jamais eu d'amour: si tu étais un vrai Saturnien, tu serais fidèle. Où vas-tu courir? que veux-tu? nos cinq lunes sont moins errantes que toi, notre anneau[5] est moins changeant. Voilà qui est fait,[6] je n'aimerai jamais plus personne. Le philosophe l'embrassa, pleura avec elle, tout philosophe qu'il était, et la dame, après s'être pâmée, alla se consoler avec un petit-maître[7] du pays.

Cependant nos deux curieux partirent; ils sautèrent d'abord sur l'anneau, qu'ils trouvèrent assez plat, comme l'a fort bien deviné un illustre habitant[8] de notre petit globe; de là ils allèrent de lune en lune. Une comète passait tout auprès de la dernière; ils s'élancèrent sur elle avec leurs domestiques et leurs instruments. Quand ils eurent fait environ cent cinquante millions de lieues, ils rencontrèrent les satellites de Jupiter. Ils passèrent dans Jupiter même, et y restèrent une année, pendant laquelle ils apprirent de fort beaux secrets qui seraient actuellement[9] sous presse sans messieurs les inquisiteurs, qui ont trouvé quelques propositions un peu dures.[10] Mais j'en ai lu le manuscrit dans la bibliothèque de l'illustre archevêque de[11] . . . , qui m'a laissé voir ses livres avec cette générosité et cette bonté qu'on ne saurait assez louer.

Mais revenons à nos voyageurs. En sortant de Jupiter, ils traversèrent un espace d'environ cent millions de lieues, et ils côtoyèrent la planète de Mars, qui, comme on sait, est cinq fois plus petite que notre petit globe. Nos gens trouvèrent cela si petit, qu'ils craignirent de n'y pas trouver[12] de quoi[13] coucher, et ils passèrent leur chemin comme deux voyageurs qui dédaignent un mauvais

[3] *me rendre = céder* weaken

[4] *un curieux = un homme qui cherche la nouveauté* a novelty seeker

[5] This passage refers of course to the inner satellites (*lunes*) and the ring (*anneau*) of Saturn.

[6] *Voilà qui est fait = C'est bien fini* It's all over now

[7] *un petit-maître* a dandy

[8] This refers to the famous Dutch physicist and astronomer Huyghens (1629-1697).

[9] *actuellement = maintenant; aujourd'hui*

[10] *un peu dures = assez osées* (daring); *difficiles à accepter*

[11] An ironical Voltairian statement implying that high dignitaries of the church were often very much interested in books which they refused to see published.

[12] *de n'y pas trouver* (obsolete form) = *de ne pas y trouver*

[13] *de quoi = un endroit où*

cabaret de village, et poussent jusqu'à la ville voisine. Mais le Sirien et son compagnon se repentirent bientôt. Ils allèrent longtemps et ne trouvèrent rien. Enfin ils aperçurent une petite lueur, c'était la Terre; cela fit pitié[14] à des gens qui venaient de Jupiter. Cependant, de peur de se repentir une seconde fois, ils résolurent de débarquer. Ils passèrent sur la queue de la comète, et trouvant une aurore boréale toute prête, ils se mirent dedans, et arrivèrent à terre, sur le bord septentrional de la mer Baltique, le cinq juillet mil sept cent trente-sept, nouveau style.[15]

## *Chapitre III*

### CE QUI LEUR ARRIVE SUR LE GLOBE DE LA TERRE

Après s'être reposés quelque temps, ils mangèrent à leur déjeuner deux montagnes, que leurs gens leur apprêtèrent assez proprement.[1] Ensuite ils voulurent[2] reconnaître le petit pays où ils étaient. Ils allèrent d'abord du nord au sud. Les pas ordinaires du Sirien et de ses gens étaient d'environ trente mille pieds de roi; le nain de Saturne suivait de loin en haletant; or il fallait qu'il fît environ douze pas, quand l'autre faisait une enjambée: figurez-vous (s'il est permis de faire de telles comparaisons) un très petit chien de manchon[3] qui suivrait un capitaine des gardes du roi de Prusse.[4]

Comme ces étrangers-là vont assez vite, ils eurent fait le tour du globe en trente-six heures; le Soleil à la vérité, ou plutôt la Terre, fait un pareil voyage en une journée; mais il faut songer qu'on va bien plus à son aise quand on tourne sur son axe que quand on marche sur ses pieds. Les voilà donc revenus d'où ils étaient partis, après avoir vu cette mare, presque imperceptible pour eux, qu'on nomme *la Méditerranée*, et cet autre petit étang qui, sous le nom du *grand Océan*,[5] entoure la taupinière. Le nain[6] n'en avait eu

[14] *fit pitié = inspira de la pitié*

[15] Reference to the Gregorian calendar (new style) which had replaced the Julian calendar (old style) at the end of the sixteenth century.

[1] *proprement = bien*

[2] *ils voulurent = ils décidèrent de*

[3] *chien de manchon* lap dog—Literally a dog which a lady could carry in her muff (*manchon*).

[4] Frederick William I (1688-1780), king of Prussia, selected for his army the tallest men he could find.

[5] *grand Océan* Oceans i.e. all the water surrounding the earth

[6] *Le nain* i.e. The Saturnian

jamais qu'[7]à mi-jambe, et à peine l'autre avait-il mouillé son talon. Ils firent tout ce qu'ils purent en allant et en revenant dessus et dessous pour tâcher d'apercevoir si ce globe était habité ou non. Ils se baissèrent, ils se couchèrent, ils tâtèrent partout; mais leurs yeux et leurs mains n'étant point proportionnés aux petits êtres qui rampent ici, ils ne reçurent pas la moindre sensation qui pût leur faire soupçonner que nous et nos confrères les autres habitants de ce globe avons l'honneur d'exister.

Le nain, qui jugeait quelquefois un peu trop vite, décida d'abord qu'il n'y avait personne sur la Terre. Sa première raison était qu'il n'avait vu personne. Micromégas lui fit sentir poliment que c'était raisonner assez mal: Car, disait-il, vous ne voyez pas avec vos petits yeux certaines étoiles de la cinquantième grandeur que j'aperçois très distinctement; concluez-vous de là que ces étoiles n'existent pas?—Mais, dit le nain, j'ai bien tâté.—Mais, répondit l'autre, vous avez mal senti.[8]—Mais, dit le nain, ce globe-ci est si mal construit, cela est si irrégulier et d'une forme qui me paraît si ridicule! tout semble être ici dans le chaos: voyez-vous ces petits ruisseaux dont aucun ne va de droit fil,[9] ces étangs qui ne sont ni ronds, ni carrés, ni ovales, ni sous aucune forme régulière; tous ces petits grains pointus dont ce globe est hérissé, et qui m'ont écorché les pieds? (Il voulait parler des montagnes.) Remarquez-vous encore la forme de tout le globe, comme il est plat aux pôles, comme il tourne autour du Soleil d'une manière gauche, de façon que les climats des pôles sont nécessairement incultes? En vérité, ce qui fait que je pense[10] qu'il n'y a ici personne, c'est qu'il me paraît que des gens de bon sens ne voudraient pas y demeurer.—Eh bien! dit Micromégas, ce ne sont peut-être pas non plus des gens de bon sens qui l'habitent. Mais enfin il y a quelque apparence que ceci n'est pas fait pour rien. Tout vous paraît irrégulier ici, dites-vous, parce que tout est tiré au cordeau[11] dans Saturne et dans Jupiter. Eh! c'est peut-être pour cette raison-là même qu'il y a ici un peu de confusion. Ne

[7] *n'en . . . jamais qu'* never . . . any more than

[8] *vous avez mal senti* your perception (feeling) of things was wrong

[9] *de droit fil = en ligne droite*

[10] *ce qui fait que je pense = ce qui me fait penser*

[11] *est tiré au cordeau* follows perfectly straight lines; is geometrically drawn

vous ai-je pas dit que dans mes voyages j'avais toujours remarqué de la variété? Le Saturnien répliqua à toutes ces raisons. La dispute n'eût jamais fini, si par bonheur Micromégas, en s'échauffant à parler, n'eût cassé[12] le fil de son collier de diamants. Les diamants tombèrent; c'étaient de jolis petits carats assez inégaux, dont les plus gros pesaient quatre cents livres, et les plus petits cinquante. Le nain en ramassa quelques-uns; il s'aperçut, en les approchant de ses yeux, que ces diamants, de la façon[13] dont ils étaient taillés, étaient d'excellents microscopes. Il prit donc un petit microscope de cent soixante pieds de diamètre, qu'il appliqua à sa prunelle; et Micromégas en choisit un de deux mille cinq cents pieds. Ils étaient excellents; mais d'abord on ne vit rien par leur secours,[14] il fallait s'ajuster. Enfin l'habitant de Saturne vit quelque chose d'imperceptible qui remuait entre deux eaux[15] dans la mer Baltique: c'était une baleine. Il la prit avec le petit doigt fort adroitement; et, la mettant sur l'ongle de son pouce, il la fit voir[16] au Sirien, qui se mit à rire pour la seconde fois de l'excès de petitesse dont étaient les habitants de notre globe. Le Saturnien, convaincu que notre monde est habité, s'imagina bien vite qu'il ne l'était que par des baleines, et comme il était grand raisonneur, il voulut deviner d'où un si petit atome tirait son mouvement, s'il avait des idées, une volonté, une liberté. Micromégas y fut fort embarrassé; il examina l'animal fort patiemment, et le résultat de l'examen fut qu'il n'y avait pas moyen de croire qu'une âme fût logée là. Les deux voyageurs inclinaient donc à penser qu'il n'y a point d'esprit dans notre habitation, lorsqu'à l'aide du microscope ils aperçurent quelque chose d'aussi gros qu'une baleine qui flottait sur la mer Baltique. On sait que dans ce temps-là même une volée de philosophes revenait du cercle polaire,[17] sous lequel ils avaient été faire des observations dont personne ne s'était avisé[18] jusqu'alors. Les gazettes dirent

[12] *n'eût jamais fini . . . n'eût cassé = n'aurait jamais fini . . . n'avait pas cassé*

[13] *de la façon = à cause de la façon*

[14] *par leur secours = à l'aide de ces microscopes*

[15] *entre deux eaux = près de la surface de l'eau*

[16] *il la fit voir = il la montra*

[17] Reference to an expedition to Lapland undertaken by the French mathematician Maupertuis and other scientists who intended to measure a degree of longitude.

[18] *dont personne ne s'était avisé = auxquelles personne n'avait pensé*

que leur vaisseau échoua aux côtes de Bothnie,[19] et qu'ils eurent bien de la peine à se sauver: mais on ne sait jamais dans ce monde le dessous des cartes.[20] Je vais raconter ingénument comme la chose se passa, sans y rien mettre du mien;[21] ce qui n'est pas un petit effort pour un historien.

## *Chapitre IV*

### EXPÉRIENCES ET RAISONNEMENTS DES DEUX VOYAGEURS

Micromégas étendit la main tout doucement vers l'endroit où l'objet paraissait, et avançant deux doigts, et les retirant par la crainte de se tromper, puis les ouvrant et les serrant, il saisit fort adroitement le vaisseau qui portait ces messieurs, et le mit encore sur son ongle, sans le trop presser, de peur de l'écraser.—Voici un animal bien différent du premier, dit le nain de Saturne. Le Sirien mit le prétendu animal dans le creux de sa main. Les passagers et les gens de l'équipage, qui s'étaient crus enlevés par un ouragan, et qui se croyaient sur une espèce de rocher, se mettent tous en mouvement; les matelots prennent des tonneaux de vin, les jettent sur la main de Micromégas, et se précipitent après.[1] Les géomètres prennent leurs quarts de cercle, leurs secteurs, deux filles laponnes,[2] et descendent sur les doigts du Sirien. Ils en firent tant,[3] qu'il sentit enfin remuer quelque chose qui lui chatouillait les doigts; c'était un bâton ferré qu'on lui enfonçait d'un pied[4] dans l'index: il jugea, par ce picotement, qu'il était sorti quelque chose du petit animal qu'il tenait; mais il n'en soupçonna pas d'abord davantage. Le microscope, qui faisait à peine discerner une baleine et un vaisseau, n'avait point de prise[5] sur un être aussi imperceptible que des

[19] *Bothnie* or *Botnie* Bothnia—Former territory bordering on the Gulf of Bothnia (northern part of the Baltic sea) which is now part of Sweden and of Finland.

[20] *le dessous des cartes = la vérité cachée* (Literally: the side of the cards one does not show one's opponent)

[21] *du mien* of my own

[1] *après = après eux*

[2] Evidently two girls whom the expedition was bringing back from Lapland. Lapland (in French "*Laponie*") is the most northern section of Europe.

[3] *Ils en firent tant = Ils s'agitèrent tant*

[4] *d'un pied* one foot deep

[5] *n'avait point de prise = était sans effet*

hommes. Je ne prétends[6] choquer ici la vanité de personne, mais je suis obligé de prier les importants[7] de faire ici une petite remarque avec moi; c'est qu'en prenant la taille des hommes d'environ cinq pieds, nous ne faisons pas sur la Terre une plus grande figure qu'en ferait sur une boule de dix pieds de tour un animal qui aurait à peu près la six cent-millième partie d'un pouce en hauteur. Figurez-vous une substance qui pourrait tenir la Terre dans sa main, et qui aurait des organes en proportion des nôtres; et il se peut très bien faire[8] qu'il y ait un grand nombre de ces substances: or concevez, je vous prie, ce qu'elles penseraient de ces batailles qui font gagner au vainqueur un village pour le perdre ensuite.

Je ne doute pas que si quelque capitaine des grands grenádiers lit jamais cet ouvrage, il ne hausse de deux grands pieds au moins les bonnets de sa troupe; mais je l'avertis qu'il aura beau faire,[9] que lui et les siens ne seront jamais que des infiniment petits.[10]

Quelle adresse merveilleuse ne fallut-il donc pas à notre philosophe de Sirius, pour apercevoir les atomes dont je viens de parler? Quel plaisir sentit Micromégas en voyant remuer ces petites machines, en examinant tous leurs tours,[11] en les suivant dans toutes leurs opérations! Comme il s'écria! comme il mit avec joie un de ses microscopes dans les mains de son compagnon de voyage!—Je les vois, disaient-ils tous deux à la fois; ne les voyez-vous pas qui portent des fardeaux, qui se baissent, qui se relèvent. En parlant ainsi, les mains leur tremblaient,[12] par le plaisir de voir des objets si nouveaux, et par la crainte de les perdre.

## Chapitre V

### CE QUI LEUR ARRIVA AVEC LES HOMMES

Micromégas, bien meilleur observateur que son nain, vit clairement que les atomes se parlaient; et il le fit remarquer à son com-

[6] *Je ne prétends . . . = Je n'ai pas l'intention de . . .*
[7] *les importants = les gens qui se croient importants*
[8] *il se peut très bien faire = il est très possible*
[9] *il aura beau faire = malgré cela*
[10] *petits = petits êtres*
[11] *tous leurs tours = tous leurs mouvements*
[12] *les mains leur tremblaient = leurs mains tremblaient*

pagnon, qui ne voulut point[1] croire que de pareilles espèces pussent se communiquer des idées. Il avait le don des langues aussi bien que le Sirien; il n'entendait point parler nos atomes, et il supposait qu'ils ne parlaient pas: d'ailleurs, comment ces êtres imperceptibles auraient-ils les organes de la voix, et qu'auraient-ils à dire? Pour parler, il faut penser, ou à peu près; mais s'ils pensaient, ils auraient donc l'équivalent d'une âme: or, attribuer l'équivalent d'une âme à cette espèce, cela lui paraissait absurde:—Je n'ose plus ni croire ni nier, dit le nain; je n'ai plus d'opinion; il faut tâcher d'examiner ces insectes, nous raisonnerons après.—C'est fort bien dit, reprit Micromégas; et aussitôt il tira une paire de ciseaux dont il se coupa les ongles, et d'une rognure de l'ongle de son pouce il fit sur-le-champ une espèce de grande trompette parlante, comme un vaste entonnoir, dont il mit le tuyau dans son oreille. La circonférence de l'entonnoir enveloppait le vaisseau et tout l'équipage. La voix la plus faible entrait dans les fibres circulaires de l'ongle; de sorte que, grâce à son industrie, le philosophe de là-haut entendit parfaitement le bourdonnement de nos insectes de là-bas. En peu d'heures il parvint à distinguer les paroles, et enfin à entendre le français. Le nain en fit autant, quoique avec plus de difficulté. L'étonnement des voyageurs redoublait à chaque instant. Ils entendaient des mites parler d'assez bon sens: ce jeu de la nature leur paraissait inexplicable. Vous croyez bien[2] que le Sirien et son nain brûlaient d'impatience de lier conversation avec les atomes; le nain craignait que sa voix de tonnerre, et surtout celle de Micromégas, n'assourdît les mites sans en[3] être entendue. Il fallait en[4] diminuer la force. Le Sirien tenait le nain sur ses genoux, et le vaisseau avec l'équipage sur son ongle; il baissait la tête et parlait bas. Enfin, moyennant toutes ces précautions et bien d'autres encore, il commença ainsi son discours:

Insectes invisibles, que la main du Créateur s'est plu à[5] faire naître dans l'abîme de l'infiniment petit, je le remercie de ce qu'il[6] a daigné me découvrir des secrets qui semblaient impénétrables.

[1] *ne voulut point = refusa de*

[2] *Vous croyez bien* You may well believe

[3] *en = par eux*

[4] *en = de leur voix*

[5] *s'est plu à = a eu la fantaisie de*

[6] *de ce qu'il = parce qu'il*

Peut-être ne daignerait-on[7] pas vous regarder à ma cour; mais je ne méprise personne, et je vous offre ma protection.

Si jamais il y eut quelqu'un d'étonné, ce furent les gens qui entendirent ces paroles. Ils ne pouvaient deviner d'où elles partaient. L'aumônier du vaisseau récita les prières des exorcismes,[8] les matelots jurèrent, et les philosophes du vaisseau firent des systèmes; mais quelque système qu'ils fissent, ils ne purent jamais deviner qui leur parlait. Le nain de Saturne, qui avait la voix plus douce que Micromégas, leur apprit alors en peu de mots à quelles espèces ils avaient affaire. Il leur conta le voyage de Saturne, les mit au fait de[9] ce qu'était M. Micromégas; et après les avoir plaints d'être si petits, il leur demanda s'ils avaient toujours été dans ce misérable état si voisin de l'anéantissement, ce qu'ils faisaient dans un globe qui paraissait appartenir à des baleines, s'ils étaient heureux, s'ils multipliaient,[10] s'ils avaient une âme, et cent autres questions de cette nature.

Un raisonneur de la troupe, plus hardi que les autres, et choqué de ce qu'on doutait de son âme,[11] observa l'interlocuteur avec des pinnules braquées sur un quart de cercle, fit deux stations,[12] et à la troisième il parla ainsi: Vous croyez donc, monsieur, parce que vous avez mille toises depuis la tête jusqu'aux pieds, que vous êtes un . . . —Mille toises! s'écria le nain: juste ciel! d'où peut-il savoir ma hauteur? mille toises! il ne se trompe pas d'un pouce. Quoi! cet atome m'a mesuré! il est géomètre, il connaît ma grandeur; et moi, qui ne le vois qu'à travers un microscope, je ne connais pas encore la sienne!—Oui, je vous ai mesuré, dit le physicien, et je mesurerai bien encore votre grand compagnon. La proposition fut acceptée; Son Excellence se coucha de son long;[13] car, s'il se fût tenu debout, sa tête eût été[14] trop au-dessus des nuages. Puis, par

[7] Interrogative form because the sentence begins with *"Peut-être"*.

[8] *exorcismes* exorcisms—Ceremonies to cast out evil spirits.

[9] *les mit au fait de = leur apprit*

[10] *multipliaient = avaient des enfants*

[11] *de ce qu'on doutait de son âme = parce qu'on doutait de l'existence de son âme*

[12] *fit deux stations* stopped at two different points to take sights through his surveyor's level

[13] *de son long = de toute sa longueur* flat (his whole length)

[14] *se fût tenu . . . eût été = s'était tenu . . . aurait été*

une suite de triangles liés ensemble,[15] nos philosophes conclurent que ce qu'ils voyaient était en effet un jeune homme de cent vingt mille pieds.

Alors Micromégas prononça ces paroles: Je vois plus que jamais qu'il ne faut juger de rien sur sa grandeur apparente. O Dieu! qui avez donné une intelligence à des substances qui paraissent si méprisables, l'infiniment petit vous coûte aussi peu que l'infiniment grand; et s'il est possible qu'il y ait des êtres plus petits que ceux-ci, ils peuvent encore avoir un esprit supérieur à ceux de ces superbes animaux que j'ai vus dans le ciel, dont le pied seul couvrirait le globe où je suis descendu.

Un des philosophes lui répondit qu'il pouvait en toute sûreté croire qu'il est[16] en effet des êtres intelligents beaucoup plus petits que l'homme. Il lui conta, non pas tout ce que Virgile a dit de fabuleux sur les abeilles, mais ce que Swammerdam a découvert, et ce que Réaumur[17] a disséqué. Il lui apprit enfin qu'il y a des animaux qui sont pour les abeilles ce que les abeilles sont pour l'homme, ce que le Sirien lui-même était pour ces animaux si vastes dont il parlait, et ce que ces grands animaux sont pour d'autres substances devant lesquelles ils ne paraissent que comme des atomes. Peu à peu la conversation devint intéressante, et Micromégas parla ainsi:

## *Chapitre VI*

### CONVERSATION AVEC LES HOMMES

—O atomes intelligents, dans qui l'Être éternel s'est plu à manifester son adresse et sa puissance, vous devez, sans doute, goûter des joies bien pures sur votre globe; car ayant si peu de matière, et paraissant tout esprit, vous devez passer votre vie à aimer et à penser; c'est la véritable vie des esprits. Je n'ai vu nulle

[15] *par une suite . . . ensemble* basing their calculations on a combination of triangles

[16] *qu'il est = qu'il y a*

[17] Vergil (70-19 B.C.) describes the life of bees in the fourth book of his Georgics. Swammerdam (1637-1680) was a famous Dutch naturalist. Réaumur (1683-1757) was a famous French physicist and naturalist.

part le vrai bonheur, mais il est ici, sans doute. A ce discours,[1] tous les philosophes secouèrent la tête; et l'un d'eux, plus franc que les autres, avoua de bonne foi que, si l'on en excepte un petit nombre d'habitants fort peu considérés,[2] tout le reste est un assemblage de fous, de méchants et de malheureux.—Nous avons plus de matière qu'il ne nous en faut,[3] dit-il, pour faire beaucoup de mal, si le mal vient de la matière; et trop d'esprit, si le mal vient de l'esprit. Savez-vous bien, par exemple, qu'à l'heure que je vous parle,[4] il y a cent mille fous de notre espèce, couverts de chapeaux, qui tuent cent mille autres animaux couverts d'un turban, ou qui sont massacrés par eux, et que, presque par toute la terre, c'est ainsi qu'on en use[5] de temps immémorial? Le Sirien frémit, et demanda quel pouvait être le sujet de ces horribles querelles entre de si chétifs animaux.—Il s'agit, dit le philosophe, de quelques tas de boue[6] grands comme votre talon. Ce n'est pas qu'[7]aucun de ces millions d'hommes qui se font égorger prétende un fétu sur[8] ce tas de boue. Il ne s'agit que de savoir s'il appartiendra à un certain homme qu'on nomme *Sultan*, ou à un autre qu'on nomme, je ne sais pourquoi, *César*.[9] Ni l'un ni l'autre n'a jamais vu ni ne verra jamais le petit coin de terre dont il s'agit; et presque aucun de ces animaux, qui s'égorgent mutuellement, n'a jamais vu l'animal pour lequel il s'égorge.

—Ah! malheureux! s'écria le Sirien avec indignation, peut-on concevoir cet excès de rage forcenée! Il me prend envie[10] de faire trois pas, et d'écraser de trois coups de pied toute cette fourmilière d'assassins ridicules.—Ne vous en donnez pas la peine, lui répondit-on; ils travaillent assez à leur ruine. Sachez[11] qu'au bout de dix

[1] *A ce discours* = *Quand ils entendirent ceci*

[2] *fort peu considérés* = *très peu estimés*

[3] *qu'il ne nous en faut* than we need—Note the redundant use of *ne* which accompanies the verb in the second part of a comparison.

[4] The story of Micromégas is supposed to take place in 1737. Voltaire refers here to the war between Russia and Turkey (1736-1739).

[5] *qu'on en use* = *qu'on agit; qu'on fait*

[6] These "mud heaps" may refer to the Crimea which had been the theater of war between Turkey and Russia. It was, however, officially annexed to Russia only in 1783.

[7] *Ce n'est pas qu'* Not that

[8] *prétende un fétu sur* = *réclame la plus petite parcelle de*

[9] *César* = *Czar*

[10] *Il me prend envie* = *J'ai bien envie* I feel very much like

[11] *Sachez* = *Apprenez*

ans, il ne reste jamais la centième partie de ces misérables; sachez que, quand même ils n'auraient pas[12] tiré l'épée, la faim, la fatigue, ou l'intempérance les emportent presque tous. D'ailleurs, ce n'est pas eux qu'il faut punir, ce sont ces barbares sédentaires qui du fond[13] de leur cabinet ordonnent, dans le temps de leur digestion, le massacre d'un million d'hommes, et qui ensuite en font remercier Dieu solennellement. Le voyageur se sentait ému de pitié pour la petite race humaine, dans laquelle il découvrait de si étonnants contrastes.—Puisque vous êtes du[14] petit nombre des sages, dit-il à ces messieurs, et qu'apparemment vous ne tuez personne pour de l'argent, dites-moi, je vous prie, à quoi vous vous occupez.—Nous disséquons des mouches, dit le philosophe, nous mesurons des lignes, nous assemblons des nombres; nous sommes d'accord sur deux ou trois points que nous entendons, et nous disputons sur deux ou trois mille que nous n'entendons pas. Il prit aussitôt fantaisie au Sirien et au Saturnien d'interroger ces atomes pensants, pour savoir les choses dont ils convenaient.—Combien comptez-vous, dit celui-ci, de l'étoile de la Canicule à la grande étoile des Gémeaux?[15] Ils répondirent tous à la fois: Trente-deux degrés[16] et demi.—Combien comptez-vous d'ici à la Lune?—Soixante demi-diamètres de la terre en nombre rond.—Combien pèse votre air? Il croyait les attraper,[17] mais tous lui dirent que l'air pèse environ neuf cents fois moins qu'un pareil volume de l'eau la plus légère, et dix-neuf mille fois moins que l'or de ducat.[18] Le petit nain de Saturne, étonné de leurs réponses, fut tenté de prendre pour des sorciers ces mêmes gens auxquels il avait refusé une âme un quart d'heure auparavant.

Enfin Micromégas leur dit: Puisque vous savez si bien ce qui est hors de vous, sans doute vous savez encore mieux ce qui est en dedans. Dites-moi ce que c'est que votre âme, et comment vous formez vos idées. Les philosophes parlèrent tous à la fois comme auparavant; mais ils furent tous de différents avis. Le plus vieux

[12] *quand même ils n'auraient pas . . .* = *même s'ils n'avaient pas . . .*

[13] *du fond* (here) from the seclusion

[14] *vous êtes du* = *vous appartenez au*

[15] *la Canicule* Canicula; the dog-star, Sirius. —*les Gémeaux* Gemini, the Twins

[16] *degrés* degrees—A degree, in astronomy, is the 360th part of a circle.

[17] *Il croyait les attraper* = *Il croyait qu'il pourrait les attraper*

[18] The gold used in the coining of ducats

citait Aristote, l'autre prononçait le nom de Descartes; celui-ci, de Malebranche; cet autre, de Leibnitz; cet autre, de Locke;[19] le premier cita même en grec un passage d'Aristote.

Je n'entends pas[20] trop bien le grec, dit le géant.—Ni moi non plus, dit la mite philosophique.—Pourquoi donc, reprit le Sirien, citez-vous un certain Aristote en grec?—C'est, répliqua le savant, qu'[21]il faut bien citer ce qu'on ne comprend point du tout dans la langue qu'on entend le moins.

Le cartésien[22] prit la parole, et dit: L'âme est un esprit pur qui a reçu dans le ventre[23] de sa mère toutes les idées métaphysiques, et qui, en sortant de là, est obligé d'aller à l'école, et d'apprendre tout de nouveau ce qu'elle a si bien su, et qu'elle ne saura plus.—Ce n'était donc pas la peine, répondit l'animal de huit lieues, que ton âme fût si savante dans le ventre de ta mère, pour être si ignorante quand tu aurais de la barbe au menton. Mais qu'entends-tu par esprit?—Que me demandez-vous là? dit le raisonneur, je n'en ai point d'idée; on dit que ce n'est pas la matière.—Mais sais-tu au moins ce que c'est que la matière?—Très bien, répondit l'homme. Par exemple cette pierre est grise et d'une telle forme; elle a ses trois dimensions, elle est pesante et divisible.—Eh bien! dit le Sirien, cette chose qui te paraît être divisible, pesante, et grise, me diras-tu bien ce que c'est? Tu vois quelques attributs; mais le fond de la chose,[24] le connais-tu?—Non, dit l'autre.—Tu ne sais donc point ce que c'est que la matière.

Alors M. Micromégas, adressant la parole à un autre sage qu'il tenait sur son pouce, lui demanda ce que c'était que son âme, et ce qu'elle faisait.—Rien du tout, répondit le philosophe malebranchiste;[25] c'est Dieu qui fait tout pour moi; je vois tout en lui; je fais tout en lui; c'est lui qui fait tout sans que je m'en mêle.—Autant

[19] Aristotle (384-322 B.C.), famous Greek philosopher. Descartes (1596-1650), famous French philosopher, physicist and mathematician. Malebranche (1638-1715), French metaphysician. Leibnitz (1646-1716), German scientist and philosopher. Locke (1632-1704), English philosopher who influenced Voltaire considerably.

[20] *Je n'entends pas = Je ne comprends pas*

[21] *C'est . . . qu' . . . = C'est parce qu' . . .*

[22] *cartésien = disciple de Descartes*

[23] *ventre* womb

[24] *le fond de la chose* the root of the question

[25] *malebranchiste = disciple de Malebranche*

vaudrait[26] ne pas être, reprit le sage de Sirius. Et toi, mon ami, dit-il à un leibnitzien qui était là, qu'est-ce que ton âme?—C'est, répondit le leibnitzien, une aiguille qui montre les heures pendant que mon corps carillonne; ou bien, si vous voulez, c'est elle qui carillonne pendant que mon corps montre l'heure; ou bien mon âme est le miroir de l'univers, et mon corps est la bordure du miroir: tout cela est clair.

Un petit partisan[27] de Locke était là tout auprès, et quand on lui eut enfin adressé la parole: Je ne sais pas, dit-il, comment je pense, mais je sais que je n'ai jamais pensé qu'[28]à l'occasion de mes sens. Qu'il y ait des substances immatérielles et intelligentes, c'est de quoi je ne doute pas: mais qu'il soit impossible à Dieu de communiquer la pensée à la matière, c'est de quoi je doute fort. Je révère la puissance éternelle; il ne m'appartient pas de la borner: je n'affirme rien; je me contente de croire qu'il y a plus de choses possibles qu'on ne pense.

L'animal de Sirius sourit: il ne trouva pas celui-là le moins sage; et le nain de Saturne aurait embrassé le sectateur de Locke sans l'extrême disproportion.[29] Mais il y avait là, par malheur, un petit animalcule en bonnet carré qui coupa la parole à[30] tous les animalcules philosophes; il dit qu'il savait tout le secret; que cela se trouvait dans la *Somme de saint Thomas*;[31] il regarda de haut en bas les deux habitants célestes, il leur soutint que leurs personnes, leurs mondes, leurs soleils, leurs étoiles, tout était fait uniquement pour l'homme. A ce discours, nos deux voyageurs se laissèrent aller l'un sur l'autre en étouffant de ce rire inextinguible qui, selon Homère, est le partage des dieux;[32] leurs épaules et leurs ventres allaient et venaient, et dans ces convulsions le vaisseau que le Sirien avait sur son ongle tomba dans une poche de la culotte du Saturnien. Ces deux bonnes gens le cherchèrent longtemps; enfin

[26] *Autant vaudrait = Il vaudrait autant* It would be just as well

[27] *partisan* disciple

[28] *n' . . . jamais . . . que* never . . . except

[29] *l'extrême disproportion = leur grande différence de grandeur*

[30] *coupa la parole à = interrompit*

[31] *la Somme de Saint Thomas* the Summa Theologica of Saint Thomas Aquinas (1227-1274)

[32] Reference to a passage in Homer's Iliad: "shouts of inextinguishable laughter arise among the blessed Gods."

ils retrouvèrent l'équipage, et le rajustèrent fort proprement.[33] Le Sirien reprit les petites mites; il leur parla encore avec beaucoup de bonté, quoiqu'il fût un peu fâché dans le fond du cœur de voir que les infiniment petits eussent un orgueil infiniment grand. Il leur promit de leur faire un beau livre de philosophie, écrit fort menu pour leur usage, et que, dans ce livre, ils verraient le bout[34] des choses. Effectivement, il leur donna ce volume avant son départ: on le porta à Paris à l'Académie des sciences; mais, quand le secrétaire l'eut ouvert, il ne vit rien qu'un livre tout blanc: «Ah! dit-il, je m'en étais bien douté.»

[33] *proprement = convenablement* neatly

[34] *le bout = l'explication finale*

## QUESTIONNAIRE

### *Chapitre I*

1. Pourquoi Voltaire a-t-il donné à son héros le nom de Micromégas?
2. De quelle taille était celui-ci?
3. Où avait-il fait ses études?
4. Quel âge avait-il lorsqu'il a publié un livre?
5. Quel était le sujet de ce livre?
6. Qu'est-il arrivé à Micromégas à cause de ce livre?
7. Qu'a-t-il fait pour se consoler?
8. De quelle taille moyenne sont les habitants de Saturne?
9. De quel Saturnien Micromégas est-il devenu l'ami?
10. Pourquoi ce personnage était-il connu?
11. Qu'est-ce que les deux nouveaux amis ont décidé de faire?

### *Chapitre II*

1. Qui a voulu empêcher le Saturnien de partir?
2. De quoi l'a-t-elle accusé?
3. Quelle planète les deux voyageurs ont-ils visitée?
4. Pourquoi n'a-t-on pas publié les découvertes qu'ils y ont faites?
5. Pourquoi ne se sont-ils pas arrêtés sur la planète Mars?
6. Comment sont-ils arrivés sur la terre?
7. A quel endroit sont-ils descendus?

### *Chapitre III*

1. Pourquoi le Saturnien avait-il peine à suivre à pied son compagnon?
2. Qu'ont-ils remarqué en faisant le tour de la terre?
3. Qu'est-ce qu'ils ont tâché de découvrir?
4. A quelle conclusion le Saturnien est-il arrivé?
5. Quelles raisons a-t-il données?
6. Micromégas était-il de son avis?
7. Quelles étaient ses raisons à lui?
8. Quel accident s'est produit?
9. A quoi les diamants du collier ont-ils servi?
10. Qu'est-ce que le Saturnien a aperçu et qu'est-ce qu'il a pensé?
11. Quel autre objet les deux voyageurs ont-ils remarqué ensuite?
12. Comment ce bateau se trouvait-il là et qui était à bord?

### *Chapitre IV*

1. Comment Micromégas a-t-il saisi le vaisseau?
2. Que croyaient les passagers du vaisseau?

3. Qu'ont-ils fait?
4. Qu'est-ce qui a attiré l'attention particulière de Micromégas?
5. Pourquoi n'a-t-il pu tout d'abord distinguer la cause de ce qui le chatouillait?
6. Quelle réflexion fait ici l'auteur de ce conte?
7. Pourquoi l'auteur pense-t-il aux grenadiers de l'armée française?
8. Les deux voyageurs sont-ils parvenus finalement à apercevoir les petits êtres qui les préoccupaient?
9. Qu'est-ce qui les surprend?

## *Chapitre V*

1. Qu'est-ce que Micromégas a remarqué?
2. Qu'est-ce que le Saturnien refusait de croire?
3. Quel moyen Micromégas a-t-il trouvé pour entrer en communication avec l'équipage.
4. Pourquoi les deux géants sont-ils parvenus à comprendre les hommes?
5. Qu'est-ce que Micromégas a déclaré à ceux qu'il prenait pour des insectes?
6. Quelles réflexions ses paroles ont-elles produites sur les passagers?
7. Quelles questions le Saturnien leur a-t-il posées?
8. Qu'est-ce qu'un philosophe de la troupe a fait?
9. Qu'a pensé de cela le Saturnien?
10. Qu'a déclaré Micromégas après que les philosophes eurent mesuré sa taille?
11. Qu'est-ce qu'un des philosophes a appris à Micromégas?

## *Chapitre VI*

1. Selon Micromégas, quel devait être le sort des hommes?
2. Comment un des philosophes l'a-t-il dissuadé?
3. Selon le philosophe, quelle était la plus grande folie des hommes?
4. De quelle guerre a-t-il parlé et comment l'a-t-il expliquée?
5. Qu'est-ce que le Sirien avait envie de faire?
6. Pourquoi, selon le philosophe, était-il inutile de punir ainsi les hommes?
7. Quelles étaient les occupations du philosophe et de ses collègues?
8. A quelles questions des deux géants les philosophes ont-ils pu répondre avec précision?
9. Sur quelle question n'étaient-ils pas d'accord?
10. Pourquoi l'un des philosophes a-t-il cité Aristote en grec?
11. Sur quel point le disciple de Descartes a-t-il reconnu son ignorance?

12. Qu'a répondu le disciple de Malebranche à toutes les questions qu'on lui posait?
13. Les idées du disciple de Leibnitz sur l'âme étaient-elles claires?
14. Que pensait le disciple de Locke?
15. Pourquoi le Saturnien n'a-t-il pas embrassé le disciple de Locke?
16. Comment le disciple de Saint Thomas a-t-il mis fin à la discussion?
17. Quel a été l'effet de cette déclaration sur les deux géants?
18. Quel cadeau le Sirien a-t-il fait aux philosophes?
19. Quelle déception ont-ils eue?
20. Quelles sont les idées générales qui sont à la base de ce conte?

JEAN-JACQUES ROUSSEAU

# SOUVENIRS DE JEUNESSE

EXTRAITS DES 'CONFESSIONS'

JE SENTIS avant de penser: c'est le sort commun de l'humanité. Je l'éprouvai plus qu'un autre. J'ignore ce que je fis jusqu'à cinq ou six ans; je ne sais comment j'appris à lire; je ne me souviens que de mes premières lectures et de leur effet sur moi: c'est le temps d'où je date sans interruption la conscience de moi-même. Ma mère avait laissé des romans.[1] Nous nous mîmes à les lire après souper, mon père et moi. Il n'était question d'abord que de m'exercer à la lecture par des livres amusants; mais bientôt l'intérêt devint si vif, que nous lisions tour à tour sans relâche, et passions les nuits à cette occupation. Nous ne pouvions jamais quitter qu'à la fin du volume. Quelquefois mon père, entendant le matin les hirondelles, disait tout honteux: Allons nous coucher; je suis plus enfant que toi.

En peu de temps j'acquis, par cette dangereuse méthode, non seulement une extrême facilité à lire et à m'entendre,[2] mais une intelligence unique à mon âge sur les passions. Je n'avais aucune idée des choses, que[3] tous les sentiments m'étaient déjà connus. Je n'avais rien conçu, j'avais tout senti. Ces émotions confuses, que j'éprouvais coup sur coup,[4] n'altéraient point la raison que je n'avais pas encore; mais elles m'en formèrent une d'une autre trempe,[5] et me donnèrent de la vie humaine des notions bizarres et romanesques, dont l'expérience et la réflexion n'ont jamais bien pu me guérir.

Les romans finirent avec l'été de 1719.[6] L'hiver suivant, ce fut autre chose. La bibliothèque de ma mère épuisée, on eut recours à la portion de celle de son père qui nous était échue.[7] Heureusement,

[1] Rousseau's mother had died a few days after he was born on June 28, 1712. She had received a good education thanks to the special interest of the protestant minister Samuel Bernard, her uncle. Rousseau tells us that she was endowed with many talents, could draw, sing, play the theorbo, and write acceptable verse. The novels which she left were those of the sentimental "*précieux*" writers of the seventeenth century: d'Urfé, La Calprenède, Mlle de Scudéry, etc.

[2] *m'entendre = me comprendre = m'analyser*

[3] *que = alors que = et cependant*

[4] *coup sur coup* in rapid succession

[5] *trempe = espèce; qualité*

[6] Rousseau was seven years old.

[7] *échue* (from *échoir*) fallen to our lot; come down to us

il s'y trouva[8] de bons livres; et cela ne pouvait guère être autrement; cette bibliothèque ayant été formée par un ministre, à la vérité, et savant même, car c'était la mode alors, mais homme de goût et d'esprit. *L'Histoire de l'Église et de l'Empire,* par Le Sueur;[9] le *Discours* de Bossuet[10] *sur l'Histoire universelle*; les *Hommes illustres,* de Plutarque;[11] l'*Histoire de Venise,* par Nani;[12] les *Métamorphoses* d'Ovide;[13] *La Bruyère;*[14] *Les Mondes,* de Fontenelle,[15] ses *Dialogues des Morts,* et quelques tomes de *Molière,*[16] furent transportés dans le cabinet de mon père, et je les lui lisais tous les jours, durant son travail. J'y pris un goût rare et peut-être unique à cet âge. Plutarque surtout devint ma lecture favorite. Le plaisir que je prenais à le relire sans cesse me guérit un peu des romans. De ces intéressantes lectures, des entretiens[17] qu'elles occasionnaient entre mon père et moi, se forma cet esprit libre et républicain, ce caractère indomptable et fier, impatient de joug et de servitude, qui m'a tourmenté tout le temps de ma vie dans les situations les moins propres à lui donner l'essor. Sans cesse occupé de Rome et d'Athènes, vivant pour ainsi dire avec leurs grands hommes, né moi-même citoyen d'une république,[18] et fils d'un père dont l'amour de la patrie était la plus forte passion, je m'en enflammais à son exemple;[19] je me croyais Grec ou Romain; je devenais le personnage dont je lisais la vie: le récit des traits de constance et d'intrépidité qui m'avaient frappé me rendait les yeux étincelants et la voix forte.

[8] *il s'y trouva = il y avait là*

[9] *Le Sueur* (died 1681), French protestant pastor and historian.

[10] *Bossuet* (1627-1704), bishop of Meaux, celebrated church orator, one of the great writers of his time.

[11] *Plutarque* Plutarch (46-120), famous Greek biographer. His main work "Parallel Lives," is entitled in the French translation "*Vies des Hommes illustres Grecs et Romains.*"

[12] *Nani* (1616-1678), Italian statesman and historian.

[13] *Ovide* Ovid (43 B.C.-17 A.D.), famous Roman poet. His "*Metamorphoses*" were known by every French school boy of Rousseau's time.

[14] *La Bruyère* (1645-1696), famous writer and moralist, author of the "*Caractères ou Portraits Moraux.*"

[15] *Fontenelle* (1657-1757), French author especially known for his "*Entretiens sur la pluralité des Mondes,*" a skillful work of scientific vulgarisation. He also wrote "*Nouveaux Dialogues des Morts.*"

[16] *Molière* (1622-1673), the greatest comic writer of all time.

[17] *entretiens = conversations*

[18] The Republic of Geneva.

[19] *à son exemple = comme lui* (*en suivant son exemple*)

Un jour que je racontais à table l'aventure de Scaevola,[20] on fut effrayé de me voir avancer et tenir la main sur un réchaud pour représenter son action.

J'avais les défauts de mon âge; j'étais babillard, gourmand, quelquefois menteur. J'aurais volé des fruits, des bonbons, de la mangeaille; mais jamais je n'ai pris plaisir à faire du mal, du dégât, à charger[21] les autres, à tourmenter de pauvres animaux.

Comment serais-je devenu méchant, quand je n'avais sous les yeux que des exemples de douceur, et autour de moi que[22] les meilleures gens du monde? Mon père, ma tante, ma mie,[23] mes parents, nos amis, nos voisins, tout ce qui m'environnait ne m'obéissait pas à la vérité,[24] mais m'aimait, et moi je les aimais de même. Mes volontés étaient si peu excitées et si peu contrariées, qu'il ne me venait pas dans l'esprit d'en avoir. Je puis jurer que jusqu'à mon asservissement sous un maître, je n'ai pas su ce que c'était qu'une fantaisie. Hors le temps que je passais à lire ou écrire auprès de mon père, et celui où ma mie me menait promener, j'étais toujours avec ma tante, à la voir broder, à l'entendre chanter, assis ou debout à côté d'elle, et j'étais content. Son enjouement, sa douceur, sa figure agréable, m'ont laissé de si fortes impressions, que je vois encore son air, son regard, son attitude: je me souviens de ses petits propos caressants; je dirais[25] comment elle était vêtue et coiffée, sans oublier les deux crochets que ses cheveux noirs faisaient sur ses tempes, selon la mode de ce temps-là.

Je suis persuadé que je lui dois le goût ou plutôt la passion pour la musique, qui ne s'est bien développée en moi que longtemps après. Elle savait une quantité prodigieuse d'airs et de chansons qu'elle chantait avec un filet de voix[26] fort douce. La sérénité d'âme de cette excellente fille éloignait d'elle et de tout ce qui l'environnait

[20] *Scaevola.* A legendary Roman hero who volunteered to kill the king Porsena who was besieging Rome. Having failed, and threatened with torture or death, he thrust his right hand into the fire blazing upon an altar and held it there until it was consumed, showing thus his contempt for suffering and death. Scaevola means "left-handed."

[21] *charger = accuser*

[22] *que = je n'avais que*

[23] *ma mie* (obsolete) my nurse—The name used to be given to nurses or governesses.

[24] *à la vérité = il est vrai; vraiment*

[25] *dirais = pourrais dire aujourd'hui*

[26] *un filet de voix = une voix assez faible*

la rêverie et la tristesse. L'attrait que son chant avait pour moi fut tel que non seulement plusieurs de ses chansons me sont toujours restées dans la mémoire, mais qu'il m'en revient[27] même, aujourd'hui que je l'ai perdue, qui, totalement oubliées depuis mon enfance, se retracent[28] à mesure que je vieillis, avec un charme que je ne puis exprimer. Dirait-on[29] que moi, vieux radoteur, rongé de soucis et de peines, je me surprends quelquefois à pleurer comme un enfant en marmottant ces petits airs d'une voix déjà cassée et tremblante? Il y en a un surtout qui m'est bien revenu tout entier quant à l'air; mais la seconde moitié des paroles s'est constamment refusée[30] à tous mes efforts pour me la rappeler, quoiqu'il m'en revienne confusément les rimes. Voici le commencement et ce que j'ai pu me rappeler du reste:

Tircis, je n'ose
Ecouter ton chalumeau
Sous l'ormeau;
Car on en cause
Déjà dans notre hameau.
. . . . . . . . . . . . .
. . . . . . . . . un berger
. . . . . . . . . s'engager
. . . . . . . . . sans danger,
Et toujours l'épine est sous la rose.[31]

Je cherche où est le charme attendrissant que mon cœur trouve à cette chanson: c'est un caprice auquel je ne comprends rien; mais il m'est de toute impossibilité de la chanter jusqu'à la fin sans être arrêté par mes larmes. J'ai cent fois projeté d'écrire à Paris pour faire chercher le reste des paroles, si tant est que[32] quelqu'un les

[27] *il m'en revient = il y en a qui me reviennent; plusieurs me reviennent*

[28] *se retracent = se retrouvent*

[29] *Dirait-on = Peut-on imaginer*

[30] *s'est refusée = a résisté*

[31] The full text of this song is as follows:

*Tircis, je n'ose*
*Ecouter ton chalumeau*
*Sous l'ormeau;*
*Car on en cause*
*Déjà dans notre hameau.*
*Un cœur s'expose*
*A trop s'engager*
*Avec un berger;*
*Et toujours l'épine est sous la rose.*

(Rousseau remembered this poem very imperfectly.—Tircis is a poetic name given shepherds in idyllic literature. The character appears in Virgil's seventh eclogue.)

[32] *si tant est que = si toutefois il est possible que*

connaisse encore. Mais je suis presque sûr que le plaisir que je prends à me rappeler cet air s'évanouirait en partie, si j'avais la preuve que d'autres que ma pauvre tante Suson[33] l'ont chanté.

Telles furent les premières affections de mon entrée à la vie: ainsi commençait à se former ou à se montrer en moi ce cœur à la fois si fier et si tendre, ce caractère efféminé, mais pourtant indomptable, qui, flottant toujours entre la faiblesse et le courage, entre la mollesse et la vertu, m'a jusqu'au bout mis en contradiction avec moi-même, et a fait[34] que l'abstinence et la jouissance, le plaisir et la sagesse, m'ont également échappé.

Ce train d'éducation[35] fut interrompu par un accident dont les suites ont influé sur le reste de ma vie. Mon père eut un démêlé avec un M. Gautier, capitaine en France et apparenté dans le Conseil.[36] Ce Gautier, homme insolent et lâche, saigna du nez, et, pour se venger, accusa mon père d'avoir mis l'épée à la main dans la ville.[37] Mon père, qu'on voulut envoyer en prison, s'obstinait à vouloir que, selon la loi, l'accusateur y entrât aussi bien que lui: n'ayant pu l'obtenir, il aima mieux sortir de Genève, et s'expatrier pour le reste de sa vie, que de céder sur un point où l'honneur et la liberté lui paraissaient compromis.

Je restai sous la tutelle de mon oncle Bernard, alors employé aux fortifications de Genève.[38] Sa fille aînée était morte, mais il avait un fils de même âge que moi.[39] Nous fûmes mis ensemble à Bossey,[40] en pension chez le ministre Lambercier,[41] pour y apprendre avec le latin tout le menu fatras[42] dont on l'accompagne sous le nom d'éducation.

[33] Rousseau was extremely fond of this aunt, Suson Rousseau, who became later Madame Gouceru. Until her death in 1774, in spite of his constant financial difficulties, he provided her with a small pension.

[34] *a fait = a produit le fait*

[35] *Ce train d'éducation = Le cours de mon éducation*

[36] *le Conseil* the City Council of Geneva

[37] Duels were severely punished.

[38] Gabriel Bernard, a brother of Rousseau's mother; an engineer who had served in the German and the Hungarian armies.

[39] Abraham Bernard was born at the end of 1711.

[40] A small village in Savoie. It belonged then to the Republic of Geneva.

[41] A Swiss protestant minister who was in charge of the church at Bossey.

[42] *le menu fatras* the trash—Rousseau was a severe critic of the principles of education followed in his day and advocated a complete revolution in the field of pedagogy. See especially his "*Emile*."

Deux ans passés au village adoucirent un peu mon âpreté romaine, et me ramenèrent à l'état d'enfant. A Genève, où l'on ne m'imposait rien, j'aimais l'application, la lecture; c'était presque mon seul amusement; à Bossey, le travail me fit aimer les jeux qui lui servaient de relâche. La campagne était pour moi si nouvelle, que je ne pouvais me lasser d'en jouir. Je pris pour elle un goût si vif, qu'il n'a jamais pu s'éteindre.

M. Lambercier était un homme fort raisonnable, qui, sans négliger notre instruction, ne nous chargeait point de devoirs extrêmes. La preuve qu'il s'y prenait bien[43] est que, malgré mon aversion pour la gêne, je ne me suis jamais rappelé avec dégoût mes heures d'étude, et que, si je n'appris pas de lui beaucoup de choses, ce que j'appris je l'appris sans peine et n'en ai rien oublié.

La simplicité de cette vie champêtre me fit un bien[44] d'un prix inestimable en ouvrant mon cœur à l'amitié. Jusqu'alors je n'avais connu que des sentiments élevés, mais imaginaires. L'habitude de vivre ensemble dans un état paisible m'unit tendrement à mon cousin Bernard. En peu de temps j'eus pour lui des sentiments plus affectueux que ceux que j'avais eus pour mon frère,[45] et qui ne se sont jamais effacés. C'était un grand garçon fort efflanqué, fort fluet, aussi doux d'esprit que faible de corps, et qui n'abusait pas[46] trop de la prédilection qu'on avait pour lui dans la maison comme fils de mon tuteur. Nos travaux, nos amusements, nos goûts, étaient les mêmes: nous étions seuls, nous étions de même âge, chacun des deux avait besoin d'un camarade; nous séparer était, en quelque sorte, nous anéantir. Quoique nous eussions peu d'occasions de faire preuve de notre attachement l'un pour l'autre, il était extrême, et non seulement nous ne pouvions vivre un instant séparés, mais nous n'imaginions pas que nous puissions jamais l'[47]être. Dans nos études, je lui soufflais sa leçon quand il hésitait;

[43] *il s'y prenait bien = sa méthode était bonne* he went about it in the right way

[44] *me fit un bien* was a blessing (literally: did me good)

[45] Rousseau's older and only brother François had left his father's home at the age of seventeen, when Rousseau himself was only ten years old, and he had never been heard from again.

[46] *n'abusait pas = ne profitait pas* did not take advantage

[47] *l' = séparés*

quand mon thème[48] était fait, je l'aidais à faire le sien, et, dans nos amusements, mon goût plus actif lui servait toujours de guide. Enfin nos deux caractères s'accordaient si bien, et l'amitié qui nous unissait était si vraie, que, dans plus de cinq ans que nous fûmes presque inséparables, tant à Bossey qu'à Genève, nous nous battîmes souvent, je l'avoue, mais jamais on n'eut besoin de nous séparer, jamais une de nos querelles ne dura plus d'un quart d'heure, et jamais une seule fois nous ne portâmes[49] l'un contre l'autre aucune accusation. Ces remarques sont, si l'on veut, puériles, mais il en résulte pourtant un exemple peut-être unique depuis qu'il existe des enfants.

La manière dont je vivais à Bossey me convenait si bien, qu'il ne lui a manqué que[50] de durer plus longtemps pour fixer absolument mon caractère. Les sentiments tendres, affectueux, paisibles, en faisaient le fond. Je crois que jamais individu de notre espèce n'eut naturellement moins de vanité que moi. J'étais doux; mon cousin l'était; ceux qui nous gouvernaient l'étaient eux-mêmes. Pendant deux ans entiers je ne fus ni témoin ni victime d'un sentiment violent. Tout nourrissait[51] dans mon cœur les dispositions qu'il reçut de la nature. Je ne connaissais rien d'aussi charmant que de voir tout le monde content de moi et de toute chose. Je me souviendrai toujours qu'au temple, répondant au catéchisme, rien ne me troublait plus, quand il m'arrivait d'hésiter, que de voir sur le visage de Mlle Lambercier[52] des marques d'inquiétude et de peine.[53] Cela seul m'affligeait plus que la honte de manquer[54] en public, qui m'affectait pourtant extrêmement; car, quoique peu sensible aux louanges, je le[55] fus toujours beaucoup à la honte, et je puis dire ici que l'attente des réprimandes de Mlle Lambercier me donnait moins d'alarmes que la crainte de la chagriner.

. . . . . . . . . . . . . . .

[48] *thème* translation (from one's own to a foreign language)

[49] *portâmes = firent*

[50] *il ne lui a manqué que* the only thing it lacked (*il* there; *lui* for this existence)

[51] *nourrissait = entretenait; encourageait*

[52] Gabrielle Lambercier was the sister of the minister.

[53] *peine = tristesse*

[54] *manquer = manquer de mémoire; ne pas savoir ma leçon*

[55] *le = sensible*

J'étudiais un jour seul ma leçon dans la chambre contiguë à la cuisine. La servante avait mis sécher à la plaque[56] les peignes de Mlle Lambercier. Quand elle revint les prendre, il s'en trouva[57] un dont tout un côté de dents était brisé. A qui s'en prendre[58] de ce dégât? personne autre que moi n'était entré dans la chambre. On m'interroge: je nie d'avoir touché le peigne. M. et Mlle Lambercier se réunissent, m'exhortent, me pressent, me menacent; je persiste avec opiniâtreté; mais la conviction[59] était trop forte, elle l'emporta sur toutes mes protestations, quoique ce fût pour la première fois qu'on m'eût trouvé tant d'audace à mentir. La chose fut prise au sérieux;[60] elle méritait de l'être. La méchanceté, le mensonge, l'obstination, parurent également dignes de punition. On écrivit à mon oncle Bernard; il vint. Mon pauvre cousin était chargé d'un autre délit, non moins grave; nous fûmes enveloppés dans la même exécution.[61] Elle fut terrible.

On ne put m'arracher l'aveu qu'on exigeait. Repris[62] à plusieurs fois et mis dans l'état le plus affreux, je fus inébranlable. J'aurais souffert la mort, et j'y étais résolu. Il fallut que la force même cédât au diabolique entêtement d'un enfant, car on n'appela pas autrement ma constance. Enfin je sortis de cette cruelle épreuve en pièces, mais triomphant.

Il y a maintenant près de cinquante ans de cette aventure, et je n'ai pas peur d'être aujourd'hui puni derechef pour le même fait; eh bien, je déclare à la face du ciel que j'en étais innocent, que je n'avais ni cassé, ni touché le peigne, que je n'avais pas approché de la plaque, et que je n'y avais pas même songé. Qu'on ne me demande pas[63] comment ce dégât se fit: je l'ignore et ne puis le comprendre; ce que je sais très certainement, c'est que j'en étais innocent.

[56] *la plaque* (local expression) the warming shelves—This was a recess cut in the thick wall of the kitchen chimney and often opening in the next room. It had shelves upon which were placed objects which one desired to keep warm or to dry.

[57] *il s'en trouva* there happened to be

[58] *A qui s'en prendre = Qui accuser*

[59] *la conviction* (*qu'ils avaient de ma culpabilité*)

[60] *prise au sérieux = considérée grave*

[61] *exécution = punition; châtiment*

[62] *Repris = Châtié; Battu*

[63] *Qu'on ne me demande pas = Ne me demandez pas*

Qu'on se figure[64] un caractère timide et docile dans la vie ordinaire, mais ardent, fier, indomptable dans les passions, un enfant toujours gouverné par la voix de la raison, toujours traité avec douceur, équité, complaisance, qui n'avait pas même l'idée de l'injustice, et qui, pour la première fois, en éprouve une si terrible de la part précisément des gens qu'il chérit et qu'il respecte le plus: quel renversement d'idées! quel désordre de sentiments! quel bouleversement dans son cœur, dans sa cervelle, dans tout son petit être intelligent et moral! Je dis qu'on s'imagine tout cela, s'il est possible, car pour moi, je ne me sens pas capable de démêler, de suivre la moindre trace de ce qui se passait alors en moi.

Je n'avais pas encore assez de raison pour sentir combien les apparences me condamnaient, et pour me mettre à la place des autres. Je me tenais à la mienne, et tout ce que je sentais, c'était la rigueur d'un châtiment effroyable pour un crime que je n'avais pas commis. La douleur du corps, quoique vive, m'était peu sensible;[65] je ne sentais que l'indignation, la rage, le désespoir. Mon cousin, dans un cas à peu près semblable, et qu'on avait puni d'une faute involontaire comme d'un acte prémédité, se mettait en fureur à mon exemple, et se montait, pour ainsi dire, à mon unisson.[66] Tous deux dans le même lit nous nous embrassions avec des transports convulsifs, nous étouffions, et quand nos jeunes cœurs un peu soulagés pouvaient exhaler leur colère, nous nous levions sur notre séant,[67] et nous nous mettions tous deux à crier cent fois de toute notre force: *Carnifex! carnifex! carnifex!*[68]

Je sens en écrivant ceci que mon pouls s'élève encore; ces moments me seront toujours présents quand je vivrais[69] cent mille ans. Ce premier sentiment de la violence et de l'injustice est resté si profondément gravé dans mon âme, que toutes les idées qui s'y rapportent me rendent ma première émotion, et ce sentiment, relatif à moi dans son origine, a pris une telle consistance[70] en lui-même,

[64] *Qu'on se figure* = *On peut imaginer* or *Imaginez*

[65] *peu sensible* = *presque indifférente* (literally: hardly felt)

[66] *se montait . . . à mon unisson* = *sa colère devenait aussi grande que la mienne*

[67] *nous nous levions sur notre séant* we sat up

[68] *carnifex* (Latin) = *bourreau* tormentor; torturer

[69] *quand je vivrais* = *même si je vivais*

[70] *consistance* = *importance; valeur*

et s'est tellement détaché de tout intérêt personnel, que mon cœur s'enflamme au spectacle ou au récit de toute action injuste, quel qu'en soit l'objet et en quelque lieu qu'elle se commette, comme si l'effet en retombait sur moi. Quand je lis les cruautés d'un tyran féroce, je partirais volontiers pour aller poignarder ce misérable, dussé-je[71] cent fois y périr. Je me suis souvent mis en nage[72] à poursuivre à la course[73] ou à coups de pierre[74] un coq, une vache, un chien, un animal que je voyais en tourmenter un autre, uniquement parce qu'il se sentait le plus fort. Ce mouvement[75] peut m'être naturel, et je crois qu'il l'est; mais le souvenir profond de la première injustice que j'ai soufferte y fut trop longtemps et trop fortement lié pour ne l'avoir pas beaucoup renforcé.

Là fut le terme de la sérénité de ma vie enfantine. Dès ce moment je cessai de jouir d'un bonheur pur, et je sens aujourd'hui même que le souvenir des charmes de mon enfance s'arrête là.

[71] *dussé-je = même si je devais*

[72] *mis en nage = mis en transpiration* got into a sweat

[73] *à la course = en courant après eux*

[74] *à coups de pierre = en leur jetant des pierres*

[75] *mouvement = sentiment; émotion*

## QUESTIONNAIRE

1. Quand et comment la mère de Jean-Jacques Rousseau est-elle morte?
2. Comment Rousseau et son père passaient-ils leurs soirées?
3. Quelle sorte de romans lisaient-ils?
4. Quel a été l'effet de ces lectures sur le jeune Rousseau?
5. Quels autres livres l'enfant s'est-il mis à lire plus tard?
6. Quelle était alors sa lecture favorite?
7. Comment ces dernières lectures ont-elles affecté son esprit?
8. Que savez-vous de la légende de Scaevola?
9. Quels défauts le jeune Rousseau avait-il?
10. Qu'est-ce qui rendait sa vie heureuse?
11. Comment décrit-il sa tante?
12. Comment cette tante a-t-elle surtout influencé l'enfant?
13. Quelle chanson Rousseau se rappelle-t-il?
14. Quel contraste Rousseau découvrait-il déjà dans son caractère?
15. Qu'est-il arrivé au père de l'enfant?
16. Où a-t-on envoyé le jeune Rousseau en pension?
17. Pourquoi l'enfant était-il si heureux chez le pasteur Lambercier?
18. Comment décrit-il son cousin Bernard?
19. Les deux enfants s'entendaient-ils bien?
20. Qu'est-ce que c'est qu'une plaque?
21. Qu'était-il arrivé à l'un des peignes?
22. Pourquoi le jeune Rousseau a-t-il été si sévèrement puni?
23. Qui était coupable du dégât?
24. Quelle révolution le châtiment immérité a-t-il produite dans les sentiments du jeune Rousseau?
25. Pourquoi son cousin a-t-il été châtié lui aussi?
26. Comment la colère des deux enfants s'est-elle manifestée?
27. Quel a été plus tard l'effet de cet événement sur les idées de Rousseau?
28. Pourquoi Rousseau dit-il que la sérénité de sa vie d'enfant s'arrête à ce moment-là?

## VICTOR HUGO

### Extase

(Et j'entendis une grande voix. *Apocalypse.*)

J'étais seul près des flots, par une nuit d'étoiles.
Pas un nuage aux cieux, sur les mers pas de voiles.
Mes yeux plongeaient plus loin que le monde réel.
Et les bois, et les monts, et toute la nature,
Semblaient interroger dans un confus murmure
    Les flots des mers, les feux du ciel.

Et les étoiles d'or, légions infinies,
A voix haute, à voix basse, avec mille harmonies,
Disaient, en inclinant leurs couronnes de feu;
Et les flots bleus, que rien ne gouverne et n'arrête,
Disaient, en recourbant l'écume de leur crête:
    — C'est le Seigneur, le Seigneur Dieu!

[*For notes on this and the next three poems see pages 246-7.*]

## Oh! je fus comme fou . . .

Oh! je fus comme fou dans le premier moment,
Hélas! et je pleurai trois jours amèrement.
Vous tous à qui Dieu prit votre chère espérance,
Pères, mères, dont l'âme a souffert ma souffrance,
Tout ce que j'éprouvais l'avez-vous éprouvé?
Je voulais me briser le front sur le pavé;
Puis je me révoltais, et, par moments, terrible,
Je fixais mes regards sur cette chose horrible,
Et je n'y croyais pas, et je m'écriais: Non!
—Est-ce que Dieu permet de ces malheurs sans nom
Qui font que dans le cœur le désespoir se lève?—
Il me semblait que tout n'était qu'un affreux rêve,
Qu'elle ne pouvait pas m'avoir ainsi quitté,
Que je l'entendais rire en la chambre à côté,
Que c'était impossible enfin qu'elle fût morte,
Et que j'allais la voir entrer par cette porte!

Oh! que de fois j'ai dit: Silence! elle a parlé!
Tenez! voici le bruit de sa main sur la clé!
Attendez! elle vient! Laissez-moi, que j'écoute!
Car elle est quelque part dans la maison sans doute!

## ALFRED DE MUSSET

### Rappelle-toi . . .

(Paroles faites sur la musique de Mozart.)

Rappelle-toi, quand l'Aurore craintive
Ouvre au Soleil son palais enchanté;
Rappelle-toi, lorsque la nuit pensive,
Passe en rêvant sous son voile argenté;
A l'appel du plaisir lorsque ton sein palpite,
Aux doux songes du soir lorsque l'ombre t'invite.
Écoute au fond des bois
Murmurer une voix:
Rappelle-toi.

Rappelle-toi, lorsque les destinées
M'auront de toi pour jamais séparé,
Quand le chagrin, l'exil et les années
Auront flétri ce cœur désespéré;
Songe à mon triste amour, songe à l'adieu suprême!
L'absence ni le temps ne sont rien quand on aime.
Tant que mon cœur battra,
Toujours il te dira:
Rappelle-toi.

Rappelle-toi, quand sous la froide terre
Mon cœur brisé pour toujours dormira;
Rappelle-toi, quand la fleur solitaire
Sur mon tombeau doucement s'ouvrira.
Tu ne me verras plus; mais mon âme immortelle
Reviendra près de toi comme une sœur fidèle.
Écoute, dans la nuit,
Une voix qui gémit:
Rappelle-toi.

### Sur une morte

Elle était belle si la Nuit
Qui dort dans la sombre chapelle
Où Michel-Ange a fait son lit
Immobile peut être belle.

Elle était bonne, s'il suffit
Qu'en passant la main s'ouvre et donne,
Sans que Dieu n'ait rien vu, rien dit:
Si l'or sans pitié fait l'aumône.

Elle pensait, si le vain bruit
D'une voix douce et cadencée,
Comme le ruisseau qui gémit,
Peut faire croire à la pensée.

Elle priait, si deux beaux yeux,
Tantôt s'attachant à la terre,
Tantôt se levant vers les cieux,
Peuvent s'appeler la prière.

Elle aurait souri, si la fleur
Qui ne s'est point épanouie
Pouvait s'ouvrir à la fraîcheur
Du vent qui passe et qui l'oublie.

Elle aurait pleuré, si sa main,
Sur son cœur froidement posée,
Eût jamais dans l'argile humain
Senti la céleste rosée.

Elle aurait aimé, si l'orgueil,
Pareil à la lampe inutile
Qu'on allume près d'un cercueil,
N'eût veillé sur son cœur stérile.

Elle est morte et n'a point vécu.
Elle faisait semblant de vivre.
De ses mains est tombé le livre
Dans lequel elle n'a rien lu.

PROSPER MÉRIMÉE

# CARMEN

NOUVELLE

I. Je suis né à Elizondo, dans la vallée de Baztan.[1] Je m'appelle don José Lizzarrabengoa, et vous connaissez assez l'Espagne, monsieur, pour que mon nom vous dise aussitôt que je suis Basque[2] et vieux chrétien. Si je prends le *don*[3] c'est que j'en ai le droit, et si j'étais à Elizondo, je vous montrerais ma généalogie sur un parchemin. On voulait que je fusse d'église,[4] et l'on me fit étudier, mais je ne profitais guère. J'aimais trop à jouer à la paume, c'est ce qui m'a perdu. Quand nous jouons à la paume, nous autres Navarrais,[5] nous oublions tout. Un jour que j'avais gagné, un gars de l'Alava[6] me chercha querelle; nous prîmes nos *maquilas*,[7] et j'eus encore l'avantage; mais cela m'obligea de quitter le pays. Je rencontrai des dragons, et je m'engageai dans le régiment d'Almanza,[8] cavalerie. Les gens de nos montagnes apprennent vite le métier militaire. Je devins bientôt brigadier, et on me promettait de me faire maréchal des logis, quand, pour mon malheur, on me mit de garde à la manufacture de tabacs à Séville.[9] Quand ils sont de service,[10] les Espagnols jouent aux cartes, ou dorment; moi, je tâchais toujours de m'occuper. Je faisais une chaîne avec du fil de laiton, pour tenir

[1] The hero, José, who has been condemned to the capital punishment, is telling the story of his life to the author who had met him while traveling in Spain in the autumn of 1830. *Elizondo* is a Basque village in the western Pyrenees. *Baztan* is the name of a river and of a valley in the same section.

[2] The Basque country extends in the western section of the Pyrenees, both in Spain and France. The inhabitants are healthy mountaineers who speak a language entirely different from the romance languages such as Spanish or French. The Basques are known for their profound Catholic faith.

[3] *don*—A Spanish title of courtesy given to members of the nobility or of the aristocracy. Today it accompanies only the first name.

[4] *que je fusse d'église* = *que je devienne prêtre*

[5] *nous autres Navarrais* we who live in Navarre—(The adjective *autres* only serves to put some emphasis on *nous*)—Navarre was an old kingdom which contained the Basque country. There is still a province of Navarre in Spain.

[6] *Alava* is a province in northern Spain.

[7] *maquilas* iron-tipped clubs (Basque)

[8] *Almanza* is a Spanish city in southeastern Spain.

[9] Tobacco is a monopoly of the government in Spain. This explains the presence of the guard.—*Seville* is one of the most important and most beautiful cities of southern Spain.

[10] *de service* on duty of this sort

mon épinglette. Tout d'un coup les camarades disent: Voilà la cloche qui sonne; les filles vont rentrer à l'ouvrage. Vous saurez,[11] monsieur, qu'il y a bien quatre à cinq cents femmes occupées dans la manufacture. A l'heure où les ouvrières rentrent, après leur dîner, bien des jeunes gens vont les voir passer, et leur en content de toutes les couleurs.[12] Pendant que les autres regardaient, moi, je restais sur mon banc, près de la porte. J'étais jeune alors; je pensais toujours au pays,[13] et je ne croyais pas qu'il y eût de jolies filles sans jupes bleues et sans nattes tombant sur les épaules.[14] D'ailleurs, les Andalouses me faisaient peur; je n'étais pas encore fait[15] à leurs manières: toujours à railler, jamais un mot de raison. J'étais donc le nez sur ma chaîne, quand j'entends des bourgeois qui disaient: Voilà la gitanilla![16] Je levai les yeux, et je la vis. C'était un vendredi, et je ne l'oublierai jamais. Je vis cette Carmen que vous connaissez, chez qui je vous ai rencontré il y a quelques mois.

Elle avait un jupon rouge fort court qui laissait voir des bas de soie blancs avec plus d'un trou, et des souliers mignons de maroquin rouge attachés avec des rubans couleur de feu. Elle écartait sa mantille afin de montrer ses épaules et un gros bouquet de cassie qui sortait de sa chemise. Elle avait une fleur de cassie dans le coin de la bouche, et elle s'avançait en se balançant sur ses hanches comme une pouliche du haras de Cordoue.[17] Dans mon pays, une femme en ce costume aurait obligé le monde à se signer.[18] A Séville, chacun lui adressait quelque compliment gaillard sur sa tournure; elle répondait à chacun, faisant les yeux en coulisse, le poing sur la hanche, effrontée comme une vraie bohémienne qu'elle était. D'abord elle ne me plut pas, et je repris mon ouvrage; mais elle, suivant l'usage des femmes et des chats qui ne viennent pas quand on les appelle et qui viennent quand on ne les appelle pas, s'arrêta devant moi et m'adressa la parole:

[11] *Vous saurez = Il faut que vous sachiez*

[12] *leur en content de toutes les couleurs = leur disent toutes sortes de choses*

[13] *au pays = à mon pays; au pays basque*

[14] This describes the provincial attire of Basque girls.

[15] *fait = habitué*

[16] *gitanilla* diminative of *gitana* gypsy

[17] *Cordoue* Cordova—A small city in Andalusia noted for the breeding of horses and for the making of leather.

[18] *se signer = faire le signe de croix*

— Compère, me dit-elle à la façon andalouse, veux-tu me donner ta chaîne pour tenir les clefs de mon coffre-fort?

— C'est pour attacher mon épinglette,[19] lui répondis-je.

— Ton épinglette! s'écria-t-elle en riant. Ah! monsieur fait de la dentelle, puisqu'il a besoin d'épingles!

Tout le monde qui était là se mit à rire, et moi je me sentais rougir, et je ne pouvais trouver rien à lui répondre.

— Allons, mon cœur,[20] reprit-elle, fais-moi sept aunes de dentelle noire pour une mantille, épinglier de mon âme!

Et prenant la fleur de cassie qu'elle avait à la bouche, elle me la lança, d'un mouvement du pouce, juste entre les deux yeux. Monsieur, cela me fit l'effet d'une balle qui m'arrivait . . . Je ne savais où me fourrer, je demeurais immobile comme une planche. Quand elle fut entrée dans la manufacture, je vis la fleur de cassie qui était tombée à terre entre mes pieds; je ne sais ce qui me prit,[21] mais je la ramassai sans que mes camarades s'en aperçussent et je la mis précieusement dans ma veste. Première sottise!

Deux ou trois heures après, j'y pensais encore, quand arrive dans le corps de garde un portier tout haletant, la figure renversée. Il nous dit que dans la grande salle des cigares il y avait une femme assassinée, et qu'il fallait y envoyer la garde. Le maréchal[22] me dit de prendre deux hommes et d'y aller voir. Je prends mes deux hommes et je monte. Figurez-vous, monsieur, qu'entré[23] dans la salle je trouve d'abord trois cents femmes, en chemise, ou peu s'en faut,[24] toutes criant, hurlant, gesticulant, faisant un vacarme à ne pas entendre Dieu tonner. D'un côté, il y en avait une, les quatre fers[25] en l'air, couverte de sang, avec un X sur la figure qu'on venait de lui marquer en deux coups de couteau. En face de la blessée, que secouraient les meilleures de la bande, je vois Carmen tenue par cinq ou six commères. La femme blessée criait: «Confession! confession! je suis morte!» Carmen ne disait rien; elle serrait les

[19] *épinglette* priming-wire (literally: small pin, which makes Carmen's pun possible.)

[20] *mon cœur* darling

[21] *ce qui me prit = ce qui me fit faire cela*

[22] *maréchal = maréchal des logis* sergeant

[23] *entré = après être entré*

[24] *peu s'en faut = à peu près* nearly so

[25] *les quatre fers* the four feet (literally *fer* refers to a horse-shoe)

dents, et roulait des yeux comme un caméléon. «Qu'est-ce que c'est?» demandai-je. J'eus grand'peine à savoir ce qui s'était passé, car toutes les ouvrières me parlaient à la fois. Il paraît que la femme blessée s'était vantée d'avoir assez d'argent en poche pour acheter un âne au marché de Triana.[26] «Tiens, dit Carmen qui avait une langue, tu n'as donc pas assez d'un balai?»[27] L'autre, blessée du reproche, lui répond qu'elle ne se connaissait pas en balais, n'ayant pas l'honneur d'être bohémienne ni filleule de Satan, mais que mademoiselle Carmencita ferait bientôt connaissance avec son âne, quand M. le corrégidor la mènerait à la promenade avec deux laquais par derrière pour l'émoucher.[28] «Eh bien, moi, dit Carmen, je te ferai des abreuvoirs à mouches sur la joue, et je veux y peindre un damier.[29]» Là-dessus, vli vlan! elle commence, avec le couteau dont elle coupait le bout des cigares, à lui dessiner des croix de Saint-André[30] sur la figure.

Le cas était clair; je pris Carmen par le bras:—Ma sœur,[31] lui dis-je poliment, il faut me suivre. Elle me lança un regard comme si elle me reconnaissait; mais elle dit d'un air résigné:—Marchons. Où est ma mantille? Elle la mit sur sa tête de façon à ne montrer qu'un seul de ses grands yeux, et suivit mes deux hommes, douce comme un mouton. Arrivés au corps de garde, le maréchal des logis dit que c'était grave, et qu'il fallait la mener à la prison. C'était encore moi qui devais la conduire. Je la mis entre deux dragons, et je marchais derrière comme un brigadier doit faire en semblable rencontre.[32] Nous nous mîmes en route pour la ville. D'abord la bohémienne avait gardé le silence; mais dans la rue du Serpent,—vous la connaissez, elle mérite bien son nom par les détours qu'elle fait,—dans la rue du Serpent,[33] elle commence par laisser tomber sa mantille sur ses épaules, afin de me montrer son minois enjôleur, et, se tournant vers moi autant qu'elle pouvait, elle me dit:

[26] *Triana* is a suburb of Seville

[27] The implication being that she ought to ride a broomstick.

[28] Condemned criminals were taken to their execution on donkey's back.

[29] Spanish checker-boards are often painted in red and white colors.

[30] The cross of St. Andrew has the shape of an X.

[31] *ma sœur* old girl; "sister"

[32] *rencontre = situation; circonstance*

[33] The main street in Seville (Calle de las Sierpes).

— Mon[34] officier, où me menez-vous?

— A la prison, ma pauvre enfant, lui répondis-je le plus doucement que je pus, comme un bon soldat doit parler à un prisonnier, surtout à une femme.

— Hélas! que deviendrai-je? Seigneur[35] officier, ayez pitié de moi. Vous êtes si jeune, si gentil! . . . Puis, d'un ton plus bas: Laissez-moi m'échapper, dit-elle, je vous donnerai un morceau de la *bar lachi*,[36] qui vous fera aimer de toutes les femmes.

La *bar lachi*, monsieur, c'est la pierre d'aimant, avec laquelle les bohémiens prétendent[37] qu'on fait quantité de sortilèges quand on sait s'en servir. Faites-en boire une pincée râpée dans un verre de vin blanc, elle[38] ne résiste plus. Moi, je lui répondis le plus sérieusement que je pus:

— Nous ne sommes pas ici pour dire des balivernes; il faut aller à la prison, c'est la consigne, et il n'y a pas de remède.

Nous autres gens du pays basque, nous avons un accent qui nous fait reconnaître facilement des Espagnols; en revanche il n'y en a pas un qui puisse seulement apprendre à dire *baï, jaona.*[39] Carmen donc n'eut pas de peine à deviner que je venais des Provinces.[40] Vous saurez,[41] monsieur, que les bohémiens, parlent toutes les langues, et la plupart sont chez eux en Portugal, en France, dans les Provinces, en Catalogne,[42] partout; même avec les Maures et les Anglais, ils se font entendre. Carmen savait assez bien le basque.

— *Laguna ene bihotsarena,* camarade de mon cœur, me dit-elle tout à coup, êtes-vous du pays?[43]

Notre langue, monsieur, est si belle, que, lorsque nous l'entendons en pays étranger, cela nous fait tressaillir . . .

Il reprit après un silence:

[34] The possessive is used in addressing a superior officer: *mon capitaine; mon colonel.*

[35] *Seigneur* Sir, Mr.—Mérimée sometimes uses this word to express the Spanish "señor."

[36] *bar lachi* loadstone (Gypsy dialect)

[37] *prétendent = assurent*

[38] *elle = la femme qu'on aime*

[39] *baï, jaona* yes, sir (Basque)

[40] *des Provinces* from the Basque Provinces

[41] *Vous saurez = Il faut que vous sachiez*

[42] *Catalogne* Catalonia—A district in the northeast of Spain.

[43] *du pays = du pays basque*

— Je suis d'Elizondo, lui répondis-je en basque, fort ému de l'entendre parler ma langue.

— Moi, je suis d'Etchalar,[44] dit-elle. (C'est un pays[45] à quatre heures de chez nous.) J'ai été emmenée par des bohémiens à Séville. Je travaillais à la manufacture pour gagner de quoi[46] retourner en Navarre, près de ma pauvre mère qui n'a que moi pour soutien, et un petit *barratcea*[47] avec vingt pommiers à cidre! Ah! si j'étais au pays, devant la montagne blanche! On m'a insultée parce que je ne suis pas de ce pays de filous, marchands d'oranges pourries; et ces gueuses se sont mises toutes contre moi, parce que je leur ai dit que tous leurs *jaques*[48] de Séville, avec leurs couteaux, ne feraient pas peur à un gars de chez nous avec son béret bleu et son *maquila*. Camarade, mon ami, ne ferez-vous rien pour une payse?[49]

Elle mentait, monsieur, elle a toujours menti. Je ne sais pas si dans sa vie cette fille-là a jamais dit un mot de vérité; mais quand elle parlait, je la croyais: c'était plus fort que moi. Elle estropiait le basque, et je la crus[50] Navarraise; ses yeux seuls et sa bouche et son teint la disaient bohémienne. J'étais fou, je ne faisais plus attention à rien. Je pensais que, si des Espagnols s'étaient avisés de mal parler du pays, je leur aurais coupé la figure, tout comme elle venait de faire à sa camarade. Bref, j'étais comme un homme ivre; je commençais à dire des bêtises, j'étais tout près d'en faire.

— Si je vous poussais, et si vous tombiez, mon pays,[51] reprit-elle en basque, ce ne seraient pas ces deux conscrits de Castillans[52] qui me retiendraient . . .

Ma foi, j'oubliai la consigne et tout, et je lui dis:

— Eh bien m'amie,[53] ma payse, essayez, et que Notre-Dame de la Montagne[54] vous soit en aide!

En ce moment, nous passions devant une de ces ruelles étroites comme il y en a tant à Séville. Tout à coup Carmen se retourne et

[44] A Basque village in the Pyrenees.
[45] *pays = village*
[46] *de quoi = assez pour*
[47] *barratcea = jardin* (Basque)
[48] *jaques* bullies (Spanish)
[49] *une payse = une femme de votre pays* fellow-country-woman
[50] *je la crus = je crus qu'elle était*
[51] *mon pays* fellow-countryman
[52] *de Castillans = de Castille; Castillans* Castilian.—The region of Castile occupies the center of Spain.
[53] *m'amie* (old French) = *mon amie*
[54] *Notre-Dame de la Montagne* Our Lady of the Moutain—A Basque place of pilgrimage.

me lance un coup de poing dans la poitrine. Je me laissai tomber exprès à la renverse. D'un bond, elle saute par-dessus moi et se met à courir en nous montrant une paire de jambes! . . . On dit[55] jambes de Basque: les siennes en valaient bien d'autres . . . aussi vite que bien tournées . . . Moi, je me relève aussitôt; mais je mets ma lance en travers, de façon à barrer la rue, si bien que, de prime abord,[56] les camarades furent arrêtés au moment de la poursuivre. Puis je me mis moi-même à courir, et eux après moi; mais l'atteindre![57] Il n'y avait pas de risque, avec nos éperons, nos sabres et nos lances! En moins de temps que je n'en mets à vous le dire, la prisonnière avait disparu. D'ailleurs, toutes les commères du quartier favorisaient[58] sa fuite, et se moquaient de nous, et nous indiquaient la fausse voie. Après plusieurs marches et contre-marches, il fallut nous en revenir[59] au corps de garde sans un reçu du gouverneur de la prison.

Mes hommes, pour n'être pas punis, dirent que Carmen m'avait parlé basque; et il ne paraissait pas trop[60] naturel, pour dire la vérité, qu'un coup de poing d'une tant[61] petite fille eût terrassé facilement un gaillard de ma force. Tout cela parut louche ou plutôt trop clair. En descendant[62] la garde, je fus dégradé et envoyé pour un mois à la prison. C'était ma première punition depuis que j'étais au service. Adieu les galons de maréchal des logis que je croyais déjà tenir!

II. Mes premiers jours de prison se passèrent fort tristement. En me faisant soldat, je m'étais figuré que je deviendrais tout au moins officier. Maintenant je me disais: Tout le temps que tu as servi sans punition, c'est du temps perdu. Te voilà mal noté; pour te remettre bien dans l'esprit[1] des chefs, il te faudra travailler dix fois plus que lorsque tu es venu comme conscrit! Et pourquoi me suis-je fait punir? Pour une coquine de bohémienne qui s'est moquée de

[55] *On dit = On parle de*
[56] *de prime abord = tout d'abord* at the very start
[57] *l'atteindre = quant à l'atteindre*
[58] *favorisaient = aidaient*
[59] *nous en revenir* get back (construction similar to "*nous en aller*")
[60] *trop = tout à fait*
[61] *tant = si*
[62] *descendant* coming off
[1] *te remettre bien dans l'esprit = pour regagner l'estime*

toi, et qui, dans ce moment, est à[2] voler dans quelque coin de la ville. Pourtant je ne pouvais m'empêcher de penser à elle. Le croiriez-vous, monsieur? ses bas de soie troués qu'elle me faisait voir tout en plein[3] en s'enfuyant, je les avais toujours devant les yeux. Je regardais par les barreaux de la prison dans la rue, et, parmi toutes les femmes qui passaient, je n'en voyais pas une seule qui valût cette diable de fille-là. Et puis, malgré moi, je sentais la fleur de cassie qu'elle m'avait jetée, et qui, sèche, gardait toujours sa bonne odeur . . . S'il y a des sorcières, cette fille-là en était une!

Un jour, le geôlier entre, et me donne un pain d'Alcala.[4]

—Tenez, me dit-il, voilà ce que votre cousine vous envoie.

Je pris le pain, fort étonné, car je n'avais pas de cousine à Séville. C'est peut-être une erreur, pensai-je en regardant le pain; mais il était si appétissant, il sentait si bon, que, sans m'inquiéter de savoir d'où il venait et à qui il était destiné, je résolus de le manger. En voulant le couper, mon couteau rencontra quelque chose de dur. Je regarde, et je trouve une petite lime anglaise qu'on avait glissée dans la pâte avant que le pain fût cuit. Il y avait encore dans le pain une pièce d'or de deux piastres.[5] Plus de[6] doute alors, c'était un cadeau de Carmen. Pour les gens de sa race, la liberté est tout, et ils mettraient le feu à une ville pour s'épargner un jour de prison. D'ailleurs, la commère était fine, et avec ce pain-là on se moquait[7] des geôliers. En une heure, le plus gros barreau était scié avec la petite lime; et avec la pièce de deux piastres, chez le premier fripier, je changeais ma capote d'uniforme pour un habit bourgeois.[8] Mais je ne voulais pas m'échapper. J'avais encore mon honneur de soldat, et déserter me semblait un grand crime. Seulement, je fus touché de cette marque de souvenir. Quand on est en prison, on aime à penser qu'on a dehors un ami qui s'intéresse à vous. La pièce d'or m'offusquait un peu, j'aurais bien[9] voulu la rendre; mais où trouver mon créancier? Cela ne me semblait pas facile.

[2] *à = en train de*

[3] *tout en plein = clairement; totalement*

[4] A suburb of Seville famous for its delicious rolls and pastry.

[5] *piastre* piaster (at that time worth one dollar)

[6] *Plus de = Il n'y avait plus de*

[7] *on se moquait = on pouvait se moquer*

[8] *bourgeois* civilian

[9] *bien* very much

Après la cérémonie de la dégradation, je croyais n'avoir plus rien à souffrir; mais il me restait encore une humiliation à dévorer: ce fut à ma sortie de prison, lorsqu'on me mit en faction comme un simple soldat.[10] Vous ne pouvez vous figurer ce qu'un homme de cœur éprouve en pareille occasion. Je crois que j'aurais aimé autant à être fusillé. Au moins on marche seul, en avant de son peloton; on se sent[11] quelque chose; le monde vous regarde.

Je fus mis en faction à la porte du colonel. C'était un jeune homme riche, bon enfant, qui aimait à s'amuser. Tous les jeunes officiers étaient chez lui, et force[12] bourgeois, des femmes aussi, des actrices, à[13] ce qu'on disait. Pour moi, il me semblait que toute la ville s'était donné rendez-vous[14] à sa porte pour me regarder. Voilà qu'[15]arrive la voiture du colonel, avec son valet de chambre sur le siège. Qu'est-ce que je vois descendre? . . . la gitanilla. Elle était parée, cette fois, comme une châsse, pomponnée, attifée, tout or et tout rubans. Une robe à paillettes, des souliers bleus à paillettes aussi, des fleurs et des galons partout. Elle avait un tambour de basque à la main. Avec elle il y avait deux autres bohémiennes, une jeune et une vieille. Il y a toujours une vieille pour les mener; puis un vieux avec une guitare, bohémien aussi, pour jouer et les faire danser. Vous savez qu'on s'amuse souvent à faire venir des bohémiennes dans les sociétés,[16] afin de leur faire danser la *romalis*,[17] c'est leur danse, et souvent bien autre chose.[18]

Carmen me reconnut, et nous échangeâmes un regard. Je ne sais, mais, en ce moment, j'aurais voulu être à cent pieds sous terre.

— *Agur laguna*,[19] dit-elle. Mon officier, tu montes la garde comme un conscrit!

Et, avant que j'eusse trouvé un mot à répondre, elle était dans la maison.

Toute la société était dans le patio, et, malgré la foule, je voyais

[10] *simple soldat* private

[11] *on se sent = on a le sentiment d'être*

[12] *force = beaucoup de*

[13] *à = d'après; selon*

[14] *s'était donné rendez-vous = avait décidé de se rencontrer*

[15] *Voilà qu' = Et alors*

[16] *les sociétés = les réunions mondaines*

[17] *romalis* name of a Gypsy dance (Gypsy dialect)

[18] *bien autre chose = beaucoup d'autres danses*

[19] *Agur laguna = Bonjour, camarade* (Basque)

à peu près tout ce qui se passait à travers la grille.[20] J'entendais les castagnettes, le tambour, les rires et les bravos; parfois j'apercevais sa tête quand elle sautait avec son tambour. Puis j'entendais encore des officiers qui lui disaient bien des choses qui me faisaient monter le rouge à la figure.[21] Ce qu'elle répondait, je n'en savais rien. C'est de ce jour-là, je pense, que je me mis à l'aimer pour tout de bon;[22] car l'idée me vint trois ou quatre fois d'entrer dans le patio, et de donner de[23] mon sabre dans le ventre à tous ces freluquets qui lui contaient fleurettes.[24] Mon supplice dura une bonne heure;[25] puis les bohémiens sortirent, et la voiture les ramena. Carmen, en passant, me regarda encore avec les yeux que vous savez, et me dit très bas:

— Pays, quand on aime la bonne friture, on en va manger à Triana, chez Lillas Pastia.

Légère comme un cabri, elle s'élança dans la voiture, le cocher fouetta ses mules, et toute la bande joyeuse s'en alla je ne sais où.

Vous devinez bien qu'en descendant ma garde j'allai à Triana; mais d'abord je me fis raser et je me brossai comme pour un jour de parade. Elle était chez Lillas Pastia, un vieux marchand de friture, bohémien, noir comme un Maure, chez qui beaucoup de bourgeois venaient manger du poisson frit, surtout, je crois, depuis que Carmen y avait pris ses quartiers.[26]

— Lillas, dit-elle sitôt qu'elle me vit, je ne fais plus rien de la journée. Demain il fera jour![27] Allons, pays, allons nous promener.

Elle mit sa mantille devant son nez, et nous voilà dans la rue, sans savoir où j'allais.

— Mademoiselle, lui dis-je, je crois que j'ai à vous remercier d'un présent que vous m'avez envoyé quand j'étais en prison. J'ai

[20] *la grille* the wrought-iron gate (opening on the street but from which the inner court "patio" can be seen).

[21] *monter le rouge à la figure* = *rougir*

[22] *pour tout de bon* = *vraiment; profondément*

[23] *donner de* = *frapper avec*

[24] *lui contaient fleurettes* = *flirtaient avec elle*

[25] *une bonne heure* = *au moins une heure*

[26] *y avait pris ses quartiers* = *y venait danser régulièrement*

[27] *Demain il fera jour* (Spanish proverb: "Mañana sera otro dia") Tomorrow is another day

mangé le pain; la lime me servira pour affiler ma lance, et je la garde comme souvenir de vous; mais l'argent, le voilà.

— Tiens! Il a gardé l'argent, s'écria-t-elle en éclatant de rire. Au reste[28] tant mieux, car je ne suis guère en fonds. Allons, mangeons tout. Tu me régales.

Nous avions repris le chemin de Séville. A l'entrée de la rue du Serpent, elle acheta une douzaine d'oranges, qu'elle me fit mettre dans mon mouchoir. Un peu plus loin, elle acheta encore un pain, du saucisson, une bouteille de manzanilla;[29] puis enfin elle entra chez un confiseur. Là, elle jeta sur le comptoir la pièce d'or que je lui avais rendue, une autre encore qu'elle avait dans sa poche, avec quelque argent blanc;[30] enfin elle me demanda tout ce que j'avais. Je n'avais qu'une piécette et quelques cuartos,[31] que je lui donnai, fort honteux de n'avoir pas davantage. Je crus qu'elle voulait emporter toute la boutique. Elle prit tout ce qu'il y avait de plus beau et de plus cher, *yemas*,[32] *turon*,[33] fruits confits, tant que l'argent dura. Tout cela, il fallut encore que je le portasse dans des sacs de papier. Vous connaissez peut-être la rue du Candilejo. Nous nous arrêtâmes, dans cette rue-là, devant une vieille maison. Elle entra dans l'allée, et frappa au rez-de-chaussée. Une bohémienne, vraie servante de Satan, vint nous ouvrir. Carmen lui dit quelques mots en romain.[34] La vieille grogna d'abord. Pour l'apaiser, Carmen lui donna deux oranges et une poignée de bonbons et lui permit de goûter au vin. Puis elle lui mit sa mante sur le dos et la conduisit à la porte, qu'elle ferma avec la barre de bois. Dès que nous fûmes seuls, elle se mit à danser et à rire comme une folle, en chantant:

— Tu es mon *rom*, je suis ta *romi*.[35]

Moi, j'étais au milieu de la chambre, chargé de toutes ses emplettes, ne sachant où les poser. Elle jeta tout par terre, et me sauta au cou en me disant:

[28] *au reste = après tout*

[29] Manzanilla is a village west of Seville. It gives its name to an excellent wine which is made there.

[30] *argent blanc = pièces d'argent*

[31] *cuartos* (Spanish "quartos") copper coins

[32] *yemas* (Spanish) candy made of sugar and of the beaten yolks of eggs

[33] *turon* (Spanish turron) nougat

[34] *en romain* in rommani or Gypsy dialect

[35] *rom* (Gypsy dialect) = *mari; romi = femme*

— Je paye mes dettes, je paye mes dettes! c'est la loi des *calé*![36] Ah! monsieur, cette journée-là! cette journée-là! quand j'y pense, j'oublie celle de demain.[37]

III. Nous passâmes ensemble toute la journée, mangeant, buvant, et le reste. Quand elle eut mangé des bonbons comme un enfant de six ans, elle en fourra des poignées dans la jarre d'eau de la vieille. «C'est pour lui faire du sorbet,» disait-elle. Elle écrasait des yemas en les lançant contre la muraille. «C'est pour que les mouches nous laissent tranquilles,» disait-elle . . . Il n'y a pas de tour ni de bêtise qu'elle ne fît. Je lui dis que je voudrais la voir danser; mais où trouver des castagnettes? Aussitôt elle prend la seule assiette de la vieille, la casse en morceaux, et la voilà qui danse la romalis en faisant claquer les morceaux de faïence aussi bien que si elle avait eu des castagnettes d'ébène ou d'ivoire. On ne s'ennuyait pas auprès de cette fille-là, je vous en réponds.[1] Le soir vint, et j'entendis les tambours qui battaient la retraite.

— Il faut que j'aille au quartier pour l'appel, lui dis-je.

— Au quartier? dit-elle d'un air de mépris; tu es donc un nègre, pour te laisser mener à la baguette? Tu es un vrai canari,[2] d'habit et de caractère. Va, tu as un cœur de poulet.

Je restai, résigné d'avance à la salle de police.[3] Le matin, ce fut elle qui parla la première de nous séparer.

— Écoute, Joseito,[4] dit-elle; t'ai-je payé? D'après notre loi, je ne te devais rien, puisque tu es un *payllo*;[5] mais tu es un joli garçon, et tu m'as plu. Nous sommes quittes. Bonjour.

Je lui demandai quand je la reverrais.

— Quand tu seras moins niais, répondit-elle en riant. Puis, d'un ton plus sérieux: Sais-tu, mon fils,[6] que je crois que je t'aime un peu? Mais cela ne peut durer. Chien et loup ne font pas longtemps

[36] *calé* (plural form, Gypsy dialect) Gypsies (*calo* is the m.s.; *cali* is the f.s.)

[37] José is to be executed the next day.

[1] *je vous en réponds = je vous le garantis*

[2] Reference to the yellow uniform which Spanish dragoons wear.

[3] *à la salle de police = à être mis en prison*

[4] *Joseito* (Spanish diminutive of "José") Joe

[5] *payllo* (Gypsy dialect) foreigner

[6] *mon fils* my boy, sonny

bon ménage. Peut-être que, si tu prenais la loi d'Égypte,[7] j'aimerais à devenir ta romi. Mais, ce sont des bêtises: cela ne se peut pas. Tu as rencontré le diable, oui, le diable; il n'est pas toujours noir, et il ne t'a pas tordu le cou. Je suis habillée de laine, mais je ne suis pas mouton.[8] Allons, adieu encore une fois. Ne pense plus à Carmencita,[9] où elle te ferait épouser une veuve à jambes de bois.[10]

En parlant ainsi, elle défaisait la barre qui fermait la porte, et une fois dans la rue elle s'enveloppa dans sa mantille et me tourna les talons.

Elle disait vrai.[11] J'aurais été sage de ne plus penser à elle; mais depuis cette journée dans la rue du Candilejo, je ne pouvais plus songer à autre chose. Je me promenais tout le jour, espérant la rencontrer. J'en demandais des nouvelles à la vieille et au marchand de friture. L'un et l'autre répondaient qu'elle était partie pour Laloro,[12] c'est ainsi qu'ils appellent le Portugal. Probablement c'était d'après les instructions de Carmen qu'ils parlaient de la sorte, mais je ne tardai pas à savoir qu'ils mentaient. Quelques semaines après, je fus de faction à une des portes de la ville. A peu de distance de cette porte, il y avait une brèche qui s'était faite dans le mur d'enceinte; on y travaillait pendant le jour, et la nuit on y mettait un factionnaire pour empêcher les fraudeurs. Pendant le jour, je vis Lillas Pastia passer et repasser autour du corps de garde, et causer avec quelques-uns de mes camarades; tous le connaissaient, et ses poissons et ses beignets encore mieux. Il s'approcha de moi et me demanda si j'avais des nouvelles de Carmen.

— Non, lui dis-je.

— Eh bien, vous en aurez, compère.

Il ne se trompait pas. La nuit, je fus mis de faction à la brèche. Dès que le brigadier se fut retiré, je vis venir à moi une femme. Le cœur me disait que c'était Carmen. Cependant je criai:

— Au large![13] On ne passe pas!

[7] *d'Égypte = des Bohémiens* of the Gypsies (The word gypsy is derived from "Egyptian." One of the suppositions concerning the origin of the tribe is that it came from Egypt.)

[8] A Gypsy proverb.

[9] *Carmencita* Spanish diminutive of "Carmen"

[10] The gallows was called the widow of the last hanged criminal.

[11] *vrai = la vérité*

[12] *Laloro* (Gypsy dialect) the red (land)

[13] *Au large!* Stand off! Keep away!

— Ne faites donc pas le méchant, me dit-elle en se faisant connaître à moi.

— Quoi! vous voilà, Carmen!

— Oui, mon pays. Parlons peu, parlons bien. Veux-tu gagner un douro?[14] Il va venir des gens avec des paquets; laisse-les faire.

— Non, répondis-je. Je dois les empêcher de passer; c'est la consigne.

— La consigne! la consigne! Tu n'y pensais pas rue du Candilejo.

— Ah! répondis-je, tout bouleversé par ce seul souvenir, cela valait bien la peine d'oublier la consigne; mais je ne veux pas de l'argent des contrebandiers.

— Voyons, si tu ne veux pas d'argent, veux-tu que nous allions encore dîner chez la vieille Dorothée?

— Non! dis-je à moitié étranglé par l'effort que je faisais. Je ne puis pas.

— Fort bien. Si tu es si difficile, je sais à qui m'adresser. J'offrirai à ton officier d'aller chez Dorothée. Il a l'air d'un bon enfant, et il fera mettre en sentinelle un gaillard qui ne verra que ce qu'il faudra voir.[15] Adieu, canari. Je rirai bien le jour où la consigne sera de te pendre.

J'eus la faiblesse de la rappeler, et je promis de laisser passer toute la Bohême,[16] s'il le fallait, pourvu que j'obtinsse la seule récompense que je désirais. Elle me jura aussitôt de me tenir parole[17] dès le lendemain, et courut prévenir ses amis, qui étaient à deux pas. Il y en avait cinq, tous bien chargés de marchandises anglaises. Carmen faisait le guet. Les fraudeurs firent leur affaire en un instant.

Le lendemain, j'allai rue du Candilejo. Carmen se fit attendre,[18] et vint d'assez mauvaise humeur.

— Je n'aime pas les gens qui se font prier,[19] dit-elle. Tu m'as rendu un plus grand service la première fois, sans savoir si tu y

[14] *un douro* (Spanish "duro") a silver dollar

[15] *ce qu'il faudra voir = ce qu'on lui aura permis de voir*

[16] *toute la Bohême* all gypsydom; the whole tribe (One theory placed the origin of the Gypsies in Bohemia. Hence in French Gypsies are called "*Bohémiens.*")

[17] *parole = sa promesse*

[18] *se fit attendre = tarda à venir*

[19] *qui se font prier = qu'il faut prier*

gagnerais quelque chose. Hier, tu as marchandé avec moi. Je ne sais pas pourquoi je suis venue, car je ne t'aime plus. Tiens, va-t'en, voilà un douro pour ta peine.

Je fus obligé de faire un effort violent sur moi-même pour ne pas la battre. Après nous être disputés pendant une heure, je sortis furieux. J'errai quelque temps par la ville, marchant deçà et delà comme un fou; enfin j'entrai dans une église, et m'étant mis dans le coin le plus obscur, je pleurai à chaudes larmes. Tout d'un coup j'entends une voix:

— Larmes de dragon![20] j'en veux faire un philtre.

Je lève les yeux, c'était Carmen en face de moi.

— Eh bien, mon pays, m'en voulez-vous[21] encore? me dit-elle. Il faut bien que je vous aime, malgré que j'en aie,[22] car, depuis que vous m'avez quittée, je ne sais ce que j'ai. Voyons, maintenant c'est moi qui te demande si tu veux venir rue du Candilejo.

Nous fîmes donc la paix; mais Carmen avait l'humeur comme est le temps chez nous. Jamais l'orage n'est si près dans nos montagnes que lorsque le soleil est le plus brillant. Elle m'avait promis de me revoir une autre fois chez Dorothée, et elle ne vint pas. Je cherchais Carmen partout où je croyais qu'elle pouvait être, et je passais vingt fois par jour dans la rue du Candilejo.

Un soir, j'étais chez Dorothée, lorsque Carmen entra suivie d'un jeune homme, lieutenant dans notre régiment.

— Va-t'en vite, me dit-elle en basque.

Je restai stupéfait, la rage dans le cœur.

— Qu'est-ce que tu fais ici? me dit le lieutenant. Décampe, hors d'ici!

Je ne pouvais faire un pas; j'étais comme perclus. L'officier, en colère, voyant que je ne me retirais pas, et que je n'avais même pas ôté mon bonnet de police,[23] me prit au collet et me secoua rudement. Je ne sais ce que je lui dis. Il tira son épée, et je dégaînai. La vieille me saisit le bras, et le lieutenant me donna un coup au front, dont je porte encore la marque. Je reculai, et d'un coup de coude

[20] *dragon* means both "dragoon" and "dragon"—Carmen may be thinking of the *"larmes de crocodile."*

[21] *m'en voulez-vous = êtes-vous fâché contre moi*

[22] *malgré que j'en aie = malgré moi*

[23] *bonnet de police* fatigue-cap

je jetai Dorothée à la renverse; puis, comme le lieutenant me poursuivait, je lui mis la pointe au corps, et il s'enferra. Carmen alors éteignit la lampe, et dit dans sa langue à Dorothée de s'enfuir. Moi-même je me sauvai dans la rue, et me mis à courir sans savoir où. Il me semblait que quelqu'un me suivait. Quand je revins à moi,[24] je trouvai que Carmen ne m'avait pas quitté.

— Grand niais de canari! me dit-elle, tu ne sais faire que des bêtises. Aussi bien,[25] je te l'ai dit que je te porterais malheur. Allons, il y a remède à tout, quand on a pour bonne amie[26] une flamande de Rome.[27] Commence par mettre ce mouchoir sur ta tête, et jette-moi ce ceinturon. Attends-moi dans cette allée. Je reviens dans deux minutes.

Elle disparut, et me rapporta bientôt une mante rayée qu'elle était allée chercher je ne sais où. Elle me fit quitter mon uniforme, et mettre la mante par-dessus ma chemise. Ainsi accoutré, avec le mouchoir dont elle avait bandé la plaie que j'avais à la tête, je ressemblais assez à un paysan valencien.[28] Puis elle me mena dans une maison assez semblable à celle de Dorothée, au fond d'une petite ruelle. Elle et une autre bohémienne me lavèrent, me pansèrent, me firent boire je ne sais quoi; enfin, on me mit sur un matelas, et je m'endormis.

Probablement ces femmes avaient mêlé dans ma boisson quelques-unes de ces drogues assoupissantes dont elles ont le secret, car je ne m'éveillai que fort tard le lendemain. J'avais un grand mal de tête et un peu de fièvre. Il fallut quelque temps pour que le souvenir me revînt de la terrible scène où j'avais pris part la veille. Après avoir pansé ma plaie, Carmen et son amie échangèrent quelques mots de *chipe calli*,[29] qui paraissaient être une consultation médicale. Puis toutes les deux m'assurèrent que je serais guéri avant

[24] *je revins à moi* I recovered my senses

[25] *Aussi bien* = *D'ailleurs*

[26] *bonne amie* girl friend; sweetheart

[27] *flamande de Rome* (Gypsy dialect: "flamenco de Roma") Gypsy.—"Roma" does not refer here to the papal city but to the nation of the "Romi" (the married people among the Gypsies). The first Gypsies who appeared in Spain probably came from Flanders; hence "flamenco," Fleming.

[28] *valencien* = *de Valence* Valencian

[29] *chipe calli* Gypsy language (literally: *chipe*, language; *calli*, black)

peu, mais qu'il fallait quitter Séville le plus tôt possible; car, si l'on m'y attrapait, j'y serais fusillé sans rémission.

— Mon garçon, me dit Carmen, il faut que tu fasses quelque chose; il faut que tu songes à gagner ta vie. Tu es trop bête pour voler *à pastesas*;[30] mais tu es leste et fort: si tu as du cœur,[31] va-t'en à la côte, et fais-toi contrebandier. Ne t'ai-je pas promis de te faire pendre? Cela vaut mieux que d'être fusillé. D'ailleurs, si tu sais t'y prendre,[32] tu vivras comme un prince, aussi longtemps que les gardes-côtes ne te mettront pas la main sur le collet.

Ce fut de cette façon engageante que cette diable de fille me montra la nouvelle carrière qu'elle me destinait. Elle me détermina sans beaucoup de peine. Il me semblait que je m'unissais à elle plus intimement par cette vie de hasards et de rébellion. Désormais je crus m'assurer son amour. J'avais entendu souvent parler de quelques contrebandiers qui parcouraient l'Andalousie,[33] montés sur un bon cheval, l'espingole au poing, leur maîtresse en croupe. Je me voyais déjà trottant par monts et par vaux, avec la gentille bohémienne derrière moi.

— Si je te tiens jamais dans la montagne, lui disais-je, je serai sûr de toi!

— Ah! tu es jaloux, répondait-elle. Tant pis pour toi. Comment es-tu assez bête pour cela? Ne vois-tu pas que je t'aime, puisque je ne t'ai jamais demandé d'argent?

Lorsqu'elle parlait ainsi, j'avais envie de l'étrangler.

IV. Carmen me procura un habit bourgeois, avec lequel je sortis de Séville sans être reconnu. J'allai à Jerez[1] avec une lettre de Pastia pour un marchand d'anisette chez qui se réunissaient des contrebandiers. On me présenta à ces gens-là, dont le chef, surnommé le Dancaïre,[2] me reçut dans sa troupe. Nous partîmes pour Gaucin,[3] où je retrouvai Carmen, qui m'y avait donné rendez-vous. Dans les expéditions, elle servait d'espion à nos gens, et de meilleur il n'y

[30] *à pastesas* (Spanish) = *avec adresse*

[31] *du cœur* = *du courage*

[32] *t'y prendre* how to go about it

[33] *Andalousie* Andalusia—The largest province in southern Spain.

[1] A Spanish city south of Seville, noted for its wine (sherry).

[2] A Spanish word denoting a man who gambles for someone else.

[3] A Spanish village 30 miles north of Gibraltar.

en eut jamais. Elle revenait de Gibraltar,[4] et déjà elle avait arrangé avec un patron de navire l'embarquement de marchandises anglaises que nous devions recevoir sur la côte. Nous allâmes les attendre près d'Estepona,[5] puis nous en cachâmes une partie dans la montagne; chargés du reste, nous nous rendîmes à Ronda.[6] Carmen nous y avait précédés. Ce fut elle encore qui nous indiqua le moment où nous entrerions en ville. Ce premier voyage et quelques autres après furent heureux. La vie de contrebandier me plaisait mieux que la vie de soldat; je faisais des cadeaux à Carmen. J'avais de l'argent et une maîtresse. Partout nous étions bien reçus; mes compagnons me traitaient bien, et même me témoignaient de la considération. La raison, c'était que j'avais tué un homme, et parmi eux il y en avait qui n'avaient pas un pareil exploit sur la conscience.

Mais ce qui me touchait davantage dans ma nouvelle vie, c'est que je voyais souvent Carmen. Elle me montrait plus d'amitié que jamais; cependant, devant les camarades, elle ne convenait pas qu'elle était ma maîtresse; et même, elle m'avait fait jurer par toutes sortes de serments de ne rien leur dire sur son compte.[7] J'étais si faible devant cette créature, que j'obéissais à tous ses caprices. D'ailleurs, c'était la première fois qu'elle se montrait à moi avec la réserve d'une honnête femme, et j'étais assez simple pour croire qu'elle s'était véritablement corrigée de ses façons d'autrefois.

Notre troupe, qui se composait de huit ou dix hommes, ne se réunissait guère que dans les moments décisifs, et d'ordinaire nous étions dispersés deux à deux, trois à trois, dans les villes et les villages. Chacun de nous prétendait avoir un métier: celui-ci était chaudronnier, celui-là maquignon; moi, j'étais marchand de merceries, mais je ne me montrais guère dans les gros endroits, à cause de ma mauvaise affaire de Séville. Un jour, ou plutôt une nuit, notre rendez-vous était au bas de Véger.[8] Le Dancaïre et moi nous nous y trouvâmes avant les autres. Il paraissait fort gai.

— Nous allons avoir un camarade de plus, me dit-il. Carmen

[4] British city and stronghold at the southern extremity of Spain.

[5] Small Spanish port northeast of Gibraltar.

[6] Spanish city northeast of Gibraltar.

[7] *sur son compte* = *à propos d'elle* about her

[8] *Véger* Veger de la Frontera—A Spanish village northwest of Gibraltar.

vient de faire un de ses meilleurs tours. Elle vient de faire échapper son rom qui était au presidio[9] à Tarifa.[10]

Je commençais déjà à comprendre le bohémien, que parlaient presque tous mes camarades, et ce mot de rom me causa un saisissement.

—Comment! son mari! elle est donc mariée? demandai-je au capitaine.

—Oui, répondit-il, à Garcia le Borgne, un bohémien aussi futé qu'elle. Le pauvre garçon était aux galères. Carmen a si bien embobeliné[11] le chirurgien du presidio, qu'elle en a obtenu la liberté de son rom. Ah! cette fille-là vaut son pesant d'or. Il y a deux ans qu'elle cherche à le faire évader. Rien n'a réussi, jusqu'au moment où l'on s'est avisé de changer le major.[12] Avec celui-ci, il paraît qu'elle a trouvé bien vite le moyen de s'entendre.

Vous vous imaginez le plaisir que me fit cette nouvelle. Je vis bientôt Garcia le Borgne, noir de peau et plus noir d'âme; c'était le plus franc scélérat que j'aie rencontré dans ma vie. Carmen vint avec lui; et, lorsqu'elle l'appelait son rom devant moi, il fallait voir[13] les yeux qu'elle me faisait, et ses grimaces quand Garcia tournait la tête. J'étais indigné. Le matin nous avions fait nos ballots, et nous étions déjà en route, quand nous nous aperçûmes qu'une douzaine de cavaliers étaient à nos trousses.[14] Le Dancaïre, Garcia, un joli garçon d'Ecija,[15] qui s'appelait le Remendado,[16] et Carmen ne perdirent pas la tête. Le reste avait abandonné les mulets, et s'était jeté dans les ravins où les chevaux ne pouvaient les suivre. Nous ne pouvions conserver nos bêtes, et nous nous hâtâmes de défaire le meilleur de notre butin, et de le charger sur nos épaules, puis nous essayâmes de nous sauver au travers des rochers par les pentes les plus raides. Nous jetions nos ballots devant nous, et nous les suivions de notre mieux en glissant sur les talons. Pendant ce temps-là l'ennemi nous canardait;[17] c'était la première fois que j'entendais

[9] *presidio* (Spanish) military prison

[10] Spanish port and fortress west of Gibraltar.

[11] *embobeliné = enjôlé* wheedled

[12] *major = médecin militaire*

[13] *il fallait voir = vous auriez dû voir*

[14] *à nos trousses* at our heels

[15] A small Spanish city south of Cordova.

[16] *Remendado* A Spanish word meaning "spotty"

[17] *nous canardait = tirait sur nous* (Literally: shot at us from cover as they would have ducks)

siffler les balles, et cela ne me fit pas grand'chose. Quand on est en vue d'une femme, il n'y a pas de mérite à se moquer de la mort. Nous nous échappâmes, excepté le pauvre Remendado, qui reçut un coup de feu[18] dans les reins. Je jetai mon paquet, et j'essayai de le prendre.

— Imbécile! me cria Garcia, qu'avons-nous affaire d'une charogne? achève-le et ne perds pas les bas de coton.

— Jette-le! me criait Carmen.

La fatigue m'obligea de le déposer un moment à l'abri d'un rocher. Garcia s'avança, et lui lâcha[19] son espingole dans la tête.

— Bien habile qui le reconnaîtrait maintenant, dit-il en regardant sa figure que douze balles avaient mise en morceaux.

Voilà la belle vie que j'ai menée. Le soir, nous nous trouvâmes dans un hallier, épuisés de fatigue, n'ayant rien à manger et ruinés par la perte de nos mulets. Que fit cet infernal Garcia? il tira un paquet de cartes de sa poche, et se mit à jouer avec le Dancaïre à la lueur d'un feu qu'ils allumèrent. Pendant ce temps-là, moi, j'étais couché, regardant les étoiles, pensant au Remendado, et me disant que j'aimerais autant être à sa place. Carmen était accroupie près de moi, et de temps en temps elle faisait un roulement de castagnettes en chantonnant. Puis, s'approchant comme pour me parler à l'oreille, elle m'embrassa, presque malgré moi, deux ou trois fois.

— Tu es le diable, lui disais-je.

— Oui, me répondait-elle.

Après quelques heures de repos, elle s'en fut à[20] Gaucin, et le lendemain matin un petit chevrier vint nous porter du pain. Nous demeurâmes là tout le jour, et la nuit nous nous rapprochâmes de Gaucin. Nous attendions des nouvelles de Carmen. Rien ne venait. Au jour,[21] nous voyons un muletier qui menait une femme bien habillée, avec un parasol, et une petite fille qui paraissait sa domestique. Garcia nous dit:

— Voilà deux mules et deux femmes que saint Nicolas[22] nous

[18] *un coup de feu = une balle* a shot; a bullet
[19] *lâcha* emptied
[20] *elle s'en fut à = elle partit pour*
[21] *Au jour = A l'aurore* At daybreak
[22] *Saint Nicolas* Saint Nicholas; Santa Claus

envoie; j'aimerais mieux quatre mules; n'importe, j'en fais mon affaire![23]

Il prit son espingole et descendit vers le sentier en se cachant dans les broussailles. Nous le suivions, le Dancaïre et moi, à peu de distance. Quand nous fûmes à portée, nous nous montrâmes, et nous criâmes au muletier de s'arrêter. La femme, en nous voyant, au lieu de s'effrayer, fait un grand éclat de rire.

— Ah! les *lillipendi*[24] qui me prennent pour une *erani*![25]

C'était Carmen, mais si bien déguisée, que je ne l'aurais pas reconnue parlant une autre langue. Elle sauta en bas de sa mule, et causa quelque temps à voix basse avec le Dancaïre et Garcia, puis elle me dit:

— Canari, nous nous reverrons avant que tu sois pendu. Je vais à Gibraltar pour les affaires d'Égypte. Vous entendrez bientôt parler de moi.

Nous nous séparâmes après qu'elle nous eut indiqué un lieu où nous pourrions trouver un abri pour quelques jours. Cette fille était la providence de notre troupe. Nous reçûmes bientôt quelque argent qu'elle nous envoya, et un avis qui valait mieux pour nous: c'était que tel jour partiraient deux milords anglais, allant de Gibraltar à Grenade par tel chemin. A bon entendeur, salut.[26] Ils avaient de belles et bonnes guinées.[27] Garcia voulait les tuer, mais le Dancaïre et moi nous nous y opposâmes. Nous ne leur prîmes que l'argent et les montres, outre les chemises, dont nous avions grand besoin.

On devient coquin sans y penser. Une jolie fille vous fait perdre la tête, on se bat pour elle, un malheur arrive, il faut vivre à la montagne, et de contrebandier on devient voleur avant d'avoir réfléchi. Nous jugeâmes qu'il ne faisait pas bon[28] pour nous dans

[23] *j'en fais mon affaire* I'll take care of this

[24] *lillipendi* (Gypsy dialect) = *imbéciles*

[25] *erani* (Gypsy dialect) = *femme comme il faut* respectable woman; lady

[26] *A bon entendeur, salut* A word to the wise is sufficient (Literally: *A bon entendeur* = *A celui qui a bien compris*)

[27] *guinées* guineas (= 21 shillings, at that time about 5 dollars. They are no longer coined.)

[28] *il ne faisait pas bon* = *il était dangereux de rester*

les environs de Gibraltar après l'affaire des milords, et nous nous enfonçâmes dans la sierra[29] de Ronda.

Nous n'entendions plus parler de Carmen. Le Dancaïre dit:

— Il faut qu'un de nous aille à Gibraltar pour en avoir des nouvelles; elle doit avoir préparé quelque affaire. J'irais bien, mais je suis trop connu à Gibraltar.

Le Borgne dit:

— Moi aussi, on m'y connaît, et comme je n'ai qu'un œil, je suis difficile à déguiser.

— Il faut donc que j'y aille? dis-je à mon tour, enchanté à la seule idée de revoir Carmen; voyons, que faut-il faire?

Les autres me dirent:

Lorsque tu seras à Gibraltar, demande sur le port où demeure une marchande de chocolat qui s'appelle la Rollona;[30] quand tu l'auras trouvée, tu sauras d'elle ce qui se passe là-bas.

Il fut convenu que je me rendrais à Gibraltar comme un marchand de fruits. A Ronda, un homme qui était à nous[31] m'avait procuré un passeport; à Gaucin, on me donna un âne: je le chargeai d'oranges et de melons, et je me mis en route. Arrivé à Gibraltar, je trouvai qu'on y connaissait bien la Rollona, mais elle était morte ou elle était allée à *finibus terræ*,[32] et sa disparition expliquait, à mon avis, comment nous avions perdu notre moyen de correspondre avec Carmen. Je mis mon âne dans une écurie, et, prenant mes oranges, j'allais par la ville comme pour les vendre, mais, en effet, pour voir si je ne rencontrerais pas quelque figure de connaissance.[33]

V. Après deux jours passés en courses inutiles, je n'avais rien appris touchant la Rollona ni Carmen, et je pensais à retourner auprès de mes camarades après avoir fait quelques emplettes, lorsqu'en me promenant dans une rue, au coucher du soleil, j'en-

[29] *sierra* (Spanish) mountain ridge (the word literally means "a saw")

[30] *la Rollona* (Spanish) An adjective applied to a short plump woman: Roly-poly

[31] *était à nous* = *appartenait à notre bande*

[32] *finibus terræ* (Latin) literally: to the ends of the earth.—It probably means here: "nobody knew where."

[33] *quelque figure de connaissance* = *quelqu'un que je connaissais*

tends une voix de femme d'une fenêtre qui me dit: «Marchand d'oranges! . . .» Je lève la tête, et je vois à un balcon Carmen, accoudée avec un officier en rouge, épaulettes d'or, cheveux frisés, tournure d'un gros milord. Pour elle, elle était habillée superbement: un châle sur ses épaules, un peigne d'or, toute en soie. L'Anglais, en baragouinant l'espagnol, me cria de monter, que madame voulait des oranges; et Carmen me dit en basque:

— Monte, et ne t'étonne de rien.

Rien, en effet, ne devait m'étonner de sa part. Je ne sais si j'eus plus de joie que de chagrin en la retrouvant. Il y avait à la porte un grand domestique anglais, poudré, qui me conduisit dans un salon magnifique. Carmen me dit en basque avec un clignement d'œil:

— Tu ne sais pas un mot d'espagnol, tu ne me connais pas.

Puis, se tournant vers l'Anglais:

— Je vous le disais bien, je l'ai tout de suite reconnu pour un Basque; vous allez entendre quelle drôle de langue. Comme il a l'air bête, n'est-ce pas? On dirait un chat surpris dans un garde-manger.

— Et toi, lui dis-je dans ma langue, tu as l'air d'une effrontée coquine, et j'ai bien envie de[1] te balafrer la figure devant ton galant.

— Mon galant! dit-elle, tiens, tu as deviné cela tout seul? Et tu es jaloux de cet imbécile-là? Tu es encore plus niais qu'avant nos soirées de la rue du Candilejo. Ne vois-tu pas, sot que tu es, que je fais en ce moment les affaires d'Égypte, et de la façon la plus brillante? Cette maison est à moi, les guinées de l'écrevisse[2] seront à moi; je le mène par le bout du nez; je le mènerai d'où[3] il ne sortira jamais.

— Et moi, lui dis-je, si tu fais encore les affaires d'Égypte de cette manière-là, je ferai si bien que tu ne recommenceras plus.

— Ah! oui-dà![4] Es-tu mon rom, pour me commander? Le Borgne

[1] *j'ai bien envie de = je désire beaucoup*
[2] *l'écrevisse = l'officier anglais* the red coat
[3] *d'où = à un endroit d'où*
[4] *oui-dà! = vraiment?* Is that so?

le trouve bon,[5] qu'as-tu à y voir? Ne devrais-tu pas être bien content d'être le seul qui se puisse dire mon *minchorrô*?[6]

— Qu'est-ce qu'il dit? demanda l'Anglais.

— Il dit qu'il a soif et qu'il boirait bien un coup,[7] répondit Carmen.

Et elle se renversa sur un canapé en éclatant de rire à sa traduction.

Quand cette fille-là riait, il n'y avait pas moyen de parler raison. Tout le monde riait avec elle. Ce grand Anglais se mit à rire aussi, comme un imbécile qu'il était, et ordonna qu'on m'apportât à boire.

Pendant que je buvais:

— Vois-tu cette bague qu'il a au doigt? dit-elle; si tu veux, je te la donnerai.

Moi je répondis:

— Je donnerais un doigt pour tenir ton milord dans la montagne, chacun un maquila au poing.

— Maquila, qu'est-ce que cela veut dire? demanda l'Anglais.

— Maquila, dit Carmen riant toujours, c'est une orange. N'est-ce pas un bien drôle de mot pour une orange? Il dit qu'il voudrait vous faire manger du maquila.

— Oui? dit l'Anglais. Eh bien! apporte encore demain du maquila.

Pendant que nous parlions, le domestique entra et dit que le dîner était prêt. Alors l'Anglais se leva, me donna une piastre, et offrit son bras à Carmen, comme si elle ne pouvait pas marcher seule. Carmen, riant toujours, me dit:

— Mon garçon, je ne puis t'inviter à dîner; mais demain, dès que tu entendras le tambour pour la parade, viens ici avec des oranges. Tu trouveras une chambre mieux meublée que celle de la rue du Candilejo, et tu verras si je suis toujours ta Carmencita. Et puis nous parlerons des affaires d'Égypte.

Je ne répondis rien, et j'étais dans la rue que[8] l'Anglais me criait:

[5] *le trouve bon* = *approuve ce que je fais*

[6] *minchorrô* (Gypsy dialect) = *amant de cœur* true love

[7] *il boirait bien un coup* he would like to have a drink

[8] *que* = *lorsque*

— Apportez demain du maquila! et j'entendais les éclats de rire de Carmen.

Je sortis ne sachant ce que je ferais, je ne dormis guère, et le matin je me trouvais si en colère contre cette traîtresse que j'avais résolu de partir de Gibraltar sans la revoir; mais, au premier roulement de tambour, tout mon courage m'abandonna: je pris ma natte d'oranges et je courus chez Carmen. Sa jalousie[9] était entr'ouverte, et je vis son grand œil noir qui me guettait. Le domestique poudré m'introduisit aussitôt; Carmen lui donna une commission, et dès que nous fûmes seuls, elle partit d'un de ses éclats de rire de crocodile,[10] et se jeta à mon cou. Je ne l'avais jamais vue si belle. Parée comme une madone, parfumée . . . des meubles de soie, des rideaux brodés . . . ah! . . . et moi fait[11] comme un voleur que j'étais.

—Minchorrô! disait Carmen, j'ai envie de tout casser ici, de mettre le feu à la maison et de m'enfuir à la sierra.

Et c'étaient des tendresses! . . . et puis des rires! . . . et elle dansait, et elle déchirait ses falbalas: jamais singe ne fit plus de gambades, de grimaces, de diableries. Quand elle eut repris son sérieux:[12]

— Écoute, me dit-elle, il s'agit de l'Égypte. Je veux qu'il[13] me mène à Ronda, où j'ai une sœur religieuse[14] . . . (Ici nouveaux éclats de rire.) Nous passons par un endroit que je te ferai dire.[15] Vous tombez sur lui: pillé rasibus![16] Le mieux serait de l'escoffier, mais, ajouta-t-elle avec un sourire diabolique qu'elle avait dans de certains moments, et ce sourire-là, personne n'avait alors envie de l'imiter,—sais-tu ce qu'il faudrait faire? Que le Borgne paraisse le premier. Tenez-vous un peu en arrière; l'Écrevisse est brave et adroit: il a de bons pistolets . . . Comprends-tu? . . .

Elle s'interrompit par un nouvel éclat de rire qui me fit frissoner.

[9] *jalousie* Venetian blind

[10] *de crocodile = qui cachaient ses vraies pensées* (Compare with "*larmes de crocodile*")

[11] *fait = habillé*

[12] *eut repris son sérieux = fut de nouveau sérieuse*

[13] *il = l'Anglais*

[14] *j'ai une sœur religieuse = une de mes sœurs est religieuse* (nun)

[15] *je te ferai dire = quelqu'un ira t'indiquer*

[16] *pillé rasibus = il sera pillé rasibus* he'll be stripped clean

—Non, lui dis-je: je hais Garcia, mais c'est mon camarade. Un jour peut-être je t'en débarrasserai, mais nous réglerons nos comptes à la façon de mon pays. Je ne suis Égyptien que par hasard; et pour certaines choses, je serai toujours franc Navarrais.

Elle reprit:

—Tu es une bête, un niais, un vrai *payllo*. Tu es comme le nain qui se croit grand quand il a pu cracher loin.[17] Tu ne m'aimes pas, va-t'en.

Quand elle me disait: Va-t'en, je ne pouvais m'en aller. Je promis de partir, de retourner auprès de mes camarades et d'attendre l'Anglais; de son côté, elle me promit d'être malade jusqu'au moment de quitter Gibraltar pour Ronda. Je demeurai encore deux jours à Gibraltar. Elle eut l'audace de me venir voir[18] déguisée dans mon auberge. Je partis; moi aussi j'avais mon projet. Je retournai à notre rendez-vous, sachant le lieu et l'heure où l'Anglais et Carmen devaient passer. Je trouvai le Dancaïre et Garcia qui m'attendaient. Nous passâmes la nuit dans un bois auprès d'un feu de pommes de pin qui flambait à merveille. Je proposai à Garcia de jouer aux cartes. Il accepta. A la seconde partie je lui dis qu'il trichait; il se mit à rire. Je lui jetai les cartes à la figure. Il voulut[19] prendre son espingole; je mis le pied dessus, et je lui dis: «On dit que tu sais jouer du couteau comme le meilleur jaque de Malaga,[20] veux-tu t'essayer avec moi?» Le Dancaïre voulut nous séparer. J'avais donné deux ou trois coups de poing à Garcia. La colère l'avait rendu brave; il avait tiré son couteau, moi le mien. Nous dîmes tous deux au Dancaïre de nous laisser place libre et franc jeu. Il vit qu'il n'y avait pas moyen de nous arrêter, et il s'écarta. Garcia était déjà ployé en deux comme un chat prêt à s'élancer contre une souris. Il tenait son chapeau de la main gauche pour parer, son couteau en avant. C'est leur garde andalouse. Moi, je me mis à la navarraise,[21] droit en face de lui, le bras gauche levé, la jambe gauche en avant, le couteau le long de la cuisse droite. Je me sentais plus fort qu'un géant. Il se lança sur moi comme un trait;

[17] The Gypsy proverb says: *La promesse d'un nain, c'est de cracher loin.*

[18] *me venir voir = venir me voir*

[19] *Il voulut = Il essaya de*

[20] A Spanish harbor northeast of Gibraltar.

[21] *à la navarraise = selon la méthode des Navarrais*

je tournai sur le pied gauche et il ne trouva plus rien devant lui: mais je l'atteignis à la gorge, et le couteau entra si avant,[22] que ma main était sous son menton. Je retournai la lame si fort qu'elle se cassa. C'était fini. La lame sortit de la plaie lancée par un bouillon[23] de sang gros comme le bras. Il tomba sur le nez, raide comme un pieu.

— Qu'as-tu fait? me dit le Dancaïre.

— Écoute, lui dis-je: nous ne pouvions vivre ensemble. J'aime Carmen, et je veux être seul.[24] D'ailleurs, Garcia était un coquin, et je me rappelle ce qu'il a fait au pauvre Remendado. Nous ne sommes plus que deux, mais nous sommes de bons garçons. Voyons, veux-tu de moi pour ami, à la vie à la mort?

Le Dancaïre me tendit la main. C'était un homme de cinquante ans.

— Au diable les amourettes! s'écria-t-il. Si tu lui avais demandé Carmen, il te l'aurait vendue pour une piastre. Nous ne sommes plus que deux; comment ferons-nous demain?

— Laisse-moi faire tout seul, lui répondis-je. Maintenant je me moque du[25] monde entier.

Nous enterrâmes Garcia, et nous allâmes placer notre camp deux cents pas plus loin. Le lendemain, Carmen et son Anglais passèrent avec deux muletiers et un domestique. Je dis au Dancaïre:

— Je me charge de l'Anglais. Fais peur aux autres, ils ne sont pas armés.

L'Anglais avait du cœur. Si Carmen ne lui eût poussé le bras, il me tuait.[26] Bref, je reconquis Carmen en ce jour-là, et mon premier mot fut de lui dire qu'elle était veuve. Quand elle sut comment cela s'était passé:

— Tu seras toujours un *lillipendi*! me dit-elle. Garcia devait te tuer.[27] Ta garde navarraise n'est qu'une bêtise, et il en a mis à

[22] *avant* = *profondément; loin*
[23] *bouillon* = *flot* stream
[24] *seul* = *le seul* the only one
[25] *je me moque du . . .* = *je défie le . . .*
[26] *Si Carmen ne lui eût poussé le bras, il me tuait* (literary form) = *Si Carmen ne lui avait pas poussé le bras, il m'aurait tué.*
[27] *devait te tuer* logically should have killed you (literally: was supposed to kill you)

l'ombre[28] de plus habiles que toi. C'est que son temps était venu. Le tien viendra.

— Et le tien, répondis-je, si tu n'es pas pour moi une vraie romi.

— A la bonne heure,[29] dit-elle; j'ai vu plus d'une fois dans du marc de café que nous devions finir ensemble. Bah! arrive qui plante![30]

Et elle fit claquer ses castagnettes, ce qu'elle faisait toujours quand elle voulait chasser quelque idée importune.

VI. La vie que nous menions dura assez longtemps. Le Dancaïre et moi nous nous étions associé quelques camarades plus sûrs que les premiers, et nous nous occupions de contrebande, et aussi parfois, il faut bien l'avouer, nous arrêtions[1] sur la grande route, mais à la dernière extrémité, et lorsque nous ne pouvions faire autrement. D'ailleurs, nous ne maltraitions pas les voyageurs, et nous nous bornions à leur prendre leur argent. Pendant quelques mois je fus content de Carmen; elle continuait à nous être utile pour nos opérations, en nous avertissant des bons coups que nous pourrions faire. Elle se tenait, soit à Malaga, soit à Cordoue, soit à Grenade; mais, sur un mot de moi, elle quittait tout, et venait me retrouver dans une venta[2] isolée, ou même au bivouac. Une fois seulement, c'était à Malaga, elle me donna quelque inquiétude. Je sus[3] qu'elle avait jeté son dévolu sur[4] un négociant fort riche, avec lequel probablement elle se proposait de recommencer la plaisanterie de Gibraltar. Malgré tout ce que le Dancaïre put me dire pour m'arrêter, je partis et j'entrai dans Malaga en plein jour, je cherchai Carmen et je l'emmenai aussitôt. Nous eûmes une verte[5] explication.

— Sais-tu, me dit-elle, que, depuis que tu es mon rom pour tout de bon,[6] je t'aime moins que lorsque tu étais mon minchorrô? Je ne

[28] *mis à l'ombre* = *tué*

[29] *A la bonne heure* = *C'est parfait; Très bien*

[30] *Bah! arrive qui plante!* (obsolete colloquial expression) = *Bah! advienne que pourra!* Oh well! come what may!

[1] *nous arrêtions* we held up people

[2] *venta* (Spanish) = *auberge* country inn

[3] *Je sus* = *J'appris*

[4] *elle avait jeté son dévolu sur* she had fixed her choice upon

[5] *verte* = *vive; violente*

[6] *pour tout de bon* in real earnest

veux pas être tourmentée ni surtout commandée. Ce que je veux, c'est être libre et faire ce qui me plaît. Prends garde de[7] me pousser à bout.[8] Si tu m'ennuies, je trouverai quelque bon garçon qui te fera comme tu as fait au Borgne.

Le Dancaïre nous raccommoda; mais nous nous étions dit des choses qui nous restaient sur le cœur et nous n'étions plus comme auparavant. Peu après, un malheur nous arriva. La troupe[9] nous surprit. Le Dancaïre fut tué, ainsi que deux de mes camarades; deux autres furent pris. Moi, je fus grièvement blessé, et, sans mon bon cheval, je demeurais[10] entre les mains des soldats. Exténué de fatigue, ayant une balle dans le corps, j'allai me cacher dans un bois avec le seul compagnon qui me restât. Je m'évanouis en descendant de cheval, et je crus que j'allais crever dans les broussailles comme un lièvre qui a reçu du plomb. Mon camarade me porta dans une grotte que nous connaissions, puis il alla chercher Carmen. Elle était à Grenade, et aussitôt elle accourut. Pendant quinze jours, elle ne me quitta pas d'un instant. Elle ne ferma pas l'œil; elle me soigna avec une adresse et des attentions que jamais femme n'a eues pour l'homme le plus aimé. Dès que je pus me tenir sur mes jambes, elle me mena à Grenade dans le plus grand secret. Les bohémiennes trouvent partout des asiles sûrs, et je passai plus de six semaines dans une maison, à deux portes du corrégidor qui me cherchait. Plus d'une fois, regardant derrière un volet, je le vis passer. Enfin je me rétablis; mais j'avais fait bien des réflexions sur mon lit de douleur, et je projetais de changer de vie. Je parlai à Carmen de quitter l'Espagne, et de chercher à vivre honnêtement dans le Nouveau-Monde. Elle se moqua de moi.

— Nous ne sommes pas faits pour[11] planter des choux, dit-elle; notre destin, à nous, c'est de vivre aux dépens des *payllos*. Tiens, j'ai arrangé une affaire avec Nathan ben-Joseph[12] de Gibraltar. Il a des cotonnades qui n'attendent que toi pour passer.[13] Il sait que

[7] *Prends garde de = Fais attention de ne pas*

[8] *à bout = trop loin*

[9] *La troupe = Les soldats espagnols*

[10] *je demeurais = je serais demeuré (resté)*

[11] *faits pour = propres à* suited for

[12] *ben-Joseph* Josephson ("*ben*" means "*son*" in Arab)

[13] *passer = passer en contrebande* to be smuggled

tu es vivant. Il compte sur toi. Que diraient nos correspondants de Gibraltar, si tu leur manquais de parole?

Je me laissai entraîner, et je repris mon vilain commerce.

Pendant que j'étais caché à Grenade, il y eut des courses de taureaux où Carmen alla. En revenant, elle parla beaucoup d'un picador[14] très adroit nommé Lucas. Elle savait le nom de son cheval, et combien lui coûtait sa veste brodée. Je n'y fis pas attention. Juanito, le camarade qui m'était resté, me dit, quelques jours après, qu'il avait vu Carmen avec Lucas chez un marchand du Zacatin.[15] Cela commença à m'alarmer. Je demandai à Carmen comment et pourquoi elle avait fait connaissance avec le picador.

— C'est un garçon, me dit-elle, avec qui on peut faire une affaire. Rivière qui fait du bruit a de l'eau ou des cailloux.[16] Il a gagné douze cents réaux[17] aux courses.[18] De deux choses l'une:[19] ou bien il faut avoir cet argent; ou bien, comme c'est un bon cavalier et un gaillard de cœur, on peut l'enrôler dans notre bande. Un tel et un tel sont morts, tu as besoin de les remplacer. Prends-le avec toi.

— Je ne veux, répondis-je, ni de son argent, ni de sa personne, et je te défends de lui parler.

— Prends garde, me dit-elle; lorsqu'on me défie de faire une chose, elle est bientôt faite!

Heureusement le picador partit pour Malaga, et moi, je me mis en devoir de[20] faire entrer les cotonnades du juif. J'eus fort à faire dans cette expédition-là, Carmen aussi, et j'oubliai Lucas; peut-être aussi l'oublia-t-elle, pour le moment du moins. Nous avions l'air d'amoureux de deux jours. Au moment de nous séparer, elle me dit:

— Il y a une fête à Cordoue, je vais la voir, puis je saurai les gens qui s'en vont avec de l'argent, et je te le dirai.

Je la laissai partir. Seul, je pensai à cette fête et à ce changement

[14] *picador* (Spanish)—A horseman armed with a spike in a bull-fight.

[15] *Zacatin* (Spanish)—A poor quarter in Granada.

[16] A Gypsy proverb.

[17] *réaux* in Spanish "reales," coins worth then about 5 cents

[18] *aux courses de taureaux* at the bull-fights

[19] *De deux choses l'une* = *Il faut choisir une des deux solutions*

[20] *je me mis en devoir de* = *je me préparai à*

d'humeur de Carmen. Un paysan me dit qu'il y avait des taureaux[21] à Cordoue. Voilà mon sang qui bouillonne, et, comme un fou, je pars, et je vais à la place.[22] On me montra Lucas, et, sur le banc contre la barrière, je reconnus Carmen. Il me suffit de la voir une minute pour être sûr de mon fait. Lucas, au premier taureau, fit le joli cœur,[23] comme je l'avais prévu. Il arracha la cocarde[24] du taureau et la porta à Carmen, qui s'en coiffa sur-le-champ. Le taureau se chargea de me venger. Lucas fut culbuté avec son cheval sur la poitrine, et le taureau par-dessus tous les deux. Je regardai Carmen, elle n'était déjà plus à sa place. Il m'était impossible de sortir de celle où j'étais, et je fus obligé d'attendre la fin des courses. Alors j'allai à la maison où je savais que logeait Carmen, et je m'y tins coi[25] toute la soirée et une partie de la nuit. Vers deux heures du matin Carmen revint, et fut un peu surprise de me voir.

— Viens avec moi, lui dis-je.

— Eh bien! dit-elle, partons!

J'allai prendre mon cheval, je la mis en croupe, et nous marchâmes tout le reste de la nuit sans nous dire un seul mot. Nous nous arrêtâmes au jour dans une venta isolée, assez près d'un petit ermitage. Là je dis à Carmen:

— Écoute, j'oublie tout. Je ne te parlerai de rien; mais jure-moi une chose: c'est que tu vas me suivre en Amérique, et que tu t'y tiendras tranquille.[26]

— Non, dit-elle d'un ton boudeur, je ne veux pas aller en Amérique. Je me trouve bien ici.

— C'est parce que tu es près de Lucas; mais songes-y bien, s'il guérit, ce ne sera pas pour faire de vieux os.[27] Au reste, je suis las de tuer tous tes amants; c'est toi que je tuerai.

Elle me regarda fixement de son regard sauvage, et me dit:

— J'ai toujours pensé que tu me tuerais. La première fois que

[21] *des taureaux* = *des courses de taureaux*

[22] *la place* the bull-ring (in Spanish "Plaza de Toro")

[23] *fit le joli cœur* played the gallant

[24] It is a gesture of utmost gallantry to tear this bow of ribbon from the hide of the bull and offer it to a lady.

[25] *je m'y tins coi* = *j'y restai sans bouger*

[26] *tu t'y tiendras tranquille* you will behave there

[27] *faire de vieux os* = *vivre longtemps*

je t'ai vu, je venais de rencontrer un prêtre à la porte de ma maison. Et cette nuit, en sortant de Cordoue, n'as-tu rien vu? Un lièvre a traversé le chemin entre les pieds de ton cheval. C'est écrit.[28]

— Carmencita, lui demandai-je, est-ce que tu ne m'aimes plus?

Elle ne répondit rien. Elle était assise les jambes croisées sur une natte et faisait des traits par terre avec son doigt.

— Changeons de vie,[29] Carmen, lui dis-je d'un ton suppliant. Allons vivre quelque part où nous ne serons jamais séparés. Tu sais que nous avons, pas loin d'ici, sous un chêne, cent vingt onces[30] enterrées . . . Puis, nous avons des fonds encore chez le juif ben-Joseph.

Elle se mit à sourire, et me dit:

— Moi d'abord, toi ensuite. Je sais que cela doit arriver ainsi.

— Réfléchis, repris-je; je suis au bout de ma patience et de mon courage; prends ton parti[31] ou je prendrai le mien.

Je la quittai et j'allai me promener du côté de l'ermitage. Je trouvai l'ermite qui priait. J'attendis que sa prière fût finie; j'aurais bien voulu prier, mais je ne pouvais pas. Quand il se releva, j'allai à lui.

— Mon père, lui dis-je, voulez-vous prier pour quelqu'un qui est en grand péril?

— Je prie pour tous les affligés, dit-il.

— Pouvez-vous dire une messe pour une âme qui va peut-être paraître devant son Créateur?

— Oui, répondit-il en me regardant fixement.

Et, comme il y avait dans mon air quelque chose d'étrange, il voulut[32] me faire parler:

— Il me semble que je vous ai vu, dit-il.

Je mis une piastre sur son banc.

— Quand direz-vous la messe? lui demandai-je.

— Dans une demi-heure. Le fils de l'aubergiste de là-bas va venir la servir. Dites-moi, jeune homme, n'avez-vous pas quelque chose sur la conscience qui vous tourmente? voulez-vous écouter les conseils d'un chrétien?

Je me sentais près de pleurer. Je lui dis que je reviendrais, et je

[28] *C'est écrit* It's written (in the book of fate)

[29] *Changeons de vie = Commençons une autre vie*

[30] *onces* ounces of gold

[31] *ton parti = ta décision*

[32] *il voulut = il essaya de*

me sauvai. J'allai me coucher sur l'herbe jusqu'à ce que j'entendisse la cloche. Alors je m'approchai, mais je restai en dehors de la chapelle. Quand la messe fut dite,[33] je retournai à la venta. J'espérais que Carmen se serait enfuie; elle aurait pu prendre mon cheval et se sauver . . . mais je la retrouvai. Elle ne voulait pas qu'on pût dire que je lui avais fait peur. Pendant mon absence, elle avait défait l'ourlet de sa robe pour en retirer le plomb.[34] Maintenant, elle était devant une table, regardant dans une terrine pleine d'eau le plomb qu'elle avait fait fondre, et qu'elle venait d'y jeter. Elle était si occupée de sa magie qu'elle ne s'aperçut pas d'abord de mon retour. Tantôt elle prenait un morceau de plomb et le tournait de tous les côtés d'un air triste, tantôt elle chantait quelqu'une de ces chansons magiques où elles invoquent Marie Padilla,[35] la grande reine des bohémiens.

— Carmen, lui dis-je, voulez-vous venir avec moi?

Elle se leva, jeta sa sébile, et mit sa mantille sur sa tête comme prête à partir. On m'amena mon cheval, elle monta en croupe et nous nous éloignâmes.

— Ainsi, lui dis-je, ma Carmen, après un bout de chemin, tu veux bien me suivre, n'est-ce pas?

— Je te suis à la mort, oui, mais je ne vivrai plus avec toi.

Nous étions dans une gorge solitaire; j'arrêtai mon cheval.

— Est-ce ici? dit-elle.

Et d'un bond elle fut à terre. Elle ôta sa mantille, la jeta à ses pieds, et se tint immobile un poing sur la hanche, me regardant fixement.

— Tu veux me tuer, je le vois bien, dit-elle; c'est écrit, mais tu ne me feras pas céder.

— Je t'en prie, lui dis-je, sois raisonnable. Écoute-moi! tout le passé est oublié. Pourtant, tu le sais, c'est toi qui m'as perdu;[36] c'est pour toi que je suis devenu un voleur et un meurtrier. Carmen! ma Carmen! laisse-moi te sauver et me sauver avec toi.

— José, répondit-elle, tu me demandes l'impossible. Je ne t'aime plus; toi, tu m'aimes encore, et c'est pour cela que tu veux me tuer.

[33] *fut dite* = *fut finie*

[34] *le plomb* lead disks inserted in the hem of the skirt

[35] *Marie* (*Maria*) *Padilla,* mistress of Pedro the Cruel, King of Castile. She died in 1361.

[36] *m'as perdu* = *m'a mené à ma ruine*

Je pourrais bien encore te faire quelque mensonge; mais je ne veux pas m'en donner la peine. Tout est fini entre nous. Comme mon rom, tu as le droit de tuer ta romi; mais Carmen sera toujours libre. Calli[37] elle est née, calli elle mourra.

—Tu aimes donc Lucas? lui demandai-je.

— Oui, je l'ai aimé, comme toi, un instant, moins que toi peut-être. A présent, je n'aime plus rien, et je me hais pour t'avoir aimé.

Je me jetai à ses pieds, je lui pris les mains, je les arrosai de mes larmes. Je lui rappelai tous les moments de bonheur que nous avions passés ensemble. Je lui offris de rester brigand pour lui plaire. Tout, monsieur, tout; je lui offris tout, pourvu qu'elle voulût m'aimer encore!

Elle me dit:

— T'aimer encore, c'est impossible. Vivre avec toi, je ne le veux pas.

La fureur me possédait. Je tirai mon couteau. J'aurais voulu qu'elle eût peur et me demandât grâce, mais cette femme était un démon.

— Pour la dernière fois, m'écriai-je, veux-tu rester avec moi?

— Non! non! non! dit-elle en frappant du pied.

Et elle tira de son doigt une bague que je lui avais donnée, et la jeta dans les broussailles.

Je la frappai deux fois. C'était le couteau du Borgne que j'avais pris, ayant cassé le mien. Elle tomba au second coup sans crier. Je crois encore voir son grand œil noir me regarder fixement; puis il devint trouble et se ferma. Je restai anéanti une bonne heure devant ce cadavre. Puis, je me rappelai que Carmen m'avait dit souvent qu'elle aimerait à être enterrée dans un bois. Je lui creusai une fosse avec mon couteau, et je l'y déposai. Je cherchai longtemps sa bague et je la trouvai à la fin. Je la mis dans la fosse auprès d'elle avec une petite croix. Peut-être ai-je eu tort. Ensuite je montai sur mon cheval, je galopai jusqu'à Cordoue, et au premier corps de garde je me fis connaître. J'ai dit que j'avais tué Carmen; mais je n'ai pas voulu dire où était son corps. L'ermite était un saint homme. Il a prié pour elle! Il a dit une messe pour son âme . . . Pauvre enfant! Ce sont les *Calé* qui sont coupables pour l'avoir élevée ainsi.

[37] *calli* (f.s.); *calo* (m.s.); *calé* (pl.) Gypsy, Gypsies

## QUESTIONNAIRE

### I

1. Que savons-nous des origines de José?
2. Pourquoi José s'est-il engagé dans un régiment espagnol?
3. Quel était son grade au commencement de ce récit?
4. Pourquoi y avait-il un poste de soldats à la manufacture de tabacs?
5. Que font les soldats quand ils sont de service?—Que faisait José?
6. Pourquoi José ne s'intéressait-il pas à la rentrée des ouvrières?
7. Qui a cependant attiré son attention?
8. Comment Carmen était-elle vêtue?
9. Quelle était son attitude?
10. Comment Carmen s'est-elle moquée de José?
11. Qu'a-t-elle fait de la fleur de cassie?—Qu'est-ce que José en a fait?
12. Pourquoi a-t-on envoyé José à l'intérieur de la manufacture?
13. Qu'était-il arrivé dans la grande salle de la manufacture?
14. Pourquoi la rixe avait-elle éclaté?
15. Qu'a-t-on fait de Carmen?
16. Quelles langues parlent les bohémiens?
17. Comment Carmen est-elle arrivée à apitoyer José?
18. Comment a-t-elle réussi à s'échapper?
19. De quoi José a-t-il été accusé?
20. Comment a-t-il été puni?

### II

1. A quoi pensait José en prison?
2. Que lui a-t-on apporté du dehors?
3. José s'est-il servi de la lime?
4. Qu'est-ce qui a profondément humilié José après sa sortie de prison?
5. Qu'a-t-il vu quand il était en faction à la porte du colonel?
6. Comment Carmen était-elle vêtue?
7. Quelle insulte Carmen lui a-t-elle lancée?
8. Comment José pouvait-il suivre les détails de la fête?
9. Qu'est-ce qu'il a vu et entendu?
10. Pourquoi a-t-il compris alors qu'il aimait Carmen?
11. Où Carmen lui a-t-elle donné rendez-vous?
12. Qu'est-ce que Carmen a déclaré lorsqu'il est arrivé?
13. Qu'est-ce que José a rendu à Carmen?
14. Qu'est-ce que Carmen a acheté?
15. Où Carmen et José sont-ils allés?
16. Comment Carmen s'est-elle débarrassée de la vieille bohémienne?
17. Qu'a déclaré Carmen après le départ de la vieille?

## III

1. Qu'a fait Carmen pour remplacer ses castagnettes?
2. Pourquoi José n'a-t-il pas répondu à l'appel ce soir-là?
3. Pourquoi Carmen dit-elle que leur amour ne peut pas durer?
4. De quoi a-t-elle averti José?
5. Qu'a fait José pendant les journées suivantes?
6. Où a-t-il finalement revu Carmen?
7. Qu'est-ce que celle-ci lui a demandé de faire?
8. Pourquoi a-t-il cédé?
9. Qu'est-ce que Carmen lui a reproché, le lendemain, quand ils se sont retrouvés?
10. Qu'a fait José après l'avoir quittée?
11. Qu'est-ce que Carmen est venue lui avouer?
12. Avec qui José a-t-il trouvé Carmen, un soir, chez Dorothée?
13. Pourquoi une rixe a-t-elle éclaté?
14. Comment cette rixe a-t-elle fini?
15. Comment Carmen a-t-elle aidé José?
16. Qu'est-ce que Carmen lui a conseillé de faire et pourquoi?
17. Pourquoi José s'est-il décidé à suivre ces conseils?

## IV

1. Qu'est-ce que José est allé faire à Jerez?
2. Comment les contrebandiers organisaient-ils leur commerce illicite?
3. Pourquoi José était-il heureux?
4. Qu'est-ce qui lui plaisait dans l'attitude de Carmen?
5. Que faisaient les contrebandiers lorsqu'ils n'étaient pas réunis?
6. Qu'est-ce que le Dancaïre a appris un jour à José?
7. Comment Carmen se comportait-elle entre Garcia et José?
8. Qu'est-ce qui est arrivé à la bande du Dancaïre?
9. Qu'est-ce qui donnait du courage à José?
10. Comment a-t-il essayé de sauver Remendado?
11. Qu'a fait Garcia?
12. A quoi pensait José le soir de la bataille?
13. Quelle était l'attitude de Carmen?
14. Où celle-ci est-elle allée et pourquoi?
15. Dans quelles circonstances l'a-t-on retrouvée?
16. Comment, de Gibraltar, pouvait-elle aider les contrebandiers?
17. Pourquoi a-t-on décidé que José irait à Gibraltar?
18. Comment José est-il entré à Gibraltar et que faisait-il dans cette ville?

## V

1. Où et avec qui José a-t-il retrouvé Carmen?
2. Quelle explication Carmen a-t-elle donnée de sa conduite?
3. De quelle façon se moquait-elle de l'officier anglais?
4. Que pensait José de tout cela?
5. Comment Carmen l'a-t-elle reçu le lendemain?
6. Quel plan avait-elle conçu au sujet de l'Anglais?
7. Quel rôle avait-elle réservé à Garcia dans cette aventure?
8. Pourquoi José a-t-il refusé de se prêter à cette fourberie?
9. En entendant le refus de José, à quel proverbe bohémien Carmen a-t-elle pensé?
10. Quel projet José avait-il formé en retournant vers ses camarades?
11. Comment la bataille entre José et Garcia a-t-elle éclaté?
12. Quelles ont été les réflexions du Dancaïre après le duel?
13. Quelles ont été les réflexions de Carmen lorsqu'elle a appris ce qui s'était passé?
14. Qu'est-il arrivé à l'Anglais?
15. Quelle superstition guide l'attitude de Carmen envers José?

## VI

1. Quelle vie la bande du Dancaïre continuait-elle à mener?
2. Que faisait Carmen?
3. Pourquoi aimait-elle moins José?
4. Qu'est-il arrivé à la bande?
5. Comment José a-t-il pu se rétablir?
6. Quelle nouvelle vie José aurait-il voulu entreprendre?
7. Pourquoi Carmen a-t-elle refusé de l'écouter?
8. Qui était Lucas?
9. Quelles excuses Carmen a-t-elle trouvées pour expliquer l'intérêt qu'elle portait à Lucas?
10. Quelle menace Carmen a-t-elle faite?
11. Pourquoi Carmen est-elle allée à Cordoue?
12. Que s'est-il passé pendant la course de taureaux?
13. Où et comment José a-t-il emmené Carmen?
14. Pourquoi Carmen pensait-elle que José la tuerait?
15. Qu'est-ce que José a proposé de nouveau à Carmen?
16. Qu'est-il allé faire à l'ermitage?
17. Qu'avait fait Carmen pendant l'absence de José?
18. Qu'a-t-elle déclaré à José?
19. Comment Carmen est-elle morte?
20. Qu'est-ce que José a fait de son corps et pourquoi?

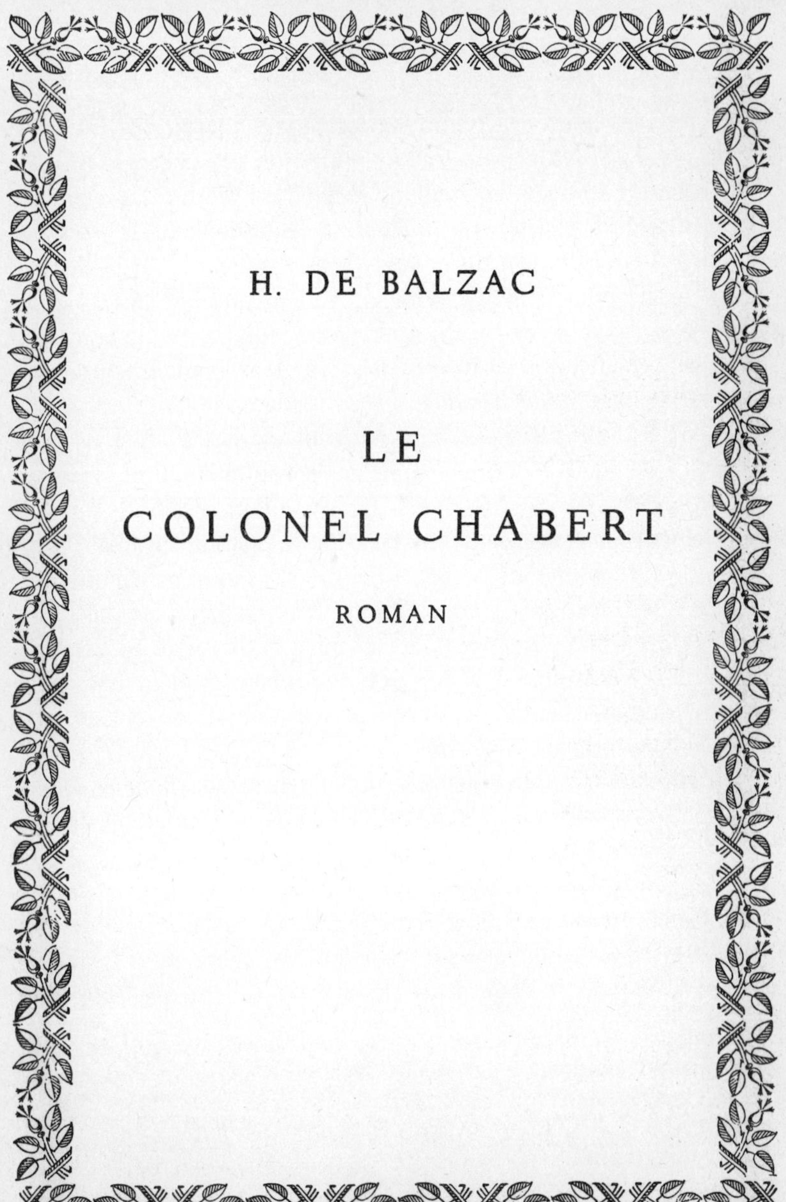

H. DE BALZAC

# LE COLONEL CHABERT

ROMAN

I. VERS une heure du matin, un étrange vieillard vint frapper à la porte de maître[1] Derville. Le portier lui répondit que M. Derville n'était pas rentré. Le vieillard allégua[2] un rendez-vous et monta chez ce célèbre légiste, qui, malgré sa jeunesse, passait pour être une des plus fortes têtes du Palais.[3] Après avoir sonné, le solliciteur[4] ne fut pas médiocrement étonné de voir le premier clerc[5] occupé à ranger sur la table de la salle à manger de son patron de nombreux dossiers. Le clerc, non moins étonné, salua le colonel en le priant de s'asseoir; ce que fit le plaideur.

— Ma foi, monsieur, j'ai cru que vous plaisantiez hier en m'indiquant une heure si matinale pour une consultation, dit le vieillard.

— Les clercs plaisantaient et disaient vrai tout ensemble, répondit le principal en continuant son travail. M. Derville a choisi cette heure pour examiner ses causes, en résumer les moyens, en ordonner la conduite, en disposer les *défenses*.[6] Sa prodigieuse intelligence est plus libre en ce moment, le seul où il obtienne le silence et la tranquillité nécessaires à la conception des bonnes idées. Vous êtes, depuis qu'il est avoué, le troisième exemple d'une consultation donnée à cette heure nocturne.

En entendant cette explication, le vieillard resta silencieux, et sa bizarre figure prit une expression si dépourvue[7] d'intelligence, que le clerc, après l'avoir regardé, ne s'occupa plus de lui. Quelques instants après, Derville rentra, mis[8] en costume de bal; son maître clerc lui ouvrit la porte, et se remit à achever le classement des dossiers. Le jeune avoué demeura pendant un moment stupéfait en entrevoyant dans le clair-obscur le singulier client qui l'attendait.

[1] A title given in France to lawyers, attorneys, and notaries. Derville is an attorney at law.
[2] *allégua* = *déclara qu'il avait*
[3] *du Palais* = *du Palais de Justice* in the Law Courts
[4] *solliciteur* = *plaideur* petitioner, lawyer's client
[5] *le premier clerc* or *le maître clerc* or *le principal* managing clerk, first assistant
[6] *disposer les "defenses"* decide on the line of arguments which he will submit to the court. (The lawyer is requested to do this before the trial opens.)
[7] *dépourvue* devoid
[8] *mis* = *habillé; vêtu*

Le vieillard était aussi parfaitement immobile que peut l'être une figure en cire. Cette immobilité n'aurait peut-être pas été un sujet d'étonnement, si elle n'eût[9] complété le spectacle surnaturel que présentait l'ensemble du personnage. Celui-ci était sec et maigre. Son front, volontairement caché sous les cheveux de sa perruque lisse, lui donnait quelque chose de mystérieux. Ses yeux paraissaient couverts d'une taie transparente. Le visage, pâle et livide semblait mort. Le cou était serré par une mauvaise cravate de soie noire. Les bords du chapeau qui couvrait le front du vieillard projetaient un sillon noir sur le haut du visage. Cet effet bizarre, quoique naturel, faisait ressortir, par la brusquerie du contraste, les rides blanches, les sinuosités froides, le sentiment décoloré[10] de cette physionomie cadavéreuse. Mais un observateur aurait trouvé en cet homme les signes d'une douleur profonde, les indices d'une misère qui avait dégradé[11] ce visage, comme les gouttes d'eau tombées du ciel sur un beau marbre l'ont à la longue défiguré.

En voyant l'avoué, l'inconnu tressaillit, se découvrit promptement et se leva pour saluer le jeune homme; le cuir qui garnissait l'intérieur de son chapeau était sans doute fort gras, sa perruque y resta collée sans qu'il s'en aperçût, et laissa voir à nu son crâne horriblement mutilé par une cicatrice. L'enlèvement soudain de cette perruque sale, que le pauvre homme portait pour cacher sa blessure, ne donna nulle envie[12] de rire aux deux gens de loi, tant ce crâne fendu était épouvantable à voir.

— Monsieur, lui dit Derville, à qui ai-je l'honneur de parler?

— Au colonel Chabert.

— Lequel?

— Celui qui est mort à Eylau,[13] répondit le vieillard.

En entendant cette singulière phrase, le clerc et l'avoué se jetèrent un regard qui signifiait: «C'est un fou!»

[9] *si elle n'eût = si elle n'avait pas*

[10] *le sentiment décoloré = l'expression terne* (dull)

[11] *dégradé = détérioré*

[12] *nulle envie = aucun désir*

[13] A Prussian city where Napoleon I defeated the Prussians and Russians in February 1807. The victory was largely due to a magnificent charge in which Murat led the French cavalry against the center of the Russian forces.

— Monsieur, reprit le colonel, je désirerais ne confier qu'à vous le secret de ma situation.

Derville fit un signe à son clerc qui disparut.

— Monsieur, reprit l'avoué, pendant le jour je ne suis pas trop avare de mon temps; mais, au milieu de la nuit, les minutes me sont précieuses. Ainsi, soyez bref et concis. Allez au fait[14] sans digression. Je vous demanderai moi-même les éclaircissements qui me sembleront nécessaires. Parlez.

Après avoir fait asseoir son singulier client, le jeune homme s'assit lui-même devant la table; mais, tout en prêtant son attention au discours du feu[15] colonel, il feuilleta ses dossiers.

— Monsieur, dit le défunt,[16] peut-être savez-vous que je commandais un régiment de cavalerie à Eylau. J'ai été pour beaucoup dans le succès de la célèbre charge que fit Murat,[17] et qui décida de la victoire. Malheureusement pour moi, ma mort est un fait historique consigné dans les *Victoires et Conquêtes*,[18] où elle est rapportée en détail. Nous fendîmes en deux les trois lignes russes, qui, s'étant aussitôt reformées, nous obligèrent à les retraverser en sens contraire. Au moment où nous revenions vers l'empereur, je rencontrai un gros[19] de cavalerie ennemie. Deux officiers russes, deux vrais géants, m'attaquèrent à la fois. L'un d'eux m'appliqua sur la tête un coup de sabre qui m'ouvrit profondément le crâne. Je tombai de cheval. Murat vint à mon secours, il me passa sur le corps, lui et tout son monde.[20] Ma mort fut annoncée à l'empereur, qui, par prudence (il m'aimait un peu, le patron![21]), voulut savoir s'il n'y aurait pas quelque chance de sauver l'homme auquel il était redevable de[22] cette vigoureuse attaque. Il envoya deux chirurgiens en leur disant: «Allez donc voir si, par hasard, mon pauvre

[14] *Allez au fait* State your business
[15] *feu* late; deceased
[16] *le défunt = le mort* the dead man
[17] Napoleon I's great cavalry leader. He married Napoleon's youngest sister and became king of Naples in 1808. He was arrested and shot in Italy in 1815.
[18] An enormous compilation in thirty-four volumes dealing chiefly with the Napoleonic wars. It has really no historic value.
[19] *un gros = un corps important*
[20] *son monde = ses gens; sa cavalerie*
[21] *un peu = vraiment—le patron* the master; "the governor"
[22] *il était redevable de = il devait* he owed, was under obligation for

Chabert vit encore.» Ces sacrés[23] carabins,[24] qui venaient de me voir foulé aux pieds par les chevaux de deux régiments, se dispensèrent sans doute de me tâter le pouls et dirent que j'étais bien mort. L'acte[25] de mon décès fut donc probablement dressé[26] d'après les règles établies par la jurisprudence militaire.

En entendant son client s'exprimer avec une lucidité parfaite et raconter des faits si vraisemblables, quoique étranges, le jeune avoué laissa ses dossiers, posa son coude gauche sur la table, se mit la tête dans la main et regarda le colonel fixement.

— Savez-vous, monsieur, lui dit-il en l'interrompant, que je suis l'avoué de la comtesse Ferraud, veuve du colonel Chabert?

— Ma femme! Oui, monsieur. Aussi, après cent démarches[27] infructueuses chez des gens de loi qui m'ont tous pris pour un fou, me suis-je déterminé à venir vous trouver. Je vous parlerai de mes malheurs plus tard. Laissez-moi d'abord vous établir les faits, vous expliquer plutôt comme ils ont dû se passer,[28] que comme ils sont arrivés. Certaines circonstances, qui ne doivent être connues que du Père éternel,[29] m'obligent à en présenter plusieurs comme des hypothèses. Donc, monsieur, les blessures que j'ai reçues auront probablement produit une crise analogue à une maladie nommée, je crois, catalepsie.[30] Autrement, comment concevoir que j'aie été, suivant l'usage de la guerre, dépouillé de mes vêtements, et jeté dans la fosse aux soldats[31] par les gens chargés d'enterrer les morts?

II. Lorsque je revins à moi,[1] monsieur, j'étais dans une position et dans une atmosphère dont je ne vous donnerais pas une idée en vous en entretenant jusqu'à demain. Le peu d'air que je respirais était méphitique.[2] Je voulus[3] me mouvoir et ne trouvai point

[23] *sacrés* blasted; damned (when this adjective precedes the noun)

[24] *carabins* sawbones (a term of disparagement applied to students of medicine and occasionally to surgeons)

[25] *l'acte = le certificat*

[26] *dressé = rédigé* drawn up

[27] *démarches = visites* (with a definite purpose in view)

[28] *comme ils ont dû se passer = comment ils se sont probablement passés*

[29] *du Père éternel = de Dieu*

[30] Catalepsy is characterized by rigidity of the muscular system.

[31] *la fosse aux soldats* the soldiers' common grave

[1] *revins à moi = repris connaissance* came to

[2] *méphitique = empoisonné; corrompu*

[3] *Je voulus = J'essayai de*

d'espace. En ouvrant les yeux, je ne vis rien. La rareté de l'air m'éclaira sur ma position. Je compris que là où j'étais, l'air ne se renouvelait point et que j'allais mourir. Cette pensée m'ôta le sentiment de la douleur inexprimable par laquelle j'avais été réveillé. Mes oreilles tintèrent violemment. J'entendis, ou je crus entendre, je ne veux rien affirmer, des gémissements poussés par le monde de cadavres au milieu duquel je gisais. Il y a des nuits où je crois encore entendre des soupirs étouffés! Mais il y avait quelque chose de plus horrible que les cris, un silence que je n'ai jamais retrouvé nulle part, le vrai silence du tombeau. Enfin, en levant les mains, en tâtant les morts, je reconnus[4] un vide entre ma tête et le fumier humain supérieur. Je ne sais pas aujourd'hui comment j'ai pu parvenir à percer la couverture de chair qui mettait une barrière entre la vie et moi. Enfin je vis le jour,[5] mais à travers la neige, monsieur! En ce moment, je m'aperçus que j'avais la tête ouverte. Par bonheur, mon sang ou celui de mes camarades m'avait, en se coagulant, comme enduit[6] d'un emplâtre naturel. Malgré cette croûte, je m'évanouis quand mon crâne fut en contact avec la neige. Cependant, le peu de chaleur qui me restait ayant fait fondre la neige autour de moi, je me trouvai, quand je repris connaissance, au centre d'une petite ouverture par laquelle je criai aussi longtemps que je pus. Bref, monsieur, après avoir eu la douleur, si le mot peut rendre ma rage, de voir pendant longtemps, oh! oui, longtemps! ces sacrés Allemands se sauvant en entendant une voix là où ils n'apercevaient point d'homme, je fus enfin dégagé[7] par une femme assez hardie ou assez curieuse pour s'approcher de ma tête, qui semblait avoir poussé hors de terre comme un champignon. Cette femme alla chercher son mari, et tous deux me transportèrent dans leur pauvre baraque. Il paraît que j'eus une rechute de catalepsie. Je suis resté pendant six mois entre la vie et la mort, ne parlant pas, ou déraisonnant quand je parlais. Enfin mes hôtes me firent admettre à l'hôpital d'Heilsberg.[8] Six mois après, quand, un beau

[4] *je reconnus = je remarquai la présence d'*

[5] *le jour = la lumière du jour*

[6] *m'avait . . . comme enduit = m'avait . . . en quelque sorte enduit* had practically covered me with

[7] *dégagé = délivré*

[8] A small town about 20 miles from Eylau.

matin, je me souvins d'avoir été le colonel Chabert, et qu'en recouvrant ma raison je voulus obtenir de ma garde[9] plus de respect qu'elle n'en accordait à un pauvre diable, tous mes camarades de chambrée se mirent à rire. Heureusement pour moi, le chirurgien s'était intéressé à son malade. Lorsque je lui parlai de mon ancienne existence, ce brave homme, nommé Sparchmann, fit constater,[10] dans les formes juridiques voulues[11] par le droit du pays, la manière miraculeuse dont j'étais sorti de la fosse des morts, le jour et l'heure où j'avais été trouvé par ma bienfaitrice et par son mari; le genre, la position exacte de mes blessures, en joignant à ces différents procès-verbaux une description de ma personne. Eh bien, monsieur, je n'ai ni ces pièces[12] importantes, ni la déclaration que j'ai faite chez un notaire d'Heilsberg, en vue d'établir mon identité! Depuis le jour où je fus chassé de cette ville par les événements de la guerre, j'ai constamment erré comme un vagabond, mendiant mon pain, traité de[13] fou lorsque je racontais mon aventure, et sans avoir ni trouvé ni gagné un sou pour me procurer les actes qui pouvaient prouver mes dires.[14] Souvent, mes douleurs me retenaient durant des semestres entiers dans de petites villes où l'on prodiguait des soins au Français malade, mais où l'on riait au nez de cet homme dès qu'il prétendait[15] être le colonel Chabert. Pendant longtemps, ces rires, ces doutes me mettaient dans une fureur qui me nuisit et me fit même enfermer comme fou à Stuttgart.[16] Après deux ans de détention, après avoir entendu mille fois mes gardiens disant: «Voilà un pauvre homme qui croit être le colonel Chabert!» à des gens qui répondaient: «Le pauvre homme!» je fus convaincu de l'impossibilité de ma propre aventure, je devins triste, résigné, tranquille, et renonçai à me dire[17] le colonel Chabert, afin de pouvoir sortir de prison et revoir la France. Oh! monsieur, revoir Paris! c'était un délire[18] que . . .

[9] *ma garde = mon infirmière* my nurse
[10] *fit constater* had placed on record
[11] *voulues = exigées* required
[12] *pièces = documents*
[13] *traité de = appelé*
[14] *dires = déclarations; assertions*
[15] *prétendait = maintenait* claimed
[16] An important city in southwestern Germany, not far from Alsace.
[17] *à me dire = à dire que j'étais*
[18] *délire = enthousiasme*

A cette phrase inachevée, le colonel Chabert tomba dans une rêverie profonde, que Derville respecta.

— Monsieur, un beau jour, reprit le client, un jour de printemps, on me donna la clef des champs[19] et dix thalers,[20] sous prétexte que je parlais très sensément sur toute sorte de sujets et que je ne me disais plus le colonel Chabert. Ma foi, vers cette époque, et encore aujourd'hui, par moments, mon nom m'est désagréable. Je voudrais n'être pas moi. Le sentiment de mes droits me tue. Si ma maladie m'avait ôté tout souvenir de mon existence passée, j'aurais été heureux! J'eusse repris[21] du service sous un nom quelconque, et, qui sait? je serais peut-être devenu feld-maréchal[22] en Autriche ou en Russie.

— Monsieur, dit l'avoué, vous brouillez toutes mes idées. Je crois rêver en vous écoutant. De grâce,[23] arrêtons-nous pendant un moment.

— Vous êtes, dit le colonel d'un air mélancolique, la seule personne qui m'ait si patiemment écouté. Aucun homme de loi n'a voulu m'avancer dix napoléons[24] afin de faire venir d'Allemagne les pièces nécessaires pour commencer mon procès . . .

— Quel procès? dit l'avoué.

— Mais, monsieur, la comtesse Ferraud n'est-elle pas ma femme? Elle possède trente mille livres de rente[25] qui m'appartiennent, et ne veut pas me donner deux liards.[26] Quand je dis ces choses à des avoués, à des hommes de bon sens; quand je propose, moi, mendiant, de plaider contre un comte et une comtesse; quand je m'élève, moi, mort, contre un acte de décès et un acte de mariage, ils m'éconduisent. J'ai été enterré sous des morts; mais, maintenant,

[19] *la clef des champs* = *la liberté de m'en aller*

[20] A German silver coin which at the time of this story was worth about 75 cents.

[21] *j'eusse repris* = *j'aurais repris*

[22] From the German "feldmarschall"—the highest rank in the German and Russian armies of that time.

[23] *De grâce* = *Je vous en prie*

[24] Name given during the Empire to gold pieces of 20 francs (about 4 dollars at the time); they were called "*louis*" during the Monarchy.

[25] *trente mille livres de rente* 30,000 francs income—The "*livre*" is no longer a coin; it has been replaced by the franc, but the term is still used in speaking of personal incomes.

[26] *liards* farthings—The coin itself is no longer in existence. The term is used to express figuratively a coin of the smallest possible value.

je suis enterré sous des vivants, sous des actes, sous des faits, sous la société tout entière qui veut me faire rentrer sous terre!

— Monsieur, veuillez[27] poursuivre maintenant, dit l'avoué.

— *Veuillez,* s'écria le malheureux vieillard en prenant la main du jeune homme, voilà le premier mot de politesse que j'entends depuis . . .

Le colonel pleura. La reconnaissance étouffa sa voix. Cette pénétrante et indicible éloquence qui est dans le regard, dans le geste, dans le silence même, acheva de convaincre Derville et le toucha vivement.

— Écoutez, monsieur, dit-il à son client, j'ai gagné ce soir trois cents francs au jeu; je puis bien employer la moitié de cette somme à faire le bonheur d'un homme. Je commencerai les poursuites[28] nécessaires pour vous procurer les pièces dont vous me parlez, et, jusqu'à leur arrivée, je vous remettrai cent sous[29] par jour. Si vous êtes le colonel Chabert, vous saurez pardonner la modicité du prêt à un jeune homme qui a sa fortune à faire. Poursuivez.[30]

Les paroles du jeune avoué furent comme un miracle pour cet homme rebuté pendant dix années par sa femme, par la justice, par la création sociale entière. Trouver chez un avoué ces dix pièces d'or qui lui avaient été refusées pendant si longtemps, par tant de personnes et de tant de manières! Il est[31] des félicités auxquelles on ne croit plus; elles arrivent, c'est la foudre, elles consument. Aussi la reconnaissance du pauvre homme était-elle[32] trop vive pour qu'il pût l'exprimer. Il eût paru[33] froid aux gens superficiels, mais Derville devina toute une probité[34] dans cette stupeur. Un fripon aurait eu de la voix.

— Où en[35] étais-je? dit le colonel.

— A Stuttgart. Vous sortiez de prison, répondit l'avoué.

[27] *veuillez* (a polite form of address) be good enough

[28] *poursuites* proceedings

[29] *je vous remettrai cent sous = je vous donnerai cinq francs* (The "*sou*" = five centimes or one twentieth of one franc.)

[30] *Poursuivez = Continuez votre récit*

[31] *Il est = Il existe; Il y a*

[32] *était-elle*—Interrogative order of words because the sentence begins with "*aussi*" meaning "consequently"

[33] *Il eût paru = Il aurait paru*

[34] *toute une probité = une très grande honnêteté*

[35] *Où en = A quel point de mon récit*

— Je ne finirais pas, monsieur, s'il fallait vous raconter tous les malheurs de ma vie de mendiant. Les souffrances morales, auprès desquelles pâlissent les douleurs physiques, excitent cependant moins de pitié, parce qu'on ne les voit point. Je me souviens d'avoir pleuré devant un hôtel de Strasbourg[36] où j'avais donné jadis une fête, et où je n'obtins rien, pas même un morceau de pain. Enfin j'entrai dans Paris, en même temps que les Cosaques.[37] Pour moi, c'était douleur sur douleur. En voyant les Russes en France, je ne pensais plus que je n'avais ni souliers aux pieds ni argent dans ma poche. Oui, monsieur, mes vêtements étaient en lambeaux. La veille de mon arrivée, je fus forcé de bivaquer[38] dans les bois de Claye.[39] La fraîcheur de la nuit me causa sans doute un accès de je ne sais quelle maladie, qui me prit quand je traversai le faubourg Saint-Martin.[40] Je tombai presque évanoui à la porte d'un marchand de fer. Quand je me réveillai j'étais dans un lit de l'Hôtel-Dieu.[41] Là, je restai pendant un mois assez heureux. Je fus bientôt renvoyé; j'étais sans argent, mais bien portant[42] et sur le bon pavé de Paris. Avec quelle joie et quelle promptitude j'allai rue du Mont-Blanc, où ma femme devait être logée dans un hôtel[43] à moi! Bah! la rue du Mont-Blanc était devenue la rue de la Chaussée-d'Antin.[44] Je n'y vis plus mon hôtel, il avait été vendu, démoli. Des spéculateurs avaient bâti plusieurs maisons dans mes jardins. Ignorant que ma femme fût mariée à M. Ferraud, je ne pouvais obtenir aucun renseignement. Enfin je me rendis chez un vieil avocat qui jadis était chargé de mes affaires. Le bonhomme était mort après avoir cédé sa clientèle à un jeune homme. Celui-ci m'apprit, à mon

[36] The capital of Alsace. It is only 50 miles from Stuttgart and is the first important French city which Chabert reaches.

[37] *les Cosaques* the Cossacks—After the defeat of Napoleon at Waterloo, Wellington's army occupied Paris on July 7, 1815. Later the forces of the allies, Russian cavalry among them, also occupied France.

[38] *bivaquer* or *bivouaquer* = *camper;* (here) *coucher dehors*

[39] A small town 17 miles northeast of Paris.

[40] An old quarter of Paris in the northeast part of the city.

[41] Probably the oldest hospital in Europe.

[42] *bien portant* = *en bonne santé*

[43] *hôtel* = *maison* mansion

[44] The name had been changed after the fall of Napoleon. It was then one of the most fashionable streets in Paris.

grand étonnement, l'ouverture de ma succession,[45] le mariage de ma femme et la naissance de ses deux en... je lui dis être le colonel Chabert, il se mit à rire si franc... que je le quittai sans lui faire la moindre observation. Ma déten... de Stuttgart me fit songer à Charenton,[46] et je résolus d'agir avec prudence. Alors, monsieur, sachant où demeurait ma femme, je m'acheminai vers son hôtel, le cœur plein d'espoir. Eh bien, dit le colonel avec un mouvement de rage concentrée, je n'ai pas été reçu lorsque je me fis annoncer sous un nom d'emprunt, et, le jour où je pris le mien, je fus consigné[47] à sa porte. Pour voir la comtesse rentrant du bal ou du spectacle, au matin, je suis resté pendant des nuits entières collé contre la borne[48] de sa porte cochère.[49] Mon regard plongeait dans cette voiture qui passait devant mes yeux avec la rapidité de l'éclair, et où j'entrevoyais à peine cette femme qui est mienne et qui n'est plus à moi! Oh! dès ce jour, j'ai vécu pour la vengeance, s'écria le vieillard d'une voix sourde en se dressant tout à coup devant Derville. Elle sait que j'existe; elle a reçu de moi, depuis mon retour, deux lettres écrites par moi-même. Elle ne m'aime plus! Moi, j'ignore si je l'aime ou si je la déteste! je la désire et la maudis tour à tour. Elle me doit sa fortune, son bonheur; eh bien, elle ne m'a pas seulement fait parvenir[50] le plus léger secours! Par moments, je ne sais plus que devenir!

III. A ces mots, le vieux soldat retomba sur sa chaise, et redevint immobile. Derville resta silencieux, occupé à contempler son client.

— L'affaire est grave, dit-il enfin machinalement. Même en admettant l'authenticité des pièces qui doivent se trouver à Heilsberg, il ne m'est pas prouvé que nous puissions triompher tout d'abord. Le procès ira successivement devant trois tribunaux. Il faut réfléchir à tête reposée[1] sur une semblable cause, elle est tout exceptionnelle.

[45] *l'ouverture de ma succession* the settlement of my estate

[46] A famous lunatic asylum located in the town of the same name, just outside Paris to the southeast.

[47] *consigné* refused admittance

[48] Stone facing or buttress intended to prevent the carriage wheels from scraping against the building.

[49] Large door or gate through which a carriage can enter the inner court.

[50] *fait parvenir = envoyé*

[1] *à tête reposée = avec calme*

— Oh! répondit froidement le colonel en relevant la tête par un mouvement de fierté, si je succombe, je saurai mourir, mais en compagnie.

Là, le vieillard avait disparu.[2] Les yeux de l'homme énergique brillaient rallumés aux feux du désir et de la vengeance.

— Il faudra peut-être transiger, dit l'avoué.

— Transiger! répéta le colonel Chabert. Suis-je mort ou suis-je vivant?

— Monsieur, reprit l'avoué, vous suivrez, je l'espère, mes conseils. Votre cause sera ma cause. Vous vous apercevrez bientôt de l'intérêt que je prends à votre situation, presque sans exemple dans les fastes judiciaires.[3] En attendant, je vais vous donner un mot pour mon notaire,[4] qui vous remettra, sur votre quittance, cinquante francs tous les dix jours. Il ne serait pas convenable que vous vinssiez chercher ici des secours. Si vous êtes le colonel Chabert, vous ne devez être à la merci de personne. Je donnerai à ces avances la forme d'un prêt. Vous avez des biens[5] à recouvrer, vous êtes riche.

Cette dernière délicatesse[6] arracha des larmes au vieillard. Derville se leva brusquement, car il n'était peut-être pas de coutume qu'un avoué parût s'émouvoir; il passa dans son cabinet, d'où il revint avec une lettre non cachetée qu'il remit au comte Chabert. Lorsque le pauvre homme la tint entre ses doigts, il sentit deux pièces d'or à travers le papier.

— Voulez-vous me désigner les actes, me donner le nom de la ville, du royaume? dit l'avoué.

Le colonel dicta les renseignements en vérifiant l'orthographe des noms de lieux; puis il prit son chapeau d'une main, regarda Derville, lui tendit l'autre main, une main calleuse, et lui dit d'une voix simple:

[2] *Là, le vieillard avait disparu* = *A ce moment-là, ce n'était plus un vieillard qui était devant vous*

[3] *les fastes judiciaries* = *l'histoire de nos tribunaux*

[4] A French "*notaire*" is a legal officer of considerable importance not to be compared to an American notary public. Practically all official deeds (sales, donations, wills, marriage contracts, etc.) are prepared and legalized by the "*notaire*."

[5] *des biens* = *une fortune*

[6] *délicatesse* = *sentiment délicat*

— Ma foi, monsieur, après l'empereur, vous êtes l'homme auquel je devrai le plus! Vous êtes *un brave*.[7]

L'avoué frappa dans la main du colonel, le reconduisit jusque sur l'escalier et l'éclaira.

— Boucard, dit Derville à son maître clerc, je viens d'entendre une histoire qui me coûtera peut-être vingt-cinq louis. Si je suis volé, je ne regretterai pas mon argent, j'aurai vu le plus habile comédien de notre époque.

Quand le colonel se trouva dans la rue et devant un réverbère, il retira de la lettre les deux pièces de vingt francs que l'avoué lui avait données, et les regarda pendant un moment à la lumière. Il revoyait de l'or pour la première fois depuis neuf ans.

— Je vais donc pouvoir fumer des cigares! se dit-il.

Environ trois mois après cette consultation, nuitamment faite par le colonel Chabert chez Derville, le notaire chargé de payer la demi-solde[8] que l'avoué faisait à son singulier client vint le voir pour conférer sur une affaire grave, et commença par lui réclamer six cents francs donnés au vieux militaire.

— Tu t'amuses donc à entretenir[9] l'ancienne armée? lui dit en riant ce notaire, nommé Crottat.

— Je te remercie, mon cher maître, répondit Derville, de me rappeler cette affaire-là. Je crains déjà d'avoir été la dupe de mon patriotisme.

Au moment où Derville achevait sa phrase, il vit sur son bureau les paquets que son maître clerc y avait mis. Ses yeux furent frappés à l'aspect des timbres oblongs, carrés, triangulaires, rouges, bleus, apposés sur une lettre par les postes prussienne, autrichienne, bavaroise et française.

— Ah! dit-il en riant, voici le dénoûment de la comédie, nous allons voir si je suis attrapé.[10]

Il prit la lettre et l'ouvrit, mais il n'y put rien lire, elle était écrite en allemand.

[7] *un brave* a real man (usually applied to a soldier)

[8] *demi-solde* allowance (Literally "half-pay" because the amount probably corresponded to that given to an officer not on active service who was entitled to half his regular salary)

[9] *entretenir = payer les dépenses de*

[10] *si je suis attrapé = si j'ai été trompé*

— Boucard, allez vous-même faire traduire cette lettre, et revenez promptement, dit Derville en entr'ouvrant la porte de son cabinet et tendant la lettre à son maître clerc.

Le notaire de Berlin auquel s'était addressé l'avoué lui annonçait que les actes dont les expéditions[11] étaient demandées lui parviendraient quelques jours après cette lettre d'avis.[12] Les pièces étaient, disait-il, parfaitement en règle. En outre, il lui mandait[13] que presque tous les témoins des faits consacrés par les procès-verbaux[14] existaient à Prussich-Eylau; et que la femme à laquelle M. le comte Chabert devait la vie vivait encore dans un des faubourgs d'Heilsberg.

— Ceci devient sérieux, s'écria Derville quand Boucard eut fini de lui donner la substance de la lettre.—Mais, dis donc,[15] reprit-il en s'adressant au notaire, je vais avoir besoin de renseignements qui doivent être en ton étude.[16] N'est-ce pas chez toi que s'est faite la liquidation de la succession[17] Chabert? Il me semble que j'ai vu cela dans nos pièces Ferraud.

— Oui, répondit Crottat, Rose Chapotel, épouse et veuve de Hyacinthe, dit Chabert, comte de l'Empire,[18] grand officier de la Légion d'honneur;[19] ils s'étaient mariés sans contrat, ils étaient donc communs en biens.[20] Autant que je puis m'en souvenir, l'actif[21] s'élevait à six cent mille francs. Avant son mariage, le comte Chabert avait fait un testament en faveur des hospices[22] de Paris, par lequel il leur attribuait le quart de la fortune qu'il posséderait au moment de son décès.

— Ainsi la fortune personnelle du comte Chabert ne se monterait donc qu'à trois cent mille francs?

[11] *expéditions = copies officielles*

[12] *lettre d'avis* notification

[13] *mandait = annonçait*

[14] *procès-verbaux* official reports

[15] *dis donc* look here; say!

[16] *étude* is the name given the office of a lawyer or of a notary.

[17] *succession* estate (of a dead person)

[18] Napoleon had founded a new imperial nobility.

[19] A very high rank in the Legion of Honor, a meritorious order founded by Napoleon to reward military and civil services.

[20] A marriage contract states the amount of property possessed separately by bride and bridegroom and their respective rights over it. In this case, as there was no contract, Chabert and his wife had their property and income in common; they were "*communs en biens.*"

[21] *l'actif* the assets

[22] *hospices* charitable homes and hospitals

— Par conséquent, mon vieux![23] répondit Crottat.

Le comte Chabert, dont l'adresse se lisait[24] au bas de la première quittance qu'il avait remise au notaire, demeurait dans le faubourg Saint-Marceau, rue du Petit-Banquier,[25] chez un vieux maréchal des logis de la garde impériale, devenu nourrisseur[26] et nommé Vergniaud. Arrivé là, Derville fut forcé d'aller à pied à la recherche de son client; car son cocher refusa de s'engager dans une rue non pavée et dont les ornières étaient un peu trop profondes pour les roues d'un cabriolet. En regardant de tous les côtés, l'avoué finit par trouver la maison, si toutefois ce nom convient à l'une de ces masures bâties dans les faubourgs de Paris, et qui ne sont comparables à rien, pas même aux plus chétives habitations de la campagne, dont elles ont la misère sans en avoir la poésie. Le mur sur lequel s'appuyait ce chétif logis, et qui paraissait être plus solide que les autres, était garni de cabanes grillagées[27] où des lapins faisaient leurs nombreuses familles. A droite se trouvait la vacherie, à gauche étaient une basse-cour, une écurie et un toit à cochons.[28] Une chèvre broutait le pampre de la vigne grêle et poudreuse qui garnissait le mur jaune et lézardé de la maison. Un chat était accroupi sur les pots à crème et les léchait. Les poules, effarouchées à l'approche de Derville, s'envolèrent en criant, et le chien de garde aboya.

— L'homme qui a décidé le gain de la bataille d'Eylau serait là![29] se dit Derville en saisissant d'un seul coup d'œil l'ensemble de ce spectacle ignoble.

La maison était restée sous la protection de trois gamins. Quand Derville leur demanda si c'était bien là que demeurait M. Chabert, aucun ne répondit. Impatienté par l'air narquois des trois drôles, Derville se fâcha. Le colonel, qui l'entendit, sortit d'une petite

[23] *mon vieux* old man

[24] *se lisait = était écrite* could be read

[25] The *rue du Petit-Banquier* is now called *rue du Banquier*. The *faubourg Saint-Marceau* (now *Saint-Marcel*) is a poor outlying district of the southeast of Paris.

[26] *nourrisseur* dairyman

[27] *cabanes grillagées* hutches with chicken-wire fronts

[28] *toit à cochons* pig-sty

[29] *L'homme . . . serait là! = Est-il croyable que l'homme qui a rendu possible la victoire d'Eylau soit là!*

chambre basse[30] située près de la laiterie et apparut sur le seuil de sa porte avec un flegme militaire inexprimable. Il avait à la bouche une de ces pipes de terre blanche nommées des *brûle-gueule.*[31] Il leva la visière d'une casquette horriblement crasseuse, aperçut Derville et traversa le fumier, pour venir plus promptement à son bienfaiteur, en criant d'une voix amicale aux gamins:

— Silence dans les rangs!

Les enfants gardèrent aussitôt un silence respectueux qui annonçait l'empire[32] exercé sur eux par le vieux soldat.

— Pourquoi ne m'avez-vous pas écrit? dit-il à Derville. Allez le long de la vacherie! Tenez, là, le chemin est pavé, s'écria-t-il en remarquant l'indécision de l'avoué, qui ne voulait pas se mouiller les pieds dans le fumier.

IV. En sautant de place en place, Derville arriva sur le seuil de la porte par où le colonel était sorti. Chabert parut désagréablement affecté d'être obligé de le recevoir dans la chambre qu'il occupait. En effet, Derville n'y aperçut qu'une seule chaise. Le lit du colonel consistait en quelques bottes de paille sur lesquelles son hôtesse avait étendu deux ou trois lambeaux de vieilles tapisseries. Le plancher était tout simplement en terre battue. Deux mauvaises paires de bottes gisaient dans un coin. Sur la table, les *Bulletins de la Grande Armée*, réimprimés par Plancher,[1] étaient ouverts et paraissaient être la lecture du colonel, dont la physionomie était calme et sereine au milieu de cette misère.

— La fumée de la pipe vous incommode-t-elle? dit-il en tendant à son avoué la chaise à moitié dépaillée.

— Mais, colonel, vous êtes horriblement mal ici!

— C'est vrai, monsieur, nous ne brillons pas ici par le luxe.

— Pourquoi n'avez-vous donc pas voulu venir dans Paris,[2] où

[30] *chambre basse* room on the ground floor

[31] *brûle-gueule* cutty pipe (a pipe with a very short stem)

[32] *l'empire = l'autorité*

[1] A collection of the official accounts of Napoleon's campaigns from 1805 to 1812 which had first appeared in the government newspaper of the time, the "*Moniteur Universel.*"

[2] At the time of this story the *faubourg Saint-Marcel* was not part of the city of Paris.

vous auriez pu vivre aussi peu chèrement[3] que vous vivez ici, mais où vous auriez été mieux?

— Mais, répondit le colonel, les braves gens chez lesquels je suis m'avaient recueilli, nourri *gratis* depuis un an! comment les quitter au moment où j'avais un peu d'argent? Puis le père de ces trois gamins est un vieux *égyptien* . . .

— Comment, un égyptien?

— Nous appelons ainsi les troupiers qui sont revenus de l'expédition d'Égypte,[4] de laquelle j'ai fait partie. Non seulement tous ceux qui en sont revenus sont un peu frères, mais Vergniaud était alors dans mon régiment, nous avions partagé de l'eau dans le désert; enfin, je n'ai pas encore fini d'apprendre à lire à ses marmots.

— Il aurait bien pu vous mieux loger, pour votre argent, lui.

— Bah! dit le colonel, ses enfants couchent comme moi sur la paille! Sa femme et lui n'ont pas un lit meilleur; ils sont bien pauvres, voyez-vous! Mais, si je recouvre ma fortune . . . Enfin, suffit!

— Colonel, je dois recevoir demain ou après vos actes d'Heilsberg. Votre libératrice vit encore! Mais votre affaire est excessivement compliquée.

— Elle me paraît, dit le soldat, parfaitement simple. On m'a cru mort, me voilà! Rendez-moi ma femme et ma fortune; donnez-moi le grade de général auquel j'ai droit.

— Les choses ne vont pas ainsi dans le monde judiciaire, reprit Derville. Écoutez-moi. Vous êtes le comte Chabert, je le veux bien;[5] mais il s'agit de le prouver judiciairement à des gens qui vont avoir intérêt à nier votre existence. Ainsi, vos actes seront discutés. Cette discussion entraînera des procès coûteux, qui traîneront en longueur,[6] quelle que soit l'activité que j'y mette. Mais supposons tout au mieux: admettons qu'il soit reconnu promptement par la justice que vous êtes le colonel Chabert. Savons-nous comment sera jugée la question soulevée par la bigamie fort innocente de la comtesse

[3] *aussi peu chèrement* = *à aussi bon marché* as cheaply

[4] In 1798 Bonaparte's army had taken Alexandria and Cairo.

[5] *je le veux bien* = *je l'admets*

[6] *traîneront en longueur* will drag along endlessly

Ferraud? Dans votre cause, le point de droit est en dehors du Code,[7] et ne peut être jugé par les juges que suivant les lois de la conscience. Or, vous n'avez pas eu d'enfants de votre mariage, et M. le comte Ferraud en a deux du sien; les juges peuvent déclarer nul le mariage où se rencontrent les liens les plus faibles, au profit du mariage qui en comporte de plus forts, du moment qu'[8]il y a eu bonne foi chez les contractants. Vous aurez contre vous votre femme et son mari, deux personnes puissantes qui pourront influencer les tribunaux. Le procès a donc des éléments de durée. Vous aurez le temps de vieillir dans les chagrins les plus cuisants.

— Et ma fortune?

— Vous vous croyez[9] donc une grande fortune?

— N'avais-je pas trente mille livres de rente?

— Mon cher colonel, vous aviez fait, en 1799, avant votre mariage, un testament qui léguait le quart de vos biens aux hospices.

— C'est vrai.

— Eh bien, vous censé[10] mort, n'a-t-il pas fallu procéder à un inventaire, à une liquidation afin de donner ce quart aux hospices? Votre femme ne s'est pas fait scrupule de tromper les pauvres. L'inventaire, où sans doute elle s'est bien gardée de mentionner l'argent comptant,[11] les pierreries, où elle aura produit peu d'argenterie, et où le mobilier a été estimé à deux tiers au-dessous du prix réel, a établi six cent mille francs de valeurs.[12] Pour sa part, votre veuve avait droit à la moitié. Tout a été vendu, racheté par elle, elle a bénéficié sur tout, et les hospices ont eu leurs soixante-quinze mille francs.[13] Maintenant, à quoi avez-vous droit? A trois cent mille francs seulement, moins les frais.[14]

— Et vous appelez cela la justice? dit le colonel ébahi.

[7] *est en dehors du Code* is not discussed in the Civil Code—This most important collection cf laws, generally known as the "*Code Napoléon*" had been promulgated in its entirety in 1804. It has exerted an incomparable influence upon the institutions and legal culture of the civilized world.

[8] *du moment qu' = puisqu'*

[9] *Vous vous croyez = Vous croyez que vous avez*

[10] *censé = supposé*

[11] *argent comptant* liquid assets

[12] *a établi . . . valeurs* showed assets amounting to 600,000 francs

[13] Chabert's share is half of the total assets or 300,000 francs, of which one fourth or 75,000 francs were to be given to charitable institutions.

[14] *les frais* the costs (resulting from the liquidation of the estate)

— Mais certainement . . .

— Elle est belle!

—Elle est ainsi, mon pauvre colonel. Vous voyez que ce que vous avez cru facile ne l'est pas. Écoutez-moi. Dans ces circonstances, je crois qu'une transaction serait, et pour vous et pour votre femme, le meilleur dénoûment du procès. Vous y gagneriez une fortune plus considérable que celle à laquelle vous auriez droit. Je compte aller voir aujourd'hui même madame la comtesse Ferraud afin de sonder le terrain; mais je n'ai pas voulu faire cette démarche sans vous en prévenir.

— Allons ensemble chez elle . . .

— Fait[15] comme vous êtes? dit l'avoué. Non, non, colonel, non. Vous pourriez y perdre tout à fait votre procès . . .

— Mon procès est-il gagnable?

— Sur tous les chefs,[16] répondit Derville. Mais, mon cher colonel Chabert, vous ne faites pas attention à une chose. Je ne suis pas riche. Si les tribunaux vous accordent une *provision,* c'est-à-dire une somme à prendre par avance sur votre fortune, ils ne l'accorderont qu'après avoir reconnu vos qualités de comte Chabert, grand officier de la Légion d'honneur.

— Tiens, je suis grand officier de la Légion, je n'y pensais plus, dit-il naïvement.

— Eh bien, jusque-là, reprit Derville, ne faut-il pas plaider, payer des avocats,[17] et vivre? Les frais se monteront à plus de douze ou quinze mille francs. Je ne les ai pas, moi. Et vous! où les trouverez-vous?

De grosses larmes tombèrent des yeux flétris du pauvre soldat et roulèrent sur ses joues ridées. A l'aspect de ces difficultés, il fut découragé.

— J'irai, s'écria-t-il, au pied de la colonne de la place Vendôme,[18]

[15] *Fait = Habillé*

[16] *chefs = points importants*

[17] Derville is an "*avoué,*" an attorney at law or solicitor. He prepares a lawsuit but does not take it to court. This is entrusted to the "*avocat,*" lawyer or barrister.

[18] A column erected in the Place Vendôme in Paris to commemorate Napoleon's victories in 1805. It was coated with bronze plates made by melting 1,200 Russian and Austrian cannons. However, at the time of this story Napoleon's statue which topped the column had been removed and replaced by a huge fleur-de-lis, emblem of the French kings.

je crierai là: «Je suis le colonel Chabert qui a enfoncé le grand carré des Russes à Eylau!» Le bronze, lui! me reconnaîtra.

— Et l'on vous mettra sans doute à Charenton.

A ce nom redouté, l'exaltation[19] du militaire tomba.

En reconnaissant les symptômes d'un profond abattement chez son client, Derville lui dit:

— Prenez courage, la solution de cette affaire ne peut que vous être favorable. Seulement, examinez si vous pouvez me donner toute votre confiance, et accepter aveuglément le résultat que je croirai le meilleur pour vous.

— Faites comme vous voudrez, dit Chabert.

— Oui, mais vous vous abandonnez à moi comme un homme qui marche à la mort?

— Ne vais-je pas rester sans état,[20] sans nom? Est-ce tolérable?

— Je ne l'entends pas ainsi,[21] dit l'avoué. Nous poursuivrons à l'amiable[22] un jugement pour annuler votre acte de décès et votre mariage, afin que vous repreniez vos droits. Vous serez même, par l'influence du comte Ferraud, porté sur les cadres de l'armée[23] comme général, et vous obtiendrez sans doute une pension.

— Allez donc! répondit Chabert, je me fie entièrement à vous.

— Je vous enverrai une procuration[24] à signer, dit Derville. Adieu, bon courage! S'il vous faut de l'argent, comptez sur moi.

Chabert serra chaleureusement la main de Derville, et resta le dos appuyé contre la muraille, sans avoir la force de le suivre autrement que des yeux.

V. Pendant cette conférence, un homme posté dans la rue avait guetté la sortie de Derville. Il l'accosta quand il sortit.

— Excusez, monsieur, dit-il à Derville en l'arrêtant par le bras, si je prends la liberté de vous parler, mais je me suis douté, en vous voyant, que vous étiez l'ami de notre général.

— Eh bien, dit Derville, en quoi[1] vous intéressez-vous à lui? Mais qui êtes-vous? reprit le défiant[2] avoué.

[19] *exaltation = excitation mentale*
[20] *état = état civil* legal status
[21] *Je ne l'entends pas ainsi = Ce n'est pas ce que je propose*
[22] *à l'amiable* by mutual consent
[23] *porté sur les cadres de l'armée* reinstated in the army
[24] *procuration* power of attorney
[1] *en quoi = de quelle façon*
[2] *défiant = soupçonneux* wary

— Je suis Louis Vergniaud, répondit-il. Et j'aurais deux mots à vous dire.

— Et c'est vous qui avez logé le comte Chabert comme il l'est?

— Pardon, excuse, monsieur, il a la plus belle chambre. Je lui aurais donné la mienne, si je n'en avais eu qu'une. J'aurais couché dans l'écurie. J'ai partagé avec lui ce que j'avais. Malheureusement, ce n'était pas grand'chose, du pain, du lait, des œufs; enfin à la guerre comme à la guerre![3] Mais il nous a vexés.

— Lui?

— Oui, monsieur, vexés. J'ai pris un établissement au-dessus de mes forces,[4] il le voyait bien. Ça le contrariait et il pansait le cheval! Je lui dis: «Mais, mon général!—Bah! . . . qu'i dit,[5] je ne veux pas être comme un fainéant, et il y a longtemps que je sais brosser le lapin.»[6] J'avais fait des billets[7] pour le prix de ma vacherie à un nommé Grados . . . Le connaissez-vous, monsieur?

— Mais, mon cher, je n'ai pas le temps de vous écouter. Seulement, dites-moi comment le colonel vous a vexés!

— Il nous a vexés, monsieur, aussi vrai que je m'appelle Louis Vergniaud et que ma femme en a pleuré. Il a su par les voisins que nous n'avions pas le premier sou de notre billet. Le vieux grognard,[8] sans rien dire, a amassé tout ce que vous lui donniez, guetté le billet et l'a payé. Et ma femme et moi, nous savions qu'il n'avait pas de tabac, ce pauvre vieux, et qu'il s'en passait![9] Oh! maintenant, tous les matins, il a ses cigares! je me vendrais plutôt . . . Non! nous sommes vexés. Donc, je voudrais vous proposer de nous prêter, vu qu'[10]il nous a dit que vous étiez un brave homme, une centaine d'écus[11] sur notre établissement, afin que nous lui fassions faire des habits, que nous lui meublions sa chambre. Il a cru nous acquitter,[12] pas vrai? Eh bien, au contraire, voyez-vous, l'ancien[13] nous a en-

[3] *à la guerre comme à la guerre!* we must take things as they come!

[4] *au-dessus de mes forces* beyond my means

[5] *qu'i dit* (popular) = *qu'il dit* = *dit-il*

[6] *brosser le lapin* (military slang) to groom a horse

[7] *fait des billets* signed promissory notes

[8] *vieux grognard* old grumbler (The name was given to old-timers in Napoleon's army)

[9] *s'en passait* did without it

[10] *vu qu'* = *parce qu'*

[11] *écus,* coins no longer used which were worth 3 francs (60 cents).

[12] *nous acquitter* = *payer nos dettes*

[13] *l'ancien* = *l'ancien officier* the old-timer

dettés . . . et vexés! Foi d'honnête homme, aussi vrai que je m'appelle Louis Vergniaud, je m'engagerais[14] plutôt que de ne pas vous rendre cet argent-là . . .

Derville regarda le nourrisseur, et fit quelques pas en arrière pour revoir la maison, l'étable, les lapins, les enfants.

— Par ma foi, dit-il, tu auras tes cent écus! et davantage même. Mais ce n'est pas moi qui te les donnerai, le colonel sera bien assez riche pour t'aider, et je ne veux pas lui en ôter le plaisir.

— Ce sera-t-il bientôt?

— Mais oui.

— Ah! mon Dieu, que mon épouse va être contente!

Et la figure tannée du nourrisseur sembla s'épanouir.

— Maintenant, se dit Derville en remontant dans son cabriolet, allons chez notre adversaire. Ne laissons pas voir notre jeu, tâchons de connaître le sien, et gagnons la partie d'un seul coup. Il faudrait l'effrayer. Elle est femme. De quoi s'effrayent le plus les femmes? Mais les femmes ne s'effrayent que de . . .

Il se mit à étudier la position de la comtesse, et tomba dans une de ces méditations auxquelles se livrent[15] les grands politiques[16] en concevant leurs plans, en tâchant de deviner le secret des cabinets ennemis. Les avoués ne sont-ils pas en quelque sorte des hommes d'État chargés des affaires privées?

— Il y a quelque chose de bien singulier dans la situation de M. le comte Ferraud, se dit Derville en sortant de sa longue rêverie, au moment où son cabriolet s'arrêtait rue de Varennes,[17] à la porte de l'hôtel Ferraud. Comment, lui si riche, aimé du roi, n'est-il pas encore pair de France?[18] Il est vrai qu'il entre peut-être dans la politique du roi de donner une haute importance à la pairie en ne la prodiguant pas. D'ailleurs, le fils d'un conseiller au parlement[19]

[14] *je m'engagerais = je rentrerais dans l'armée* I would enlist

[15] *se livrent = s'abandonnent*

[16] *les grands politiques = les grands hommes politiques*

[17] One of the most aristocratic streets of the Paris of that time, on the "left bank."

[18] *pair de France* member of the House of Peers (*Chambre haute*).—This body had been created by Louis XVIII. The title was hereditary.

[19] *conseiller au parlement* judge of the court of appeals—(The "*parlements*" of pre-revolutionary France were courts rather than political bodies. They were abolished in 1790)

n'est ni un Crillon, ni un Rohan.[20] Le comte Ferraud ne peut entrer que subrepticement[21] dans la Chambre haute. Mais, si son mariage était cassé, ne pourrait-il faire passer sur sa tête,[22] à la grande satisfaction du roi, la pairie d'un de ces vieux sénateurs qui n'ont que des filles?[23] Voilà certes une bonne bourde à mettre en avant pour effrayer notre comtesse, se dit-il en montant le perron.

Il fut reçu par madame Ferraud dans une jolie salle à manger, où elle déjeunait en jouant avec un singe attaché par une chaîne à une espèce de petit poteau garni de bâtons en fer. La comtesse était enveloppée dans un élégant peignoir. Elle était fraîche et rieuse. L'argent, le vermeil, la nacre, étincelaient sur la table, et il y avait autour d'elle des fleurs curieuses plantées dans de magnifiques vases en porcelaine. En voyant la femme du comte Chabert, riche de ses dépouilles,[24] au sein du luxe, tandis que le malheureux vivait chez un pauvre nourrisseur au milieu des bestiaux, l'avoué se dit:

— La morale de ceci est qu'une jolie femme ne voudra jamais reconnaître son mari dans un homme en perruque de chiendent et en bottes percées.

— Bonjour, monsieur Derville, dit-elle en continuant à faire prendre du café au singe.

— Madame, dit-il brusquement, car il se choqua du ton léger avec lequel la comtesse lui avait dit: «Bonjour, monsieur Derville,» je viens causer avec vous d'une affaire assez grave.

— J'en suis *désespérée*,[25] M. le comte est absent . . .

— J'en suis enchanté, moi, madame. Il serait *désespérant*[26] qu'il assistât à notre conférence. Je sais d'ailleurs, par Delbecq, votre intendant, que vous aimez à faire vos affaires vous-même sans en ennuyer M. le comte.

— Alors, je vais faire appeler Delbecq, dit-elle.

— Il vous serait inutile, malgré son habileté, reprit Derville.

[20] The Crillons and the Rohans represent the most distinguished and oldest French nobility.

[21] *subrepticement* by some devious way

[22] *faire passer sur sa tête = hériter*

[23] The idea is of course that his first marriage having been annulled, he could have married the daughter of one of these senators.

[24] *riche de ses dépouilles* rich because she had despoiled him

[25] *J'en suis désespérée = Je le regrette infiniment*

[26] *désespérant = très regrettable*

Écoutez, madame, un mot suffira pour vous rendre sérieuse. Le comte Chabert existe.

— Est-ce en disant de semblables bouffonneries que vous voulez me rendre sérieuse? dit-elle en partant d'un éclat de rire.

Mais la comtesse fut tout à coup domptée par l'étrange lucidité du regard fixe par lequel Derville l'interrogeait en paraissant lire au fond de son âme.

— Madame, répondit-il avec une gravité froide et perçante, vous ignorez l'étendue des dangers qui vous menacent. Je ne vous parlerai pas de l'incontestable authenticité des pièces, ni de la certitude des preuves qui attestent l'existence du comte Chabert. Je ne suis pas homme à me charger d'une mauvaise cause, vous le savez.

— De quoi prétendez-vous[27] donc me parler?

— Ni du colonel, ni de vous. Je ne vous parlerai pas non plus des lettres que vous avez reçues de votre premier mari avant la célébration de votre mariage avec votre second.

— Cela est faux! dit-elle, je n'ai jamais reçu de lettres du comte Chabert; et, si quelqu'un dit être le colonel, ce n'est qu'un intrigant, quelque forçat libéré, peut-être. Le frisson prend[28] rien que d'y penser. Le colonel peut-il ressusciter, monsieur? Bonaparte m'a fait complimenter[29] sur sa mort par un aide de camp, et je touche encore aujourd'hui trois mille francs de pension accordée à sa veuve. J'ai eu mille fois raison de repousser tous les Chabert qui sont venus, comme je repousserai tous ceux qui viendront.

— La preuve de la remise de la première lettre existe, madame, elle contenait des valeurs[30] . . .

— Oh! pour des valeurs, elle n'en contenait pas.

— Vous avez donc reçu cette première lettre, reprit Derville en souriant. Vous êtes déjà prise dans le premier piège que vous tend un avoué, et vous croyez pouvoir lutter avec la justice . . .

La comtesse rougit, pâlit, se cacha la figure dans les mains. Puis elle secoua sa honte, et reprit avec le sang-froid naturel à ces sortes de femmes:

[27] *prétendez-vous = voulez-vous*

[28] *prend = vous prend* goes through you

[29] *m'a fait complimenter = m'a fait exprimer ses condoléances*

[30] *des valeurs* securities (bonds, stocks, etc.)

— Puisque vous êtes l'avoué du prétendu Chabert, faites-moi le plaisir de . . .

— Madame, dit Derville en l'interrompant, je suis encore en ce moment votre avoué comme celui du colonel. Croyez-vous que je veuille perdre une clientèle aussi précieuse que l'est la vôtre? Mais vous ne m'écoutez pas . . .

— Parlez, monsieur, dit-elle gracieusement.

— Votre fortune vous venait de M. le comte Chabert, et vous l'avez repoussé. Votre fortune est colossale,[31] et vous le laissez mendier. Madame, les avocats sont bien éloquents lorsque les causes sont éloquentes par elles-mêmes: il se rencontre[32] ici des circonstances capables de soulever contre vous l'opinion publique.

— Mais, monsieur, dit la comtesse, en admettant que votre M. Chabert existe, les tribunaux maintiendront mon second mariage à cause des enfants, et j'en serai quitte pour[33] rendre deux cent vingt-cinq mille francs à M. Chabert.

— Madame, nous ne savons pas de quel côté les tribunaux verront la question sentimentale. Si, d'une part, nous avons une mère et ses enfants, nous avons de l'autre un homme accablé de malheurs, vieilli par[34] vous, par vos refus. Puis les juges peuvent-ils heurter la loi? Votre mariage avec le colonel a pour lui le droit, la priorité. Mais, si vous êtes représentée sous d'odieuses couleurs, vous pourriez avoir un adversaire auquel vous ne vous attendez pas. Là, madame, est ce danger dont je voudrais vous préserver.

— Un nouvel adversaire, dit-elle; qui?

— M. le comte Ferraud, madame.

— M. Ferraud a pour moi un trop vif attachement, et, pour la mère de ses enfants, un trop grand respect . . .

— Ne parlez pas de ces niaiseries-là, dit Derville en l'interrompant, à des avoués habitués à lire au fond des cœurs. En ce moment, M. Ferraud n'a pas la moindre envie de rompre votre mariage et je suis persuadé qu'il vous adore; mais, si quelqu'un

[31] The amount of Chabert's estate was considerable for that time.

[32] *il se rencontre* = *il se trouve; il y a*

[33] *j'en serai quitte pour* = *je n'aurai qu'à*

[34] *vieilli par* grown old because of

venait lui dire que son mariage peut être annulé, que sa femme sera traduite en criminelle au banc de[35] l'opinion publique . . .

— Il me défendrait, monsieur.

— Non, madame.

— Quelle raison aurait-il de m'abandonner, monsieur?

— Mais celle d'épouser la fille unique d'un pair de France, dont la pairie lui serait transmise par ordonnance du roi . . .

La comtesse pâlit.

— Nous y sommes![36] se dit en lui-même Derville. Bien, je te tiens,[37] l'affaire du pauvre colonel est gagnée.—D'ailleurs, madame, reprit-il à haute voix, il aurait d'autant moins de remords, qu'un homme couvert de gloire, général, comte, grand officier de la Légion d'honneur, ne serait pas un pis aller;[38] et, si cet homme lui redemande sa femme . . .

— Assez! assez, monsieur! dit-elle. Je n'aurai jamais que vous pour avoué. Que faire?

— Transiger! dit Derville.

— M'aime-t-il encore? dit-elle.

— Mais je ne crois pas qu'il puisse en être autrement.

A ce mot, la comtesse dressa la tête. Un éclair d'espérance brilla dans ses yeux; elle comptait peut-être spéculer sur la tendresse de son premier mari pour gagner son procès par quelque ruse de femme.

— J'attendrai vos ordres, madame, pour savoir s'il faut vous signifier nos actes,[39] ou si vous voulez venir chez moi pour arrêter[40] les bases d'une transaction, dit Derville en saluant la comtesse.

VI. Huit jours après les deux visites que Derville avait faites, et par une belle matinée du mois de juin, les anciens époux partirent des deux points les plus opposés de Paris pour venir se rencontrer dans l'étude de leur avoué commun. Les avances[1] qui furent large-

[35] *traduite en criminelle au banc de* arraigned as a criminal before the tribunal of

[36] *Nous y sommes* = *J'ai trouvé le point faible*

[37] *je te tiens* = *je vous ai* (*tiens*) *en mon pouvoir*

[38] *un pis aller* the worst possible substitute; an unworthy makeshift

[39] *vous signifier nos actes* serve you with papers

[40] *arrêter* = *établir* settle

[1] *Les avances* = *Les avances d'argent; les prêts*

ment faites par Derville au colonel Chabert lui avaient permis d'être vêtu selon son rang. Il avait la tête couverte d'une perruque appropriée à sa physionomie, il était habillé de drap bleu, avait du linge blanc, et portait sous son gilet le sautoir[2] rouge des grands officiers de la Légion d'honneur. Il avait retrouvé son ancienne élégance martiale. Il se tenait droit. A le voir, les passants eussent[3] facilement reconnu en lui l'un de ces beaux débris de notre ancienne armée, un de ces hommes héroïques sur lesquels se reflète notre gloire nationale. Quand le comte descendit de sa voiture pour monter chez Derville, il sauta légèrement comme aurait pu faire un jeune homme. A peine son cabriolet avait-il retourné, qu'un joli coupé tout armorié[4] arriva. Madame la comtesse Ferraud en sortit dans une toilette simple, mais habilement calculée pour montrer la jeunesse de sa taille. Elle avait une jolie capote doublée de rose qui encadrait parfaitement sa figure.

Derville avait consigné le colonel dans la chambre à coucher, quand la comtesse se présenta.

— Madame, lui dit-il, ne sachant pas s'il vous serait agréable de voir M. le comte Chabert, je vous ai séparés. Si cependant vous désiriez . . .

— Monsieur, c'est une attention dont je vous remercie.

— J'ai préparé la minute d'un acte[5] dont les conditions pourront être discutées par vous et par M. Chabert, séance tenante.[6] J'irai alternativement de vous à lui, pour vous présenter, à l'un et à l'autre, vos raisons respectives.

— Voyons, monsieur, dit la comtesse en laissant échapper un geste d'impatience.

Derville lut:

«Entre les soussignés,

«M. Hyacinthe, dit *Chabert*, comte, maréchal de camp[7] et grand

[2] *sautoir* or *cordon*, a ribbon passed around the neck and meeting in a point on the chest where it supports the insignia of the order.

[3] *eussent = auraient*

[4] *armorié* blazoned; bearing a coat of arms (here, the crest to which the count Ferrand was entitled)

[5] *la minute d'un acte* the draft of a document

[6] *séance tenante = immédiatement; ici même*

[7] *maréchal de camp* brigadier general (This is the rank to which Chabert is entitled)

officier de la Légion d'honneur, demeurant à Paris, rue du Petit-Banquier, d'une part;

«Et la dame Rose Chapotel, épouse de M. le comte Chabert, ci-dessus nommé, née . . .»

— Passez, dit-elle, laissons les préambules, arrivons aux conditions.

— Madame, dit l'avoué, le préambule explique succinctement la position dans laquelle vous vous trouvez l'un et l'autre. Puis, par l'article 1er, vous reconnaissez, en présence de trois témoins, qui sont deux notaires et le nourrisseur chez lequel a demeuré votre mari, auxquels j'ai confié sous le secret[8] votre affaire, et qui garderont le plus profond silence; vous reconnaissez, dis-je, que l'individu désigné dans les actes joints au sous-seing,[9] est le comte Chabert, votre premier époux. Par l'article 2, le comte Chabert, dans l'intérêt de votre bonheur, s'engage à[10] ne faire usage de ses droits que dans les cas prévus par l'acte lui-même.—Et ces cas, dit Derville en faisant une sorte de parenthèse, ne sont autres que la non-exécution des clauses de cette convention secrète.—De son côté, reprit-il, M. Chabert consent à poursuivre de gré à gré[11] avec vous un jugement qui annulera son acte de décès et prononcera la dissolution de son mariage.

— Ça ne me convient pas du tout, dit la comtesse étonnée, je ne veux pas de procès. Vous savez pourquoi.

— Par l'article 3, dit l'avoué en continuant avec un flegme imperturbable, vous vous engagez à constituer au nom d'Hyacinthe, comte Chabert, une rente viagère[12] de vingt-quatre mille francs, mais dont le capital vous sera dévolu[13] à sa mort . . .

— Mais c'est beaucoup trop cher! dit la comtesse.

— Pouvez-vous transiger à meilleur marché?

— Peut-être.

— Que voulez-vous donc, madame?

— Je veux . . . je ne veux pas de procès; je veux . . .

[8] *sous le secret* after pledging them to secrecy

[9] *sous-seing* private deed; signed declaration

[10] *s'engage à = promet de*

[11] *de gré à gré = d'accord* by agreement

[12] *rente viagère* annuity

[13] *vous sera dévolu = vous reviendra*

— Qu'il reste mort? dit vivement Derville en l'interrompant.

— Monsieur, dit la comtesse, s'il faut vingt-quatre mille livres de rente, nous plaiderons . . .

— Oui, nous plaiderons, s'écria d'une voix sourde le colonel, qui ouvrit la porte et apparut tout à coup devant sa femme.

— C'est lui! se dit en elle-même la comtesse.

— Trop cher! reprit le vieux soldat. Je vous ai donné près d'un million, et vous marchandez[14] mon malheur. Eh bien, je vous veux maintenant, vous et votre fortune. Nous sommes communs en biens, notre mariage n'a pas cessé . . .

— Mais monsieur n'est pas le colonel Chabert, s'écria la comtesse en feignant la surprise.

— Ah! dit le vieillard d'un ton profondément ironique, voulez-vous des preuves? Je vous ai connue au Palais-Royal[15] . . .

La comtesse pâlit.

— De grâce, monsieur, dit-elle à l'avoué, trouvez bon[16] que je quitte la place. Je ne suis pas venue ici pour entendre de semblables horreurs.

Elle se leva et sortit. Derville s'élança dans l'étude.[17] La comtesse avait trouvé des ailes et s'était comme envolée. En revenant dans son cabinet, l'avoué trouva le colonel dans un violent accès de rage et se promenant à grands pas.

— Eh bien, colonel, n'avais-je pas raison en vous priant de ne pas venir? Je suis maintenant certain de votre identité. Quand vous vous êtes montré, la comtesse a fait un mouvement dont la pensée n'était pas équivoque. Mais vous avez perdu votre procès, votre femme sait que vous êtes méconnaissable!

— Je la tuerai . . .

— Folie! vous serez pris et guillotiné comme un misérable.[18] Laissez-moi réparer vos sottises, grand enfant! Allez-vous-en. Prenez

[14] *vous marchandez* you speculate on; you haggle over

[15] *au Palais-Royal* in the Palais-Royal district—This section of Paris, at the time of this story, had been the center of gay and somewhat disreputable life. The Palais-Royal proper, built by Cardinal Richelieu, was once occupied by the regent-queen Anne of Austria, mother of Louis XIV—hence its name.

[16] *trouvez bon* = *permettez*

[17] *l'étude* the main office

[18] *misérable* scoundrel

garde à vous, elle serait capable de vous faire tomber dans quelque piège et de vous enfermer à Charenton.

Le pauvre colonel obéit à son jeune bienfaiteur, et sortit en lui balbutiant des excuses. Il descendait lentement les marches de l'escalier noir, perdu dans de sombres pensées, lorsqu'il entendit, en parvenant au dernier palier, le frôlement d'une robe, et sa femme apparut.

— Venez, monsieur, lui dit-elle en lui prenant le bras.

L'action de la comtesse, l'accent de sa voix redevenue gracieuse, suffirent pour calmer la colère du colonel, qui se laissa mener jusqu'à la voiture.

— Eh bien, montez donc! dit la comtesse.

Et il se trouva, comme par enchantement, assis près de sa femme dans le coupé.

— Où va madame? demanda le valet.

— A Groslay,[19] dit-elle.

Les chevaux partirent et traversèrent tout Paris.

— Monsieur . . . , dit la comtesse au colonel d'un son de voix qui révélait une de ces émotions rares dans la vie, et par lesquelles tout en nous est agité.

Le vieux soldat tressaillit en entendant ce seul mot, ce premier, ce terrible «Monsieur!» Mais aussi était-ce[20] tout à la fois un reproche, une prière, un pardon, une espérance, un désespoir, une interrogation, une réponse. Ce mot comprenait tout. Il fallait être comédienne pour jeter tant d'éloquence, tant de sentiments dans un mot. Le colonel eut mille remords de ses soupçons, de ses demandes, de sa colère, et baissa les yeux pour ne pas laisser deviner son trouble.[21]

— Monsieur, reprit la comtesse après une pause imperceptible, je vous ai bien reconnu!

— Rosine, dit le vieux soldat, ce mot contient le seul baume qui pût me faire oublier mes malheurs.

[19] A village on the outskirts of the forest of Montmorency (about 9 miles north of Paris) where the Ferrauds had a summer house.

[20] *Mais aussi était-ce = Mais il exprimait aussi*

[21] *son trouble = son émotion*

Deux grosses larmes roulèrent toutes chaudes sur les mains de sa femme, qu'il pressa pour exprimer une tendresse paternelle.

— Monsieur, reprit-elle, comment n'avez-vous pas deviné qu'il me coûtait[22] horriblement de paraître devant un étranger dans une position aussi fausse que l'est la mienne? Si j'ai à rougir de ma situation, que ce ne soit au moins qu'en famille. Ce secret ne devait-il pas rester enseveli dans nos cœurs? Vous m'absoudrez, j'espère, de mon indifférence apparente pour les malheurs d'un Chabert à l'existence duquel je ne devais pas croire. J'ai reçu vos lettres, dit-elle vivement, en lisant sur les traits de son mari l'objection qui s'y exprimait, mais elles me parvinrent treize mois après la bataille d'Eylau; elles étaient ouvertes, salies, l'écriture en était méconnaissable, et j'ai dû croire, après avoir obtenu la signature de Napoléon sur mon nouveau contrat de mariage, qu'un adroit intrigant voulait se jouer de moi.[23] Pour ne pas troubler le repos de M. le comte Ferraud, j'ai dû prendre des précautions contre un faux Chabert. N'avais-je pas raison, dites?

— Oui, tu as[24] eu raison; c'est moi qui suis un sot, un animal, une bête, de n'avoir pas su mieux calculer les conséquences d'une situation semblable. Mais où allons-nous? dit le colonel en se voyant à la barrière de la Chapelle.[25]

— A ma campagne, près de Groslay, dans la vallée de Montmorency. Là, monsieur, nous réfléchirons ensemble au parti[26] que nous devons prendre. Je connais mes devoirs. Si je suis à vous en droit, je ne vous appartiens plus en fait. Pouvez-vous désirer que nous devenions la fable[27] de tout Paris? N'instruisons pas le public de cette situation qui pour moi présente un côté ridicule, et sachons garder notre dignité. Vous m'aimez encore, reprit-elle en jetant sur le colonel un regard triste et doux; mais, moi, n'ai-je pas été autorisée à former d'autres liens? En cette singulière position, une voix secrète me dit d'espérer en votre bonté, qui m'est si connue.

[22] *il me coûtait* = *il m'était pénible*

[23] *se jouer de moi* = *me tromper* take advantage of me

[24] It will be noted that Chabert uses the "*tu*" form to express affection or emotion, and comes back to the more distant "*vous*" in less emotional moments.

[25] *barrière* or *porte de la Chapelle*, the exit from Paris at the extreme north in the direction of Montmorency.

[26] *au parti* = *à la décision*

[27] *la fable* the talk; the gossip; the by-word

Aurais-je donc tort en vous prenant pour seul et unique arbitre de mon sort? Je me confie à la noblesse de votre caractère. Je vous l'avouerai, j'aime M. Ferraud. Je me suis crue en droit[28] de l'aimer. Je ne rougis pas de cet aveu devant vous; s'il vous offense, il ne nous déshonore point. Je ne puis vous cacher les faits. Quand le hasard m'a laissée veuve, je n'étais pas mère.

Le colonel fit un signe de main à sa femme, pour lui imposer silence, et ils restèrent sans proférer un seul mot pendant une demi-lieue. Chabert croyait voir les deux petits enfants devant lui.

— Rosine!

— Monsieur?

— Les morts ont donc bien tort de revenir?

— Oh! monsieur, non, non! Ne me croyez pas ingrate. Seulement, vous trouvez une amante,[29] une mère, là où vous aviez laissé une épouse. S'il n'est plus en mon pouvoir de vous aimer, je sais tout ce que je vous dois et puis vous offrir encore toutes les affections d'une fille.

— Rosine, reprit le vieillard d'une voix douce, je n'ai plus aucun ressentiment contre toi. Je ne suis pas assez peu délicat[30] pour exiger les semblants de l'amour chez une femme qui n'aime plus.

La comtesse lui lança un regard empreint d'une telle reconnaissance que le pauvre Chabert aurait voulu rentrer dans sa fosse d'Eylau. Certains hommes ont une âme assez forte pour de tels dévouements, dont la récompense se trouve pour eux dans la certitude d'avoir fait le bonheur d'une personne aimée!

— Mon ami, nous parlerons de tout ceci plus tard et à cœur reposé,[31] dit la comtesse.

La conversation prit un autre cours, car il était impossible de la continuer longtemps sur ce sujet.

VII. Enfin les deux époux arrivèrent à un grand parc situé dans la petite vallée qui sépare les hauteurs de Margency[1] du joli village

[28] *Je me suis crue en droit = J'ai cru que j'avais le droit*

[29] *une amante* a woman in love (with her present husband)

[30] *peu délicat = grossier; vulgaire*

[31] *à cœur reposé = quand nous serons plus calmes*

[1] A little village located about two miles north-west of Groslay.

de Groslay. La comtesse possédait là une délicieuse maison où le colonel vit, en arrivant, tous les apprêts que nécessitaient son séjour et celui de sa femme. Malgré son peu de défiance, il ne put s'empêcher de dire à sa femme:

— Vous étiez donc bien sûre de m'emmener ici?

— Oui, répondit-elle, si je trouvais le colonel Chabert dans le plaideur.[2]

L'air de vérité qu'elle sut mettre dans cette réponse dissipa les légers soupçons que le colonel eut honte d'avoir conçus. Pendant trois jours, la comtesse fut admirable près de son premier mari. Par de tendres soins et par sa constante douceur, elle semblait vouloir effacer le souvenir des souffrances qu'il avait endurées, se faire pardonner les malheurs que, suivant ses aveux, elle avait innocemment causés; elle se plaisait à[3] déployer pour lui, tout en lui faisant apercevoir une sorte de mélancolie, les charmes auxquels elle le savait faible.[4] Elle voulait l'intéresser à sa situation, et l'attendrir assez pour s'emparer de son esprit et disposer souverainement de lui.

Le soir du troisième jour, elle sentit que, malgré ses efforts, elle ne pouvait cacher les inquiétudes que lui causait le résultat de ses manœuvres. Pour se trouver un moment à l'aise, elle monta chez elle, s'assit à son secrétaire, déposa le masque de tranquillité qu'elle conservait devant le comte Chabert, comme une actrice qui, rentrant fatiguée dans sa loge[5] après un cinquième acte pénible, tombe demi-morte et laisse dans la salle[6] une image d'elle-même à laquelle elle ne ressemble plus. Elle se mit à finir une lettre commencée qu'elle écrivait à Delbecq, à qui elle disait de venir aussitôt la trouver à Groslay. A peine avait-elle achevé qu'elle entendit dans le corridor le bruit des pas du colonel, qui, tout inquiet, venait la retrouver.

— Hélas! dit-elle à haute voix, je voudrais être morte! Ma situation est intolérable . . .

— Eh bien, qu'avez-vous donc? demanda le bonhomme.

— Rien, rien, dit-elle.

[2] *plaideur* litigant
[3] *se plaisait à = prenait plaisir à*
[4] *faible = très sensible* very sensitive
[5] *loge* dressing room
[6] *la salle = la salle de théâtre*

Elle se leva, laissa le colonel et descendit pour parler sans témoin à sa femme de chambre, qu'elle fit partir pour Paris, en lui recommandant de remettre elle-même à Delbecq la lettre qu'elle venait d'écrire. Puis la comtesse alla s'asseoir sur un banc où elle était assez en vue pour que le colonel vînt l'y trouver aussitôt qu'il le voudrait. Le colonel, qui déjà cherchait sa femme, accourut et s'assit près d'elle.

— Rosine, lui dit-il, qu'avez-vous?

Elle ne répondit pas. La soirée était une de ces soirées magnifiques et calmes dont les secrètes harmonies répandent, au mois de juin, tant de suavité dans les couchers du soleil. L'air était pur et le silence profond, en sorte que l'on pouvait entendre dans le lointain[7] du parc les voix de quelques enfants qui ajoutaient une sorte de mélodie aux sublimités du paysage.

— Vous ne me répondez pas? demanda le colonel à sa femme.

— Mon mari . . . , dit la comtesse, qui s'arrêta, fit un mouvement et s'interrompit pour lui demander en rougissant:—Comment dirai-je en parlant de M. le comte Ferraud?

— Nomme-le ton mari, ma pauvre enfant, répondit le colonel avec un accent de bonté; n'est-ce pas le père de tes enfants?

— Eh bien, reprit-elle, si monsieur[8] me demande ce que je suis venue faire ici, s'il apprend que je m'y suis enfermée avec un inconnu, que lui dirai-je? Écoutez, monsieur, reprit-elle en prenant une attitude pleine de dignité, décidez de mon sort, je suis résignée à tout . . .

— Ma chère, dit le colonel en s'emparant des mains de sa femme, j'ai résolu de me sacrifier entièrement à votre bonheur . . .

— Cela est impossible, s'écria-t-elle en laissant échapper un mouvement convulsif. Songez donc que vous devriez alors renoncer à vous-même, et d'une manière authentique[9] . . .

— Comment, dit le colonel, ma parole ne vous suffit pas?

Le mot *authentique* tomba sur le cœur du vieillard et y réveilla des défiances involontaires. Il jeta sur sa femme un regard qui la fit rougir, elle baissa les yeux, et il eut peur de se trouver obligé de

[7] *le lointain = un endroit éloigné*
[8] *monsieur = monsieur Ferraud*
[9] *authentique = définitive; légale*

la mépriser. La comtesse craignait d'avoir effarouché la sauvage pudeur,[10] la probité sévère d'un homme dont le caractère généreux, les vertus primitives lui étaient connus. Quoique ces idées eussent répandu quelques nuages sur leur front, la bonne harmonie se rétablit aussitôt entre eux. Voici comment. Un cri d'enfant retentit au loin.

— Jules, laissez votre sœur tranquille! s'écria la comtesse.

— Quoi! vos enfants sont ici? dit le colonel.

— Oui, mais je leur ai défendu de vous importuner.

Le vieux soldat comprit la délicatesse, le tact de femme renfermé dans ce procédé si gracieux, et prit la main de la comtesse pour la baiser.

— Qu'ils viennent donc, dit-il.

La petite fille accourait pour se plaindre de son frère.

— Maman!

— Maman!

— C'est lui qui . . .

— C'est elle . . .

Les mains étaient étendues vers la mère, et les deux voix enfantines se mêlaient. Ce fut un tableau soudain et délicieux.

— Pauvres enfants! s'écria la comtesse en ne retenant plus ses larmes, il faudra les quitter; à qui le jugement les donnera-t-il? On ne partage pas un cœur de mère, je les veux, moi!

— Est-ce vous qui faites pleurer maman? dit Jules en jetant un regard de colère au colonel.

— Taisez-vous, Jules! s'écria la mère d'un air impérieux.

Les deux enfants restèrent debout et silencieux, examinant leur mère et l'étranger avec une curiosité qu'il est impossible d'exprimer par des paroles.

— Oh! oui, reprit-elle, si l'on me sépare du comte, qu'on me laisse les enfants, et je serai soumise à tout . . .

Ce fut un mot décisif qui obtint tout le succès qu'elle avait espéré.

— Oui, s'écria le colonel comme s'il achevait une phrase mentalement commencée, je dois rentrer sous terre. Je me le suis déjà dit.

[10] *sauvage pudeur = délicatesse extrême*

— Puis-je accepter un tel sacrifice? répondit la comtesse. Si quelques hommes sont morts pour sauver l'honneur de leur maîtresse, ils n'ont donné leur vie qu'une fois. Mais, ici, vous donneriez votre vie tous les jours! Non, non, cela est impossible. S'il ne s'agissait que de votre existence, ce ne serait rien; mais signer que vous n'êtes pas le colonel Chabert, reconnaître que vous êtes un imposteur, le dévouement humain ne saurait aller jusque-là. Songez donc! Non. Sans mes pauvres enfants, je me serais déjà enfuie avec vous au bout du monde . . .

— Mais, reprit Chabert, est-ce que je ne puis pas vivre ici, dans votre petit pavillon,[11] comme un de vos parents? Je suis usé comme un canon de rebut,[12] il ne me faut qu'un peu de tabac et *le Constitutionnel.*[13]

La comtesse fondit en larmes. Il y eut entre la comtesse Ferraud et le colonel Chabert un combat de générosité d'où le soldat sortit vainqueur. Un soir, en voyant cette mère au milieu de ses enfants, le soldat fut séduit par les touchantes grâces d'un tableau de famille, à la campagne, dans l'ombre et le silence; il prit la résolution de rester mort, et demanda comment il fallait s'y prendre[14] pour assurer irrévocablement le bonheur de cette famille.

— Faites comme vous voudrez! lui répondit la comtesse, je vous déclare que je ne me mêlerai en rien de cette affaire. Je ne le dois pas.

Delbecq était arrivé. Suivant les instructions verbales de la comtesse, l'intendant avait su gagner la confiance du vieux militaire. Le lendemain matin donc, le colonel Chabert partit avec lui pour Saint-Leu-Taverny,[15] où Delbecq avait fait préparer chez le notaire un acte conçu en termes si crus, que le colonel sortit brusquement de l'étude après en avoir entendu la lecture.

— Mille tonnerres! je serais un joli coco![16] Mais je passerais pour un faussaire! s'écria-t-il.

[11] A small house in the grounds.

[12] *de rebut = qui n'est plus bon à rien*

[13] A Paris newspaper which had just been founded (1815) and was largely read by partisans of Napoleon and of the Republic.

[14] *comment il fallait s'y prendre = ce qu'il fallait faire* how to go about it

[15] *Saint-Leu-Taverny* or *Saint-Leu-La Forêt* is a town about 8 miles north of Groslay.

[16] *un joli coco* (ironical) = *un misérable* a scoundrel

— Monsieur, lui dit Delbecq, je ne vous conseille pas de signer trop vite. A votre place, je tirerais au moins trente mille livres de rente de ce procès-là, car madame les donnerait.

Après avoir foudroyé[17] ce coquin émérite[18] par le lumineux regard de l'honnête homme indigné, le colonel s'enfuit, emporté par mille sentiments contraires. Il redevint défiant, s'indigna, se calma tour à tour.

Enfin il entra dans le parc de Groslay par la brèche d'un mur, et vint à pas lents se reposer et réfléchir à son aise dans un cabinet pratiqué sous un kiosque[19] d'où l'on découvrait le chemin de Saint-Leu. L'allée étant sablée, la comtesse, qui était assise dans le petit salon, à l'étage supérieur de cette espèce de pavillon, n'entendit pas le colonel, car elle était trop préoccupée du succès de son affaire pour prêter la moindre attention au léger bruit que fit son mari. Le vieux soldat n'aperçut pas non plus sa femme au-dessus de lui dans le petit pavillon.

— Eh bien, monsieur Delbecq, a-t-il signé? demanda la comtesse à son intendant, qu'elle vit seul sur le chemin par-dessus la haie d'un saut-de-loup.[20]

— Non, madame. Je ne sais même pas ce que notre homme est devenu. Le vieux cheval s'est cabré.

— Il faudra donc finir par le mettre à Charenton, dit-elle, puisque nous le tenons.

Le colonel, qui retrouva l'élasticité de la jeunesse pour franchir le saut-de-loup, fut en un clin d'œil devant l'intendant, auquel il appliqua la plus belle paire de soufflets.

— Ajoute que les vieux chevaux savent ruer! lui dit-il.

Cette colère dissipée, le colonel ne se sentit plus la force de sauter le fossé. La vérité s'était montrée dans sa nudité. Le mot de la comtesse et la réponse de Delbecq avaient dévoilé le complot dont il allait être la victime. Les soins qui lui avaient été prodigués étaient une amorce pour le prendre dans un piège. Ce mot fut comme une

[17] *foudroyé = regardé avec colère*
[18] *émérite = achevé; parfait*
[19] *un kiosque* a small open pavilion
[20] *un saut-de-loup* a sunken fence—A large ditch, with a hedge in the bottom of it, which forms a barrier without obstructing the view. (Literally: large enough so that a wolf could not jump over it)

goutte de quelque poison subtil qui détermina chez le vieux soldat le retour de ses douleurs et physiques et morales. Il revint vers le kiosque par la porte du parc, en marchant lentement, comme un homme affaissé. Donc, ni paix ni trêve pour lui! Dès ce moment, il fallait commencer avec cette femme la guerre odieuse dont lui avait parlé Derville, entrer dans une vie de procès. Puis, pensée affreuse, où trouver l'argent nécessaire pour payer les frais? Il lui prit[21] un si grand dégoût de la vie, que, s'il avait eu de l'eau près de lui, il s'y serait jeté; que, s'il avait eu des pistolets, il se serait brûlé la cervelle.[22] Puis il retomba dans l'incertitude d'idées qui, depuis sa conversation avec Derville chez le nourrisseur, avait changé son moral. Enfin, arrivé devant le kiosque, il monta dans le petit salon où il trouva sa femme assise sur une chaise. La comtesse examinait le paysage et gardait une contenance pleine de calme en montrant cette impénétrable physionomie que savent prendre les femmes déterminées à tout. Néanmoins, malgré son assurance apparente, elle ne put s'empêcher de frissonner en voyant devant elle son vénérable bienfaiteur, debout, les bras croisés, la figure pâle, le front sévère.

— Madame, dit-il après l'avoir regardée fixement pendant un moment et l'avoir forcée à rougir, madame, je ne vous maudis pas, je vous méprise. Maintenant, je remercie le hasard qui nous a désunis. Je ne sens même pas un désir de vengeance, je ne vous aime plus. Je ne veux rien de vous. Vivez tranquille sur la foi de ma parole, elle vaut mieux que les griffonnages de tous les notaires de Paris. Je ne réclamerai jamais le nom que j'ai peut-être illustré.[23] Adieu . . .

La comtesse se jeta aux pieds du colonel, et voulut[24] le retenir en lui prenant les mains, mais il la repoussa avec dégoût en lui disant:

— Ne me touchez pas.

La comtesse fit un geste intraduisible lorsqu'elle entendit le bruit des pas de son mari. Puis, avec la profonde perspicacité que donne

[21] *Il lui prit* = *Il fut saisi d'* There came to him

[22] *il se serait brûlé la cervelle* = *il se serait tiré un coup de pistolet dans la tête* (Literally: he would have burned out his brains)

[23] *illustré* = *rendu célèbre*

[24] *voulut* = *essaya de*

une haute scélératesse ou le féroce égoïsme du monde, elle crut pouvoir vivre en paix sur la promesse et le mépris de ce loyal soldat.

VIII. Chabert disparut en effet.

Six mois après cet événement, Derville, qui n'entendait plus parler ni du colonel Chabert ni de la comtesse Ferraud, pensa qu'il[1] était survenu sans doute entre eux une transaction, que, par vengeance, la comtesse avait fait dresser[2] dans une autre étude. Alors, un matin, il supputa les sommes avancées au dit Chabert, y ajouta les frais, et pria la comtesse Ferraud de réclamer[3] à M. le comte Chabert le montant de ce mémoire,[4] en présumant qu'elle savait où se trouvait son premier mari.

Le lendemain même, l'intendant du comte Ferraud écrivit à Derville ce mot désolant:[5]

«Monsieur,

«Madame la comtesse Ferraud me charge de[6] vous prévenir que votre client avait complètement abusé de votre confiance, et que l'individu qui disait être le comte Chabert a reconnu avoir indûment pris de fausses qualités.[7]

«Agréez, etc.

«DELBECQ.»

— On rencontre des gens qui sont aussi, ma parole d'honneur! par trop bêtes,[8] s'écria Derville. Soyez donc humain, généreux, et philanthrope, vous vous faites enfoncer![9] Voilà une affaire qui me coûte plus de deux billets de mille francs.

Quelque temps après la réception de cette lettre, Derville cherchait au Palais un avocat auquel il voulait parler, et qui plaidait à la police correctionnelle.[10] Le hasard voulut[11] que Derville entrât à la sixième chambre[12] au moment où le président condamnait

[1] *il* there
[2] *avait fait dresser = avait fait rédiger* had had drafted
[3] *réclamer = demander instamment*
[4] *mémoire* bill
[5] *désolant* pitiful
[6] *me charge de = me donne la mission de*
[7] *qualités = titres*
[8] *par trop bêtes = trop stupides*
[9] *vous vous faites enfoncer = vous devenez la victime* you are done in
[10] *police correctionnelle* police court
[11] *voulut = décida* would have it
[12] *sixième chambre* police court VI (In large cities there are several police court judges, each presiding over a "*chambre*" or court.)

comme vagabond le nommé Hyacinthe à deux mois de prison, et ordonnait qu'il fût ensuite conduit au dépôt de mendicité[13] de Saint-Denis,[14] sentence qui équivaut à une détention perpétuelle. Au nom d'Hyacinthe, Derville regarda le délinquant assis entre deux gendarmes sur le banc des prévenus,[15] et reconnut, dans la personne du condamné, son faux colonel Chabert.

Le vieux soldat était calme, immobile, presque distrait.[16] Son regard avait une expression de stoïcisme qu'un magistrat n'aurait pas dû méconnaître;[17] mais, dès qu'un homme tombe entre les mains de la justice, il n'est plus qu'un être moral, une question de droit ou de fait, comme aux yeux des statisticiens il devient un chiffre. Quand le soldat fut reconduit au greffe[18] pour être emmené plus tard avec la fournée de vagabonds que l'on jugeait en ce moment, Derville usa du droit qu'ont les avoués d'entrer partout au Palais, l'accompagna au greffe et l'y contempla pendant quelques instants, ainsi que les curieux mendiants parmi lesquels il se trouvait. Le colonel Chabert s'assit au milieu de ces hommes à faces énergiques, silencieux par intervalles, ou causant à voix basse, car trois gendarmes se promenaient en faisant retentir leurs sabres sur le plancher.

— Me reconnaissez-vous? dit Derville au vieux soldat en se plaçant devant lui.

— Oui, monsieur, répondit Chabert en se levant.

— Si vous êtes un honnête homme, reprit Derville à voix basse, comment avez-vous pu rester mon débiteur?

Le vieux soldat rougit.

— Quoi! madame Ferraud ne vous a pas payé? s'écria-t-il à haute voix.

— Payé? . . . dit Derville. Elle m'a écrit que vous étiez un intrigant.

Le colonel leva les yeux par un sublime mouvement d'horreur et

[13] *dépôt de mendicité* workhouse (to which inveterate vagrants were sent, sometimes for the rest of their lives)

[14] A very old suburb of Paris, 5 miles to the north.

[15] *prévenus = accusés*

[16] *distrait* listless; inattentive

[17] *n'aurait pas dû méconnaître = aurait dû prendre en considération*

[18] *greffe* recorder's office; office of the court clerk

d'imprécation, comme pour en appeler au Ciel de cette tromperie nouvelle.

— Monsieur, dit-il, obtenez des gendarmes la faveur de me laisser entrer au bureau, je vais vous signer un mandat[19] qui sera certainement acquitté.[20]

Sur un mot dit par Derville au brigadier,[21] il lui fut permis d'emmener son client dans le bureau, où Hyacinthe écrivit quelques lignes adressées à la comtesse Ferraud.

— Envoyez cela chez elle, dit le soldat, et vous serez remboursé de vos frais et de vos avances. Croyez, monsieur, que, si je ne vous ai pas témoigné la reconnaissance que je vous dois pour vos bons offices, elle n'en est pas moins là, dit-il en se mettant la main sur le cœur. Oui, elle est là, pleine et entière. Mais que peuvent les malheureux? Ils aiment, voilà tout.

— Comment, lui dit Derville, n'avez-vous pas stipulé pour vous quelque rente?

— Ne me parlez pas de cela! répondit le vieux militaire. Vous ne pouvez pas savoir jusqu'où va mon mépris pour cette vie extérieure à laquelle tiennent la plupart des hommes. J'ai subitement été pris d'une maladie, le dégoût de l'humanité. Quand je pense que Napoléon est à Sainte-Hélène,[22] tout ici-bas m'est indifférent. Je ne puis plus être soldat, voilà tout mon malheur. Enfin, ajouta-t-il en faisant un geste plein d'enfantillage, il vaut mieux avoir du luxe dans ses sentiments que sur ses habits. Je ne crains, moi, le mépris de personne.

Et le colonel alla se remettre sur son banc.

Derville sortit. Quand il revint à son étude, il envoya Godeschal, alors son second clerc, chez la comtesse Ferraud, qui, à la lecture du billet, fit immédiatement payer la somme due à l'avoué du comte Chabert.

En 1840,[23] vers la fin du mois de juin, Godeschal, devenu

[19] *un mandat = un billet* an order; a note

[20] *acquitté = payé*

[21] *brigadier* sergeant (in the State police)

[22] Napoleon I was a prisoner on St. Helena from 1815 to the date of his death in 1821. The island is situated in the Atlantic between southwest Africa and Brazil.

[23] This novel was written in 1832, and Balzac had first given that date

avoué, allait à Ris,[24] en compagnie de Derville, son prédécesseur. Lorsqu'ils parvinrent à l'avenue qui conduit de la grande route à Bicêtre,[25] ils aperçurent sous un des ormes du chemin un de ces vieux pauvres chenus et cassés qui ont obtenu le bâton de maréchal[26] des mendiants. Ce vieillard avait une physionomie attachante.[27] Il était vêtu de cette robe de drap rougeâtre que l'hospice accorde à ses hôtes, espèce de livrée[28] horrible.

— Tenez, Derville, dit Godeschal à son compagnon de voyage, voyez donc ce vieux. Et cela vit, et cela est heureux peut-être!

Derville prit son lorgnon, regarda le pauvre, laissa échapper un mouvement de surprise et dit:

— Ce vieux-là, mon cher, est tout un poème. As-tu rencontré quelquefois la comtesse Ferraud?

— Oui, c'est une femme d'esprit et très agréable; mais un peu trop dévote, dit Godeschal.

— Ce vieux bicêtrien[29] est son mari légitime, le comte Chabert, l'ancien colonel; elle l'aura sans doute fait placer là.

Ce début ayant excité la curiosité de Godeschal, Derville lui raconta l'histoire qui précède. Deux jours après, en revenant à Paris, les deux amis jetèrent un coup d'œil sur Bicêtre, et Derville proposa d'aller voir le colonel Chabert. A moitié chemin de l'avenue, les deux amis trouvèrent assis sur la souche d'un arbre abattu le vieillard, qui tenait à la main un bâton et s'amusait à tracer des raies sur le sable.

— Bonjour, colonel Chabert, lui dit Derville.

— Pas Chabert! pas Chabert! je me nomme Hyacinthe, répondit le vieillard. Je ne suis plus un homme, je suis le numéro 164, septième salle, ajouta-t-il en regardant Derville avec une anxiété peureuse, avec une crainte de vieillard et d'enfant.—Vous allez

for this episode. In a later edition, however, he changed it to 1840, placing these events about 25 years later than those related before.

[24] *Ris* or *Ris-Orangis* is a small town about 16 miles south of Paris.

[25] *Bicêtre* is a suburb of Paris on the way to Ris-Orangis. It is famous for its asylum for aged and insane men. The name is supposed to be a corruption of Winchester. The establishment was founded in 1285 by Jean de Pontoise, Bishop of Winchester.

[26] *le bâton de maréchal des = le plus haut titre parmi* (A baton was the insignia of the highest ranking officer—the Marshal)

[27] *attachante = attirante; intéressante*

[28] *livrée = uniforme* (usually for servants)

[29] *bicêtrien* inmate (of Bicêtre)

voir le condamné à mort? dit-il après un moment de silence. Il n'est pas marié, lui! Il est bien heureux.

— Pauvre homme, dit Godeschal. Voulez-vous de l'argent pour acheter du tabac?

Avec toute la naïveté d'un gamin de Paris, le colonel tendit avidement la main à chacun des deux inconnus, qui lui donnèrent une pièce de vingt francs; il les remercia par un regard stupide, en disant:

— Braves troupiers!

Il se mit au port d'armes,[30] feignit de les coucher en joue,[31] et s'écria en souriant:

— Feu des deux pièces![32] vive Napoléon!

Et il décrivit en l'air avec sa canne une arabesque[33] imaginaire.

— Le genre de sa blessure l'aura fait tomber en enfance,[34] dit Derville.

— Lui en enfance! s'écria un vieux bicêtrien qui les regardait. Ah! il y a des jours où il ne faut pas lui marcher sur le pied. C'est un vieux malin[35] plein de philosophie et d'imagination. Monsieur, en 1820, il était déjà ici. Un jour, un officier prussien vint à passer à pied. Nous étions nous deux, Hyacinthe et moi, sur le bord de la route. Cet officier causait en marchant avec un autre, lorsqu'en voyant l'ancien,[36] le Prussien, histoire de blaguer,[37] lui dit: «Voilà un vieux voltigeur[38] qui devait être à Rosbach.[39]—J'étais trop jeune pour y être, lui répondit-il; mais j'ai été assez vieux pour me trouver à Iéna.»[40] Pour lors,[41] le Prussien a filé, sans faire d'autres questions.

[30] *au port d'armes* at shoulder arms

[31] *coucher en joue = viser* to aim at

[32] The word "*pièces*" offers a pun with its double meaning of "piece of artillery" and "piece of money." The pun is continued with the "*vive Napoléon*" since a Napoleon is also a coin and Chabert has just received two of them.

[33] *une arabesque* a flourish

[34] *enfance* second childhood; dotage

[35] *un vieux malin* a shrewd old fellow

[36] *l'ancien = le vieux soldat* (Chabert)

[37] *histoire de blaguer = pour s'amuser*

[38] *voltigeur* light infantryman

[39] *Rosbach* or *Rossbach* is a village in Saxony where the Prussian Army of Frederick the Great defeated the French and Austrians in 1757, therefore 63 years before this episode of our story takes place.

[40] *Iéna,* in central Germany, is the site of a famous victory of Napoleon over the Prussians, in 1806.

[41] *Pour lors = Alors; Après cela*

— Quelle destinée! s'écria Derville. Sorti de l'hospice des *Enfants trouvés*,[42] il revient mourir à l'hospice de la *Vieillesse*, après avoir, dans l'intervalle, aidé Napoléon à conquérir l'Égypte et l'Europe. —Savez-vous, mon cher, reprit Derville après une pause, qu'il existe dans notre société trois hommes, le prêtre, le médecin et l'homme de justice, qui ne peuvent pas estimer le monde? Ils ont des robes noires, peut-être parce qu'ils portent le deuil de toutes les vertus, de toutes les illusions. Le plus malheureux des trois est l'avoué. Quand l'homme vient trouver le prêtre, il arrive poussé par le repentir, par le remords, par des croyances qui le rendent intéressant, qui le grandissent, et consolent l'âme du médiateur. Mais, nous autres avoués,[43] nous voyons se répéter les mêmes sentiments mauvais, rien ne les corrige, nos études sont des égouts qu'on ne peut pas curer. Combien de choses n'ai-je pas apprises en exerçant ma charge![44] J'ai vu mourir un père dans un grenier, sans sou ni maille,[45] abandonné par deux filles auxquelles il avait donné quarante mille livres de rente![46] J'ai vu brûler des testaments; j'ai vu des mères dépouillant leurs enfants, des maris volant leurs femmes, des femmes tuant leurs maris. Je ne puis vous dire tout ce que j'ai vu, car j'ai vu des crimes contre lesquels la justice est impuissante. Enfin, toutes les horreurs que les romanciers croient inventer sont toujours au-dessous de la vérité. Vous allez connaître ces jolies choses-là, vous; moi, je vais vivre à la campagne avec ma femme. Paris me fait horreur.[47]

[42] Chabert was a foundling.

[43] *nous autres avoués* attorneys like ourselves ("*autres*" has merely an emphatic value)

[44] *ma charge = ma profession*

[45] *maille* a copper (an old copper coin of very little value)

[46] Such a situation was developed by Balzac in one of his most famous novels: "*Le Père Goriot.*"

[47] *Paris me fait horreur* I loathe Paris

## QUESTIONNAIRE

### I

1. A quelle heure le Colonel Chabert s'est-il présenté chez Derville?
2. A qui donne-t-on le titre de "maître"?
3. Pourquoi Derville travaille-t-il à cette heure tardive?
4. Pourquoi Derville est-il resté stupéfait en voyant son nouveau client?
5. Faites la description physique du colonel.
6. Qu'est-il arrivé lorsque Chabert s'est découvert?
7. Pourquoi Derville a-t-il cru avoir affaire à un fou?
8. Qu'est-il arrivé au colonel pendant la bataille d'Eylau?
9. Pourquoi Chabert a-t-il été laissé pour mort sur le terrain?
10. Qu'avait-on fait de son corps?

### II

1. Dans quelle situation Chabert s'est-il trouvé lorsqu'il est revenu à lui?
2. Qu'a-t-il dû faire pour tâcher de sortir de la fosse?
3. Pourquoi les paysans allemands se sauvaient-ils en l'entendant?
4. Par qui a-t-il été sauvé?
5. Qui s'est intéressé à lui à l'hôpital?
6. Quelles pièces importantes a-t-on fait établir?
7. Qu'a fait Chabert après être sorti de l'hôpital?
8. Qu'est-ce qui lui est arrivé à Stuttgart?
9. De quoi souffre surtout le colonel?
10. Quel procès Chabert veut-il intenter?
11. Qu'est-ce que maître Derville promet de faire?
12. A quelle époque Chabert est-il rentré dans Paris?
13. Par quels changements a-t-il été bouleversé?
14. Comment a-t-il été reçu par un jeune avocat?
15. Qu'a-t-il fait pour revoir sa femme?

### III

1. Pourquoi l'affaire du colonel est-elle grave?
2. Quel avis Derville a-t-il donné?
3. Quelle preuve d'intérêt et de générosité Derville a-t-il donnée à Chabert?
4. Derville est-il absolument convaincu de la véracité de son client?
5. Quels documents sont arrivés d'Allemagne?
6. Qu'est-ce que Derville apprend concernant la liquidation de la succession Chabert?

7. Où Chabert demeurait-il à Paris?
8. Décrivez l'installation du nourrisseur Vergniaud.
9. D'où est sorti le colonel?
10. Quelle impression faisait-il sur les enfants?

IV

1. Décrivez la chambre du colonel.
2. Comment Chabert passait-il le temps?
3. Pourquoi préférait-il habiter chez les Vergniaud?
4. Quelles bonnes nouvelles Derville apporte-t-il?
5. Quelles difficultés prévoit-il?
6. Comment la fortune à laquelle Chabert a droit est-elle réduite à trois cent mille francs?
7. Que conseille Derville?
8. Pourquoi Chabert veut-il aller au pied de la colonne Vendôme?
9. Qu'est-ce que Derville exige de son client?
10. Dans quel état d'esprit Chabert reste-t-il après cette entrevue?

V

1. Quel reproche Derville fait-il au nourrisseur?
2. Quelle explication Vergniaud lui donne-t-il?
3. Comment le colonel avait-il vexé Vergniaud?
4. Comment Derville va-t-il aider le brave homme?
5. Comment Derville pense-t-il pouvoir influencer la comtesse Ferraud?
6. Comment le comte Ferraud pourrait-il devenir pair de France?
7. Décrivez la salle où Derville a trouvé la comtesse.
8. Qu'est-ce que la comtesse a nié tout d'abord?
9. Comment s'est-elle laissé prendre à une ruse de Derville?
10. Pourquoi ne craint-elle pas un procès?
11. De quoi Derville menace-t-il Mme Ferraud?
12. La comtesse était-elle prête à accepter une transaction?

VI

1. Comment Chabert était-il vêtu lors de l'entrevue chez Derville?
2. Comment Derville avait-il arrangé cette réunion dans son étude?
3. Quelles sont les conditions que Derville propose à la comtesse?
4. Quelle objection la comtesse a-t-elle faite?
5. Comment la colère du colonel s'est-elle manifestée?
6. Pourquoi la comtesse est-elle sortie brusquement de l'étude?
7. Pourquoi Derville est-il mécontent?
8. Quelle nouvelle attitude la comtesse prend-elle en abordant Chabert dans l'escalier?

9. Quelles excuses offre-t-elle de son attitude précédente?
10. Où emmène-t-elle Chabert et pourquoi?
11. Qu'est-ce que la comtesse espère obtenir du colonel?
12. Quel est l'état d'esprit de Chabert?

## VII

1. A Groslay, comment la comtesse traite-t-elle son premier mari?
2. Quelle comédie joue-t-elle?
3. A quelle résolution Chabert était-il arrivé?
4. Qu'est-ce qui a contribué à l'affermir dans sa décision?
5. Quelle sorte d'existence voudrait-il mener?
6. Qu'est-ce que Delbecq a voulu lui faire signer?
7. Comment le colonel s'est-il aperçu de la duplicité de la comtesse?
8. Quel a été l'effet de cette révélation sur Chabert?
9. Qu'a-t-il déclaré à la comtesse?
10. Qu'a pensé la comtesse après le départ du colonel?

## VIII

1. Comment Derville s'expliquait-il le silence de Chabert et de la comtesse?
2. Quelle réponse a-t-il reçue de Mme Ferraud?
3. Dans quelles circonstances Derville a-t-il revu Chabert?
4. Quelles sont maintenant les idées du colonel?
5. Où et combien d'années plus tard Derville a-t-il une dernière fois retrouvé Chabert?
6. Comment le colonel s'est-il comporté envers l'avoué?
7. Qu'est-ce qu'un vieux bicêtrien pense de Chabert?
8. Pourquoi Derville pense-t-il que les prêtres, les médecins et les hommes de justice deviennent inévitablement pessimistes?
9. Que dit-il avoir vu en exerçant sa charge d'avoué?
10. Pourquoi Derville a-t-il horreur de Paris?

# CHARLES BAUDELAIRE

## Harmonie du Soir

Voici venir les temps où vibrant sur sa tige
Chaque fleur s'évapore ainsi qu'un encensoir;
Les sons et les parfums tournent dans l'air du soir;
Valse mélancolique et langoureux vertige!

Chaque fleur s'évapore ainsi qu'un encensoir;
Le violon frémit comme un cœur qu'on afflige;
Valse mélancolique et langoureux vertige!
Le ciel est triste et beau comme un grand reposoir.

Le violon frémit comme un cœur qu'on afflige,
Un cœur tendre, qui hait le néant vaste et noir!
Le ciel est triste et beau comme un grand reposoir;
Le soleil s'est noyé dans son sang qui se fige . . .

Un cœur tendre, qui hait le néant vaste et noir,
Du passé lumineux recueille tout vestige!
Le soleil s'est noyé dans son sang qui se fige . . .
Ton souvenir en moi luit comme un ostensoir!

[*For notes on this and the next four poems see pages 247-9.*]

## La cloche fêlée

Il est amer et doux, pendant les nuits d'hiver,
D'écouter, près du feu qui palpite et qui fume,
Les souvenirs lointains lentement s'élever
Au bruit des carillons qui chantent dans la brume.

Bienheureuse la cloche au gosier vigoureux
Qui, malgré sa vieillesse, alerte et bien portante,
Jette fidèlement son cri religieux,
Ainsi qu'un vieux soldat qui veille sous la tente!

Moi, mon âme est fêlée, et lorsqu'en ses ennuis
Elle veut de ses chants peupler l'air froid des nuits,
Il arrive souvent que sa voix affaiblie

Semble le râle épais d'un blessé qu'on oublie
Au bord d'un lac de sang, sous un grand tas de morts,
Et qui meurt, sans bouger, dans d'immenses efforts!

## PAUL VERLAINE

### La lune blanche . . .

La lune blanche
Luit dans les bois;
De chaque branche
Part une voix
Sous la ramée . . .

O bien-aimée.

L'étang reflète,
Profond miroir,
La silhouette
Du saule noir
Où le vent pleure . . .

Rêvons, c'est l'heure.

Un vaste et tendre
Apaisement
Semble descendre
Du firmament
Que l'astre irise . . .

C'est l'heure exquise.

## Il pleure dans mon cœur . . .

Il pleure dans mon cœur
Comme il pleut sur la ville,
Quelle est cette langueur
Qui pénètre mon cœur?

O bruit doux de la pluie
Par terre et sur les toits!
Pour un cœur qui s'ennuie
O le chant de la pluie!

Il pleure sans raison
Dans ce cœur qui s'écœure.
Quoi! nulle trahison?
Ce deuil est sans raison.

C'est bien la pire peine
De ne savoir pourquoi,
Sans amour et sans haine,
Mon cœur a tant de peine.

## Le ciel est par-dessus le toit . . .

Le ciel est, par-dessus le toit,
  Si bleu, si calme!
Un arbre, par-dessus le toit,
  Berce sa palme.

La cloche, dans le ciel qu'on voit,
  Doucement tinte.
Un oiseau sur l'arbre qu'on voit
  Chante sa plainte.

Mon Dieu, mon Dieu, la vie est là,
  Simple et tranquille.
Cette paisible rumeur-là
  Vient de la ville.

—Qu'as-tu fait, ô toi que voilà
  Pleurant sans cesse,
Dis, qu'as-tu fait, toi que voilà,
  De ta jeunesse?

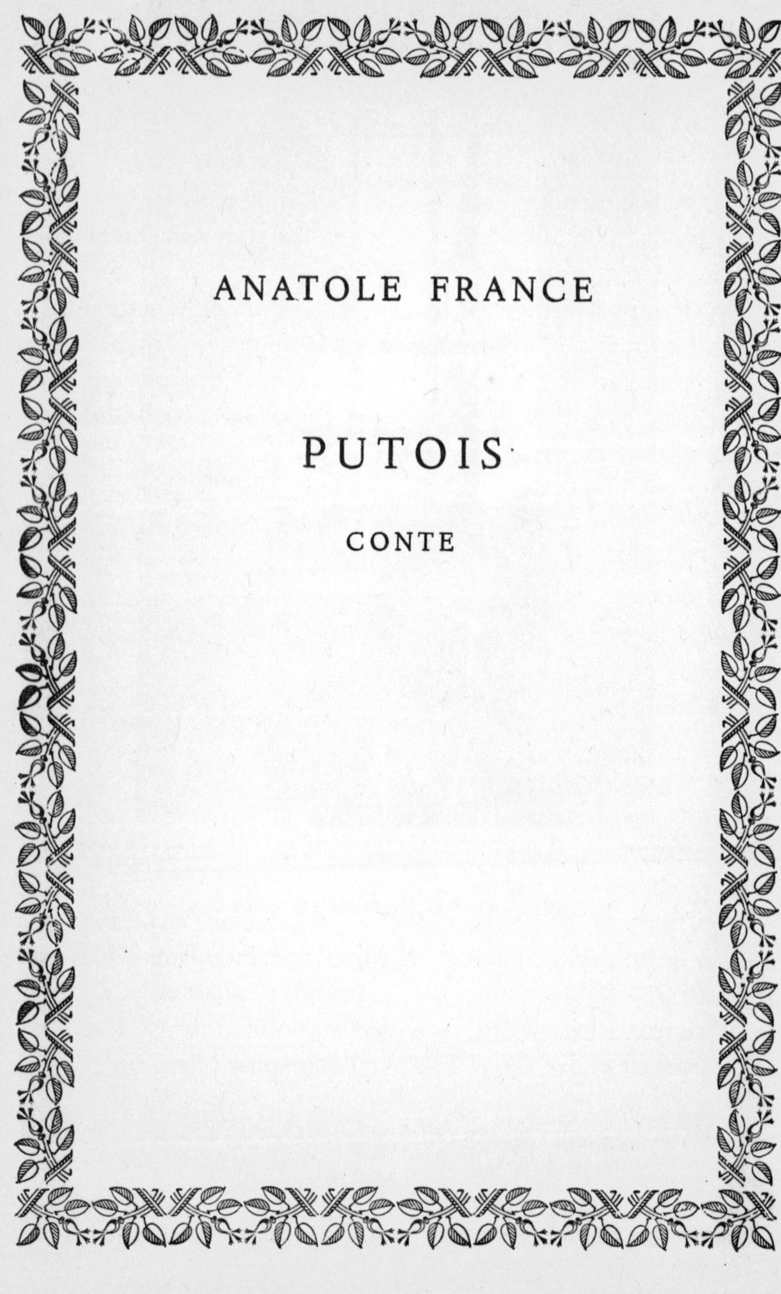

ANATOLE FRANCE

# PUTOIS

CONTE

## I

—CE JARDIN de notre enfance, dit M. Bergeret, ce jardin qu'on parcourait tout entier en vingt pas, fut pour nous un monde immense, plein de sourires et d'épouvantes.

— Lucien, tu te rappelles Putois? demanda Zoé en souriant à[1] sa coutume, les lèvres closes et le nez sur son ouvrage d'aiguille.

— Si je me rappelle[2] Putois! . . . De toutes les figures qui passèrent devant mes yeux quand j'étais enfant, celle de Putois est restée la plus nette dans mon souvenir. Tous les traits de son visage et de son caractère me sont présents à la mémoire. Il avait le crâne pointu . . .

— Le front bas, ajouta mademoiselle Zoé.

Et le frère et la sœur récitèrent alternativement, d'une voix monotone, avec une gravité baroque, les articles[3] d'une sorte de signalement:[4]

— Le front bas.

— Les yeux vairons.

— Le regard fuyant.

— Une patte d'oie[5] à la tempe.

— Les pommettes aiguës, rouges et luisantes.

— Ses oreilles n'étaient point ourlées.[6]

— Les traits de son visage étaient dénués de toute expression.

— Ses mains, toujours en mouvement, trahissaient seules sa pensée.

— Maigre, un peu voûté, débile en apparence . . .

— Il était en réalité d'une force peu commune.[7]

[1] *à = selon*

[2] *Si je me rappelle = Comment peux-tu me demander si je me rappelle* Do I recall

[3] *articles = détails* items

[4] *signalement = description (d'un criminel que la police recherche)*

[5] *patte d'oie* crow's-foot (literally: goose's foot)

[6] *point ourlées = sans hélix; plates* (literally: not hemmed)

[7] *peu commune* uncommon—*Peu* when preceding an adjective has a negative value

— Il ployait facilement une pièce de cent sous[8] entre l'index et le pouce . . .

— Qu'il avait énorme.

— Sa voix était traînante . . .

— Et sa parole mielleuse.

Tout à coup M. Bergeret s'écria vivement:

— Zoé! nous avons oublié «les cheveux jaunes et le poil rare.» Recommençons.

Pauline, qui avait entendu avec surprise cette étrange récitation, demanda à son père et à sa tante comment ils avaient pu apprendre par cœur ce morceau de prose, et pourquoi ils le récitaient comme une litanie.[9]

M. Bergeret répondit gravement:

— Pauline, ce que tu viens d'entendre est un texte consacré, je puis dire liturgique, à l'usage de la famille Bergeret. Il convient qu'il te soit transmis,[10] pour qu'il ne périsse pas avec ta tante et moi. Ton grand-père, ma fille, ton grand-pére Éloi Bergeret, qu'on n'amusait pas avec des niaiseries, estimait ce morceau, principalement en considération de son origine. Il l'intitula: «l'Anatomie de Putois.»

— Je ne comprends pas du tout, dit Pauline.

— C'est faute de[11] connaître Putois, ma fille. Il faut que tu saches que Putois fut la figure la plus familière à mon enfance et à celle de ta tante Zoé. Dans la maison de ton grand-père Bergeret on parlait sans cesse de Putois. Chacun à son tour le croyait voir.[12]

Pauline demanda:

— Qu'est-ce que c'était que Putois?

Au lieu de répondre, M. Bergeret se mit à rire, et mademoiselle Bergeret aussi rit, les lèvres closes.

Pauline portait son regard[13] de l'un à l'autre. Elle trouvait étrange que sa tante rît de si bon cœur, et plus étrange encore qu'elle rît d'accord et en sympathie avec son frère. C'était singulier

[8] *cent sous* = *cinq francs* (one dollar at the time of the story)

[9] *litanie* litany—A form of responsive prayer in public worship in which the same thing is repeated several times at intervals

[10] *transmis* handed down

[11] *faute de* for lack of

[12] *le croyait voir* (archaic) = *croyait le voir*

[13] *portait son regard* = *promenait son regard* cast her eyes; glanced

en effet, car le frère et la sœur n'avaient pas le même tour d'esprit.

— Papa, dis-moi ce que c'était que Putois. Puisque tu veux que je le sache, dis-le-moi.

— Putois, ma fille, était jardinier. Fils d'honorables cultivateurs artésiens,[14] il s'établit pépiniériste à Saint-Omer. Mais il ne contenta pas sa clientèle et fit de mauvaises affaires.[15] Ayant quitté son commerce, il allait en journée.[16] Ceux qui l'employaient n'eurent pas toujours à se louer de lui.[17]

A ces mots, mademoiselle Bergeret, riant encore:

— Tu te rappelles, Lucien: quand notre père ne trouvait plus sur son bureau son encrier, ses plumes, sa cire, ses ciseaux, il disait: «Je soupçonne Putois d'avoir passé par ici.»

— Ah! dit M. Bergeret, Putois n'avait pas une bonne réputation.

— C'est tout? demanda Pauline.

— Non, ma fille, ce n'est pas tout. Putois eut ceci de remarquable,[18] qu'il nous était connu, familier, et que pourtant . . .

— . . . il n'existait pas, dit Zoé.

M. Bergeret regarda sa sœur d'un air de reproche:

— Quelle parole,[19] Zoé! et pourquoi rompre ainsi le charme? Putois n'existait pas. L'oses-tu dire, Zoé? Zoé, le pourrais-tu soutenir? Pour affirmer que Putois n'exista point, que Putois ne fut jamais, as-tu assez considéré les conditions de l'existence et les modes de l'être?[20] Putois existait, ma sœur. Mais il est vrai que c'était d'une existence particulière.

— Je comprends de moins en moins, dit Pauline découragée.

— La vérité t'apparaîtra clairement tout à l'heure, ma fille. Apprends que Putois naquit dans la maturité de l'âge. J'étais encore enfant, ta tante était déjà fillette. Nous habitions une petite maison, dans un faubourg de Saint-Omer. Nos parents y menaient une vie tranquille et retirée, jusqu'à ce qu'ils fussent découverts par une

[14] *artésiens = de l'Artois—Artois* is a province in the northwest of France. *Saint-Omer* is one of its main cities

[15] *fit de mauvaises affaires* made out poorly

[16] *il allait en journée* he hired out by the day

[17] *à se louer de lui = des raisons d'être contents de lui*

[18] *eut ceci de remarquable = offrit cette particularité remarquable*

[19] *Quelle parole! = Comment peux-tu dire cela?* What kind of talk is that?

[20] *l'être = la vie; le fait de vivre*

vieille dame audomaroise,[21] nommée madame Cornouiller, qui vivait dans son manoir de Monplaisir, à cinq lieues[22] de la ville, et qui se trouva être[23] une grand'tante de ma mère. Elle usa d'un droit de parenté pour exiger que notre père et notre mère vinssent dîner tous les dimanches à Monplaisir, où ils s'ennuyaient excessivement. Elle disait qu'il était honnête[24] de dîner en famille le dimanche et que seuls les gens mal nés[25] n'observaient pas cet ancien usage. Mon père pleurait d'ennui à Monplaisir. Son désespoir faisait peine[26] à voir. Mais madame Cornouiller ne le voyait pas. Elle ne voyait rien. Ma mère avait plus de courage. Elle souffrait autant que mon père, et peut-être davantage, et elle souriait.

—Les femmes sont faites pour souffrir, dit Zoé.

—Zoé, tout ce qui vit au monde est destiné à la souffrance. En vain nos parents refusaient ces funestes invitations. La voiture de madame Cornouiller venait les prendre chaque dimanche, après midi. Il fallait aller à Monplaisir; c'était une obligation à laquelle il était absolument interdit de se soustraire. C'était un ordre établi, que la révolte pouvait seule rompre. Mon père enfin se révolta, et jura de ne plus accepter une seule invitation de madame Cornouiller, laissant à ma mère le soin de trouver à ces refus des prétextes décents et des raisons variées. C'est ce dont elle était le moins capable. Notre mère ne savait pas feindre.

—Dis, Lucien, qu'elle ne voulait pas. Elle aurait pu mentir comme les autres.[27]

—Il est vrai de dire que lorsqu'elle avait de bonnes raisons, elle les donnait plutôt que d'en inventer de mauvaises. Tu te rappelles, ma sœur, qu'il lui arriva un jour de dire, à table: «Heureusement que Zoé a[28] la coqueluche: nous n'irons pas de longtemps[29] à Monplaisir.»

[21] *audomaroise = habitant Saint-Omer*
[22] *lieues* leagues—The *"lieue"* here referred to measures two miles and a half
[23] *se trouva être* turned out to be
[24] *honnête = convenable* proper
[25] *mal nés* disreputable
[26] *faisait peine = était pénible*
[27] *comme les autres* like anybody else
[28] *Heureusement que Zoé a* (emphatic form) = *Zoé a heureusement*
[29] *de longtemps = pendant longtemps; pour longtemps*

— C'est pourtant vrai! dit Zoé.

— Tu guéris, Zoé. Et madame Cornouiller vint dire un jour, à notre mère: «Ma mignonne, je compte bien que vous viendrez avec votre mari dîner dimanche à Monplaisir.» Notre mère, chargée[30] expressément par son mari de présenter à madame Cornouiller un valable[31] motif de refus, imagina, en cette extrémité, une raison qui n'était pas véritable. «Je regrette vivement, chère madame. Mais cela nous sera impossible. Dimanche, j'attends le jardinier.»

»A cette parole, madame Cornouiller regarda, par la porte-fenêtre du salon, le petit jardin sauvage, où les fusains et les lilas avaient tout l'air d'ignorer[32] la serpe et de devoir l'ignorer toujours. «Vous attendez le jardinier! Pourquoi?—Pour travailler au jardin.»

»Et ma mère, ayant tourné involontairement les yeux sur ce carré d'herbes folles et de plantes à demi sauvages, qu'elle venait de nommer un jardin, reconnut avec effroi l'invraisemblance de son invention. «Cet homme, dit madame Cornouiller, pourra bien venir travailler à votre . . . jardin lundi ou mardi. D'ailleurs, cela vaudra mieux. On ne doit pas travailler le dimanche.—Il est occupé dans la semaine.»

»J'ai remarqué souvent que les raisons les plus absurdes et les plus saugrenues sont les moins combattues:[33] elles déconcertent l'adversaire. Madame Cornouiller insista, moins qu'on ne pouvait l'attendre d'une personne aussi peu disposée qu'elle à démordre.[34] En se levant de dessus son fauteuil, elle demanda: «Comment l'appelez-vous, ma mignonne, votre jardinier?—Putois», répondit ma mère sans hésitation.

»Putois était nommé. Dès lors[35] il exista. Madame Cornouiller s'en alla en ronchonnant: «Putois! Il me semble bien que je connais ça. Putois? Putois! Je ne connais que lui.[36] Mais je ne me rappelle pas . . . Où demeure-t-il?—Il travaille en journées. Quand on a

[30] *chargée = ayant reçu la mission* directed

[31] *valable = acceptable*

[32] *avaient tout l'air d'ignorer = semblaient bien n'avoir jamais connu*

[33] *les moins combattues* the least contested

[34] *démordre* give up; yield

[35] *Dès lors = Dès (à partir de) ce moment-là*

[36] *Je ne connais que lui = Je le connais certainement*

besoin de lui, on le luit fait dire[37] chez l'un ou chez l'autre.—Ah! je le pensais bien: un fainéant et un vagabond . . . un rien du tout. Méfiez-vous de lui, ma mignonne.»

»Putois avait désormais un caractère.»

## II

MM. Goubin et Jean Marteau étant survenus, M. Bergeret les mit au point[1] de la conversation:

— Nous parlions de celui qu'un jour ma mère fit naître jardinier[2] à Saint-Omer et nomma par son nom. Dès lors il agit.

— Cher maître, voudriez-vous répéter? dit M. Goubin en essuyant le verre de son lorgnon.

— Volontiers, répondit M. Bergeret. Il n'y avait pas de jardinier. Le jardinier n'existait pas. Ma mère dit: «J'attends le jardinier.» Aussitôt le jardinier fut.[3] Et il agit.

— Cher maître, demanda M. Goubin, comment agit-il, puisqu'il n'existait pas?

— Il avait une sorte d'existence, répondit M. Bergeret.

— Vous voulez dire une existence imaginaire, répliqua dédaigneusement M. Goubin.

— N'est-ce donc rien qu'une existence imaginaire?[4] s'écria le maître. Et les personnages mythiques ne sont-ils donc pas capables d'agir sur les hommes? Réfléchissez sur la mythologie, monsieur Goubin, et vous vous apercevrez que ce sont, non point des êtres réels, mais des êtres imaginaires qui exercent sur les âmes l'action la plus profonde et la plus durable. Partout et toujours des êtres, qui n'ont pas plus de réalité que Putois, ont inspiré aux peuples la haine et l'amour, la terreur et l'espérance, conseillé des crimes, reçu des offrandes, fait les mœurs et les lois. Monsieur Goubin, réfléchissez sur l'éternelle mythologie. Putois est un personnage mythique, des plus obscurs,[5] j'en conviens, et de la plus basse

[37] *on le lui fait dire* = *on envoie quelqu'un le lui dire*

[1] *les mit au point* = *leur expliqua le sujet*

[2] *fit naître jardinier* created in the capacity of a gardener

[3] *fut* = *exista*

[4] *N'est-ce donc rien qu'une existence imaginaire?* (emphatic form) = *Une existence imaginaire n'est-elle donc rien?*

[5] *des plus obscurs* = *un des plus obscurs*

espèce. Le grossier satyre, assis jadis à la table de nos paysans du Nord, fut jugé digne de paraître dans un tableau de Jordaëns[6] et dans une fable de La Fontaine. Le fils velu de Sycorax entra dans le monde sublime de Shakespeare.[7] Putois, moins heureux, sera toujours méprisé des artistes et des poètes. Il lui manque la grandeur et l'étrangeté, le style et le caractère. Il naquit dans des esprits trop raisonnables, parmi des gens qui savaient lire et écrire et n'avaient point cette imagination charmante qui sème les fables. Je pense, messieurs, que j'en ai dit assez pour vous faire connaître la véritable nature de Putois.

— Je la conçois, dit M. Goubin.

Et M. Bergeret poursuivit son discours:

— Madame Cornouiller, qui, prévenue[8] contre lui, l'avait tout de suite soupçonné d'être un fainéant, un ivrogne et un voleur, réfléchit que puisque ma mère l'employait, elle qui n'était pas riche, c'était qu'il[9] se contentait de peu, et elle se demanda si elle n'aurait pas avantage à le faire travailler préférablement à son jardinier qui avait meilleur renom, mais aussi plus d'exigences. On entrait dans la saison de tailler les ifs. Elle pensa que si madame Éloi Bergeret, qui était pauvre, ne donnait pas grand'chose[10] à Putois, elle-même, qui était riche, lui donnerait moins encore, puisque c'est l'usage que les riches payent moins cher que les pauvres. Et elle voyait déjà ses ifs taillés en murailles, en boules et en pyramides, sans qu'elle y fît grande dépense. «J'aurai l'œil, se dit-elle, à ce que[11] Putois ne flâne point et ne me vole point. Je ne risque rien et ce sera tout profit. Ces vagabonds travaillent quelquefois avec plus d'adresse que les ouvriers honnêtes.» Elle résolut d'en faire l'essai et dit à ma mère: «Mignonne, envoyez-moi Putois. Je le ferai travailler à Monplaisir.» Ma mère le lui promit. Elle l'eût[12] fait volontiers. Mais vraiment ce n'était pas possible. Madame

[6] This refers to "The Satyr and the Peasant", a painting by the Flemish painter Jordaens (1593-1678). The artist found his inspiration in a fable of Æsop. The same subject is also treated in a fable of the famous fabulist La Fontaine.

[7] Caliban, in Shakespeare's *The Tempest,* is the son of Sycorax.

[8] *prévenue* prejudiced

[9] *c'était qu'il = la raison était qu'il*

[10] *pas grand'chose* not much

[11] *J'aurai l'œil . . . à ce que = Je ferai bien attention que* I'll see to it that

[12] *l'eût = l'aurait*

Cornouiller attendit Putois à Monplaisir, et l'attendit en vain. Elle avait de la suite dans les idées[13] et de la constance dans ses projets. Quand elle revit ma mère, elle se plaignit à elle de n'avoir pas de nouvelles de Putois. «Mignonne, vous ne lui avez donc pas dit que je l'attendais?—Si! mais il est étrange, bizarre . . . —Oh! je connais ce genre-là. Je le sais par cœur[14] votre Putois. Mais il n'y a pas d'ouvrier assez lunatique pour refuser de venir travailler à Monplaisir. Ma maison est connue, je pense. Putois se rendra à[15] mes ordres, et lestement, ma mignonne. Dites-moi seulement où il loge; j'irai moi-même le trouver.» Ma mère répondit qu'elle ne savait pas où logeait Putois, qu'on ne lui connaissait pas de domicile, qu'il était sans feu ni lieu.[16] «Je ne l'ai pas revu, madame. Je crois qu'il se cache.» Pouvait-elle mieux dire?

»Madame Cornouiller pourtant ne l'écouta pas sans défiance;[17] elle la soupçonna de circonvenir Putois, de le soustraire aux recherches, dans la crainte de le perdre ou de le rendre plus exigeant. Et elle la jugea vraiment trop égoïste. Beaucoup de jugements acceptés par tout le monde, et que l'histoire a consacrés, sont aussi bien fondés que celui-là.

— C'est pourtant vrai, dit Pauline.

— Qu'est-ce qui est vrai? demanda Zoé, à demi sommeillant.

— Que les jugements de l'histoire sont souvent faux. Je me souviens, papa, que tu as dit un jour: «Madame Roland[18] était bien naïve d'en appeler à l'impartiale postérité et de ne pas s'apercevoir que, si ses contemporains étaient de mauvais singes, leur postérité serait aussi composée de mauvais singes.»

— Pauline, demanda sévèrement mademoiselle Zoé, quel rapport y a-t-il entre l'histoire de Putois et ce que tu nous contes là?

— Un très grand, ma tante.

— Je ne le saisis pas.

[13] *de la suite dans les idées = un esprit logique*

[4] *Je le sais par cœur* I know all about him

[15] *se rendra à = obéira à*

[16] *sans feu ni lieu = sans logis assuré* homeless (literally without hearth or a place to live)

[17] *défiance* distrust

[18] One of the famous women of the French Revolution. Just before being guillotined in 1793, she exclaimed: *"O liberté! Que de crimes on commet en ton nom!"*. In her *"Mémoires"* she appealed to posterity.

M. Bergeret, qui n'était pas ennemi des digressions, répondit à sa fille:

— Si toutes les injustices étaient finalement réparées en ce monde, on n'en aurait jamais imaginé un autre pour ces réparations. Comment voulez-vous que la postérité juge équitablement tous les morts? Comment les interroger dans l'ombre où ils fuient? Dès qu'on pourrait être juste envers eux, on les oublie. Mais peut-on jamais être juste? Et qu'est-ce que la justice? Madame Cornouiller, du moins, fut bien obligée de reconnaître à la longue[19] que ma mère ne la trompait pas et que Putois était introuvable.

»Pourtant elle ne renonça pas à le découvrir. Elle demanda à tous ses parents, amis, voisins, domestiques, fournisseurs, s'ils connaissaient Putois. Deux ou trois seulement répondirent qu'ils n'en avaient jamais entendu parler. Pour la plupart, ils croyaient bien l'avoir vu. «J'ai entendu ce nom-là, dit la cuisinière, mais je ne peux pas mettre un visage dessus.[20]—Putois! je ne connais que lui, dit le cantonnier en se grattant l'oreille. Mais je ne saurais pas vous dire qui c'est.» Le renseignement le plus précis vint de M. Blaise, receveur de l'enregistrement, qui déclara avoir employé Putois à fendre du bois dans sa cour, du 19 au 23 octobre, l'année de la Comète.

»Un matin, madame Cornouiller tomba en soufflant dans le cabinet de mon père: «Je viens de voir Putois.—Ah!—Je l'ai vu.—Vous croyez?—J'en suis sûre. Il rasait le mur de M. Tenchant. Puis il a tourné dans la rue des Abbesses, il marchait vite. Je l'ai perdu.—Était-ce bien lui?—Sans aucun doute. Un homme d'une cinquantaine d'années, maigre, voûté, l'air d'un vagabond, une blouse sale.—Il est vrai, dit mon père, que ce signalement peut s'appliquer à Putois.—Vous voyez bien! D'ailleurs, je l'ai appelé. J'ai crié: «Putois!» et il s'est retourné.—C'est le moyen, dit mon père, que les agents de la Sûreté[21] emploient pour s'assurer de l'identité des malfaiteurs qu'ils recherchent.—Quand je vous le disais,[22] que c'était lui! . . . J'ai bien su le trouver, moi, votre

[19] *à la longue* = *finalement*

[20] *mettre un visage dessus* place him (literally: associate a face with it)

[21] *agents de la Sûreté* detectives—"*La Sûreté*" is the French national investigation department.

[22] *Quand je vous le disais* = *Est-ce que je ne vous l'ai pas dit*

Putois. Eh bien! c'est un homme de mauvaise mine. Vous avez été bien imprudents, vous et votre femme, de l'employer chez vous. Je me connais en[23] physionomies et quoique je ne l'aie vu que de dos, je jurerais que c'est un voleur, et peut-être un assassin. Ses oreilles ne sont point ourlées, et c'est un signe qui ne trompe point.—Ah! vous avez remarqué que ses oreilles n'étaient point ourlées?—Rien ne m'échappe. Mon cher Monsieur Bergeret, si vous ne voulez point être assassiné avec votre femme et vos enfants, ne laissez plus entrer Putois chez vous. Un conseil: faites changer toutes vos serrures.»

»Or, à quelques jours de là, il advint à madame Cornouiller qu'on lui vola trois melons de son potager. Le voleur n'ayant pu être trouvé, elle soupçonna Putois. Les gendarmes furent appelés à Monplaisir et leurs constatations confirmèrent les soupçons de madame Cornouiller. Des bandes de maraudeurs ravageaient alors les jardins de la contrée. Mais cette fois le vol semblait commis par un seul individu, et avec une adresse singulière. Nulle trace d'effraction, pas d'empreintes de souliers dans la terre humide. Le voleur ne pouvait être que Putois. C'était l'avis du brigadier, qui en savait long[24] sur Putois et qui se faisait fort de[25] mettre la main sur cet oiseau-là.

Le *Journal de Saint-Omer* consacra un article aux trois melons de madame Cornouiller et publia, d'après des renseignements fournis en ville, un portrait de Putois. «Il a, disait le journal, le »front bas, les yeux vairons, le regard fuyant, une patte d'oie à la »tempe, les pommettes aiguës, rouges et luisantes. Les oreilles ne »sont point ourlées. Maigre, un peu voûté, débile en apparence, il »est en réalité d'une force peu commune: il ploie facilement une »pièce de cent sous entre l'index et le pouce.»

»On avait de bonnes raisons, affirmait le journal, de lui attribuer une longue suite[26] de vols accomplis avec une habileté surprenante.

»Toute la ville s'occupait de[27] Putois. On apprit un jour qu'il avait été arrêté et écroué dans la prison. Mais on reconnut bientôt que

[23] *Je me connais en* = *Je suis un bon juge de*

[24] *en savait long* = *savait bien des choses* knew a lot

[25] *se faisait fort de* = *disait qu'il était certain de*

[26] *suite* = *série; succession*

[27] *s'occupait de* = *parlait de*

l'homme qu'on avait pris pour lui était un marchand d'almanachs nommé Rigobert. Comme on ne put relever aucune charge[28] contre lui, on le renvoya après quatorze mois de détention préventive. Et Putois demeurait introuvable. Madame Cornouiller fut victime d'un nouveau vol, plus audacieux que le premier. On prit dans son buffet trois petites cuillers d'argent.

»Elle reconnut la main de Putois, fit mettre une chaîne à la porte de sa chambre et ne dormit plus.

## III

»Répandu[1] dans la cité et les environs, Putois restait attaché à notre maison par mille liens subtils. Il passait devant notre porte et l'on croit qu'il escaladait parfois le mur de notre jardin. On ne le voyait jamais en face. Mais à tout moment nous reconnaissions son ombre, sa voix, les traces de ses pas. Plus d'une fois nous crûmes voir son dos dans le crépuscle, au tournant d'un chemin. Avec ma sœur et moi, il changeait un peu de caractère. Il restait mauvais et malfaisant, mais il devenait puéril et très naïf. Il se faisait[2] moins réel et, j'ose dire, plus poétique. Il entrait dans le cycle ingénu des traditions enfantines. Il tournait au Croquemitaine, au père Fouettard[3] et au marchand de sable qui ferme, le soir, les yeux des petits enfants. Ce n'était pas ce lutin qui emmêle, la nuit, dans l'écurie, la queue des poulains. Moins rustique et moins charmant, mais également espiègle avec candeur, il faisait des moustaches d'encre aux poupées de ma sœur. Dans notre lit, avant de nous endormir, nous l'écoutions: il pleurait sur les toits avec les chats, il aboyait avec les chiens, il emplissait de gémissements les trémies et imitait dans la rue les chants des ivrognes attardés.

»Ce qui nous rendait Putois présent et familier, ce qui nous intéressait à lui, c'est que son souvenir était associé à tous les objets qui nous entouraient. Les poupées de Zoé, mes cahiers d'écolier, dont il avait tant de fois embrouillé et barbouillé les pages, le mur

[28] *ne relever aucune charge* find no evidence

[1] *Répandu* = *Connu de tout le monde*

[2] *se faisait* = *devenait*

[3] *Il tournait au Croquemitaine, au père Fouettard . . .* He was transformed into a Bogeyman, a Daddy Whiphard

du jardin au-dessus duquel nous avions vu luire, dans l'ombre, ses yeux rouges, le pot de faïence bleue qu'une nuit d'hiver il avait fendu, à moins que ce ne fût la gelée; les arbres, les rues, les bancs, tout nous rappelait Putois, notre Putois, le Putois des enfants, être local et mythique. Il n'égalait pas en grâce et en poésie le plus lourd égipan, le faune le plus épais de Sicile ou de Thessalie.[4] Mais c'était un demi-dieu encore.[5]

»Pour notre père, il avait un tout autre caractère: il était emblématique et philosophique. Notre père avait une grande pitié des hommes. Il ne les croyait pas très raisonnables; leurs erreurs, quand elles n'étaient point cruelles, l'amusaient et le faisaient sourire. La croyance en Putois l'intéressait comme un abrégé et un compendium de toutes les croyances humaines. Comme il était ironique et moqueur, il parlait de Putois ainsi que d'un être réel. Il y mettait parfois tant d'insistance et marquait les circonstances avec une telle exactitude, que ma mère en était toute surprise et lui disait, dans sa candeur: «On dirait que tu parles sérieusement, mon ami: tu sais pourtant bien . . .»

»Il répondait gravement: «Tout Saint-Omer croit à l'existence de Putois. Serais-je un bon citoyen si je la niais? Il faut y regarder à deux fois avant de supprimer un article de la foi commune.»

»Un esprit parfaitement honnête a seul de semblables scrupules. Au fond, mon père était gassendiste.[6] Il accordait son sentiment particulier avec le sentiment public, croyant comme les Audomarois[7] à l'existence de Putois, mais n'admettant pas son intervention directe dans le vol des melons. Enfin il professait sa croyance en l'existence d'un Putois, pour être bon Audomarois; et il se passait de[8] Putois pour expliquer les événements qui s'accomplissaient dans la ville. De sorte qu'en cette circonstance, comme en toute autre, il fut un galant homme[9] et un bon esprit.

[4] Sicily in southern Italy and Thessaly in northern Greece are the poetic lands of Latin and Greek mythology where gamboled fauns and satyrs (*égipans*).

[5] *encore = quand même*

[6] *gassendiste = disciple de Gassendi* —Gassendi (1592-1655) was a French philosopher and scientist with a tendency towards empiricism and acceptance of Epicurian ethics.

[7] *Audomarois = habitants de Saint-Omer*

[8] *se passait de = n'avait pas besoin de*

[9] *un galant homme* a gentleman

»Quant à notre mère, elle se reprochait un peu la naissance de Putois, et non sans raison. Car enfin Putois était né d'un mensonge de notre mère, comme Caliban[10] du mensonge du poète. Sans doute les fautes n'étaient pas égales et ma mère était plus innocente que Shakespeare. Pourtant elle était effrayée et confuse de voir son mensonge bien mince grandir démesurément, et sa légère imposture remporter un si prodigieux succès, qui ne s'arrêtait pas, qui s'étendait sur toute une ville et menaçait de s'étendre sur le monde. Un jour même elle pâlit, croyant qu'elle allait voir son mensonge se dresser devant elle. Ce jour-là, une bonne qu'elle avait, nouvelle dans la maison et dans le pays, vint lui dire qu'un homme demandait à la voir. Il avait, disait-il, besoin de parler à madame. «Quel homme est-ce?[11]—Un homme en blouse. Il a l'air d'un ouvrier de la campagne.—A-t-il dit son nom?—Oui, madame.—Eh bien! comment se nomme-t-il?—Putois.—Il vous a dit qu'il se nommait? . . . —Putois, oui madame.—Il est ici? . . . —Oui, madame. Il attend dans la cuisine.—Vous l'avez vu?—Oui, madame.—Qu'est-ce qu'il veut?—Il ne me l'a pas dit. Il ne veut le dire qu'à madame.—Allez le lui demander.»

»Quand la servante retourna dans la cuisine, Putois n'y était plus. Cette rencontre de la servante étrangère[12] et de Putois ne fut jamais éclaircie. Mais je crois qu'à partir de ce jour ma mère commença à croire que Putois pouvait bien exister, et qu'elle pouvait bien n'avoir pas menti.»

[10] A fantastic character in Shakespeare's "*The Tempest*"

[11] *Quel homme est-ce? = Quel genre d'homme est-ce?*

[12] *étrangère = d'une autre province*

## QUESTIONNAIRE

### I

1. Pourquoi M. Bergeret se rappelle-t-il Putois?
2. Faites la description physique de Putois.
3. Qu'est-ce qui montrait la force de Putois?
4. Qu'est-ce que Pauline ne comprend pas?
5. Pourquoi Pauline s'étonne-t-elle de voir rire ensemble son père et sa tante Zoé?
6. Qu'est-ce que Putois avait de très remarquable?
7. Pourquoi M. Bergeret gronde-t-il sa sœur?
8. Qu'est-ce que le père et la mère de M. Bergeret avaient dû faire tous les dimanches?
9. Qu'est-ce que M. Bergeret père a exigé de sa femme?
10. Comment Mme Bergeret s'est-elle tirée d'affaire?
11. Pourquoi a-t-elle choisi le nom de Putois?
12. Comment Mme Cornouiller s'imagine-t-elle Putois?

### II

1. Qu'est-ce que M. Goubin ne comprend pas?
2. Que pense M. Bergeret des êtres imaginaires?
3. Quels exemples donne-t-il?
4. Pourquoi Mme Cornouiller désirait-elle employer Putois?
5. Quelles excuses Mme Bergeret a-t-elle données de ne pouvoir envoyer Putois à Mme Cornouiller?
6. A quelle conclusion Mme Cornouiller est-elle arrivée?
7. Expliquez la digression concernant Mme Roland.
8. Qui, dans la petite ville de Saint-Omer, croyait connaître Putois?
9. Pourquoi Mme Cornouiller a-t-elle été si sûre d'avoir vu Putois dans la rue?
10. Quel détail de sa personne a-t-elle remarqué?
11. De quoi Putois a-t-il été soupçonné?
12. Comment le *Journal de Saint-Omer* a-t-il pu publier un signalement détaillé de Putois?

### III

1. Quel rôle jouait Putois dans la vie des enfants Bergeret?
2. Pourquoi le narrateur dit-il que Putois était en somme un demi-dieu?
3. Pourquoi M. Bergeret père considérait-il que c'était un devoir de croire à l'existence de Putois?

4. Quelle était en somme l'attitude philosophique et morale de M. Bergeret père?
5. Pourquoi Mme Bergeret avait-elle des remords?
6. Quelle surprise Mme Bergeret a-t-elle eue un beau jour?
7. Quelle idée philosophique est à la base de ce conte?
8. Peut-on appliquer cette idée à certaines de nos croyances?

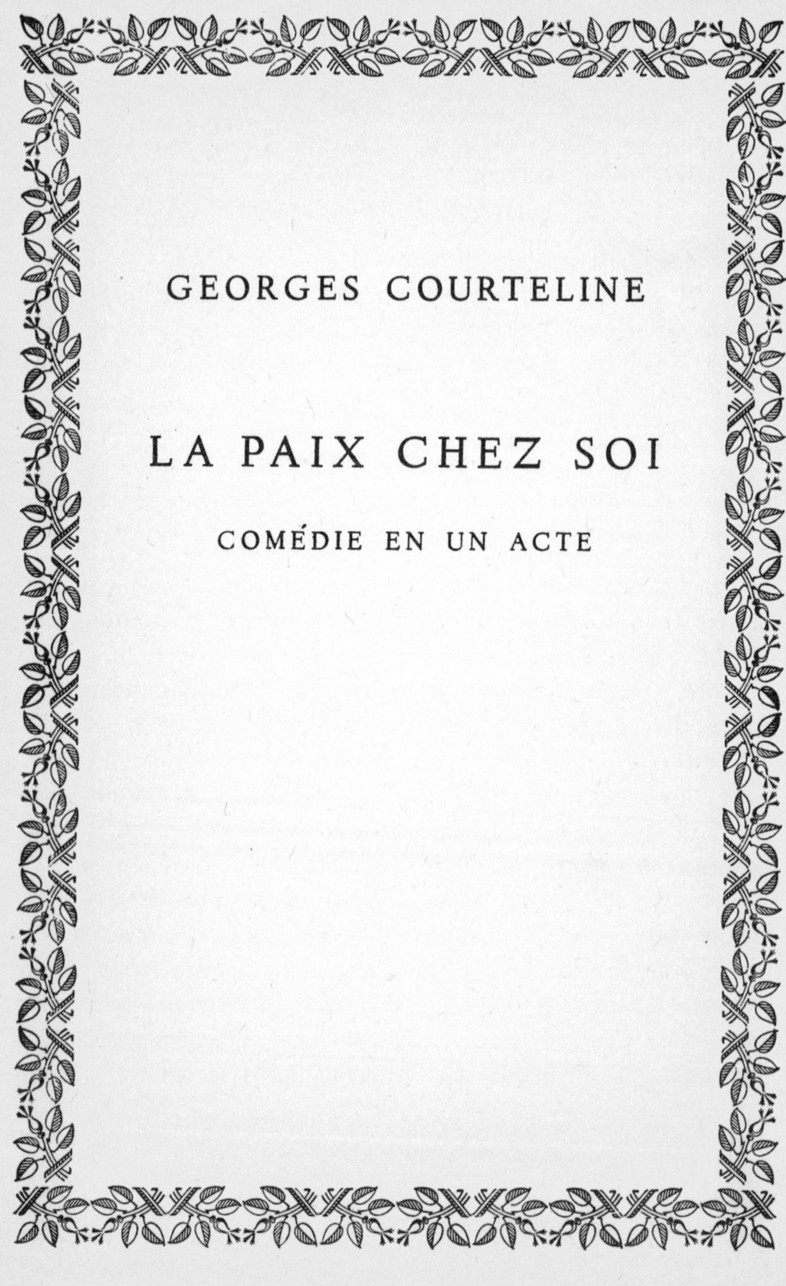

GEORGES COURTELINE

# LA PAIX CHEZ SOI

COMÉDIE EN UN ACTE

## PERSONNAGES

TRIELLE, 36 *ans*
VALENTINE, *sa femme, 25 ans*

*Cabinet d'un homme de lettres. Une porte au fond, une autre à droite. A gauche, une fenêtre. Tableaux, estampes, etc. Une table chargée de papiers. Au premier plan,*[1] *adossé au mur de gauche, un de ces pupitres hauts sur pieds*[2] *en usage chez les écrivains qui ont coutume de travailler debout.*

### SCÈNE PREMIÈRE

*Trielle, seul, debout devant son pupitre et comptant du bout de sa plume le nombre des lignes qu'il vient d'écrire.*

274, 276, 278, 280 et 285.—Encore trente lignes sensationnelles; si, avec cela, le lecteur ne se déclare pas satisfait, il pourra s'aller coucher.[3] Quel métier! (*Il trempe sa plume dans l'encre, se dispose à écrire, soupire, bâille longuement.*) Ça t'ennuie, hein? . . . Allons, du courage. Prends ton huile de foie de morue! (*Il se décide et se met à la besogne, se dictant à lui-même à haute voix:*) «*Cependant, bien que l'antique horloge de Saint-Séverin*[4] *eût depuis longtemps, dans le silence de la nuit, sonné les trois coups de trois heures* . . . (*S'interrompant.*) Les trois coups de trois heures! . . . Quel métier! (*Il ricane, hausse les épaules, puis poursuit:*) . . . *le vieillard continuait sa lente allée et venue. Un manteau de couleur foncée l'enveloppait des pieds à la tête, et des larmes échappées de ses yeux roulaient sur sa barbe de neige.* (*S'interrompant.*) C'est vertigineux d'ânerie[5] . . . Ce petit ouvrage est tellement bête que rien ne l'égale en bêtise, sauf le lecteur qui s'en délecte. (*Coups*

[1] *au premier plan* in the foreground
[2] *hauts sur pieds* with very high legs; breast high
[3] *s'aller coucher = aller se coucher*— A polite way of saying "*aller au diable*"
[4] A Paris church in the Latin Quarter.
[5] *vertigineux d'ânerie = d'une incroyable stupidité*

*violents frappés dans la porte de droite.)* Bon![6] ma femme, à présent. *(Il dépose sa plume. Nouveaux coups dans la porte.)* Eh! une minute, que diable![7] *(Il va à la porte qu'il ouvre.)*

### SCÈNE II

Trielle, Valentine

Valentine. Eh bien, en voilà du mystère![8] Tu fais donc de la fausse monnaie?

Trielle. Du tout.[9] J'avais poussé le verrou, étant pressé par ma copie et craignant qu'on me dérange. Entre.

Valentine, *entrant.* Ferme vite la porte, que[10] l'inspiration ne se sauve pas.

Trielle. Tu as toujours quelque chose d'aimable à me servir.[11]

Valentine. Eh! on n'a pas idée, aussi,[12] de se donner de l'importance au point de se mettre sous clé comme une bijouterie de luxe. Tu te prends au sérieux, ma parole.

Trielle. Tu es bête.

Valentine. En tout cas, je n'ai pas le ridicule de me confondre avec Lord Byron.[13] Toc![14] *(Clignement d'œil.)*

Trielle. Ne sois donc pas méchante par système, Valentine. Où es-tu allé chercher que je me confonde avec Lord Byron? Je t'explique que mon travail . . . *(Au mot de travail, Valentine part d'un bruyant éclat de rire.)* Si tu crois que je le fais pour mon plaisir, tu te trompes.

Valentine. Et si tu crois le faire pour le plaisir des autres, tu te trompes encore bien davantage.

Trielle. Quel singulier agrément[15] peux-tu prendre à ne me dire que des choses blessantes ou ayant l'intention de l'être? . . . Bah![16] nous verrons bien, de nous deux, celui qui rira le dernier.

[6] *Bon!* (ironical) Darn it all!
[7] *que diable!* what the dickens!
[8] *en voilà du mystère! = pourquoi tout ce mystère?*
[9] *Du tout = Pas du tout*
[10] *que = pour que; afin que*
[11] *me servir = me dire*
[12] *aussi = aussi bien; vraiment*
[13] A reference to Byron's romantic and poetic genius which Valentine compares in her mind with the cheap melodramatic style of her husband.
[14] *Toc!* (interjection expressing defiance or sneering) Take that!
[15] *agrément = plaisir*
[16] *Bah!* Oh well!; Never mind!

(*Valentine, étonnée, le regarde.*) Patience, mon petit loup,[17] patience!

VALENTINE. Quoi?

TRIELLE. Patience! te dis-je, l'heure est proche.

VALENTINE. Sais-tu ce que tu me rappelles?

TRIELLE. Un daim?[18]

VALENTINE. C'est prodigieux! Tu as le don de la divination.

TRIELLE. N'est-ce pas? Voilà comment nous sommes dans le feuilleton[19] à trois sous la ligne. Mais peut-être ferions-nous bien d'aborder les choses sérieuses. Tu as à me parler?

VALENTINE. C'est probable. A moins que je ne sois venue exprès pour jouir de ta compagnie et recueillir comme une manne bienfaisante les paroles tombées de tes lèvres . . .

TRIELLE. Je n'oserais l'espérer. Et alors, tu désires?

VALENTINE. De l'argent.

TRIELLE. Tu n'en as donc plus!

VALENTINE. Belle question! Non, je n'en ai plus. Nous sommes le 1er octobre.

TRIELLE. C'est ma foi vrai.

VALENTINE. Je n'en ai plus! . . . Je n'en ai plus! . . . Je serais bien aise, si j'en avais encore, de[20] savoir où je l'aurais pris. Supposes-tu que je me lève la nuit pour te voler?

TRIELLE. Qui te parle de voler, bon Dieu, et quelle nouvelle querelle viens-tu me chercher là? Je ne suppose rien du tout. Je te donne, le premier de chaque mois, l'argent nécessaire au ménage; pendant que le mois court,[21] l'argent file, et la bourse est à sec[22] quand le mois est à bout, c'est aussi simple que cela.

VALENTINE. Puisqu'il en est ainsi, paye-moi ce qui me revient[23] et conserve tes belles phrases pour les mettre dans tes romans. Ils en ont plus besoin que moi. Toc! (*Clignement d'œil.*)

TRIELLE. Patience!

[17] *loup* (term of endearment) lamb; dear

[18] *Un daim?* (Colloquialism—Literally: "a deer") A jackass?

[19] *dans le feuilleton* = *nous qui écrivons des feuilletons* (*feuilleton* serial novel appearing in a newspaper)

[20] *Je serais bien aise . . . de* = *Je voudrais bien* I should like

[21] *court* = *se passe; s'écoule*

[22] *à sec* = *vide*

[23] *me revient* = *m'est dû*

VALENTINE. Tu dis?

TRIELLE. L'heure est proche! . . . plus proche, même, que je ne le pensais.

VALENTINE. Sais-tu ce que tu me fais?

TRIELLE. Je te fais suer?[24]

VALENTINE. C'est décidément très curieux! Tu devrais t'établir liseur d'âmes.[25]

TRIELLE. J'y songerai sur mes vieux jours.[26] En attendant, nous allons régler nos petits comptes. (*Il va à sa table et ouvre le tiroir d'où il tire des billets de banque.*) Nous disons?

VALENTINE. Huit cents; tu le sais bien.

TRIELLE. Huit cents. (*Feuilletant les billets.*) Un, deux, trois . . .

VALENTINE. Il y a le terme.[27]

TRIELLE. Je le paierai à part . . . Quatre, cinq, six . . . Je vais te donner le reste en monnaie.[28]

VALENTINE. Si tu veux.

TRIELLE. Ça te sera plus commode. (*Tirant de son gousset un peu d'or et d'argent qu'il aligne au bord de la table.*) Et cinquante, six cent cinquante. Voilà l'affaire.

VALENTINE, *surprise*. Qu'est-ce que c'est que ça?

TRIELLE. Ton argent.

VALENTINE. Quel argent?

TRIELLE. L'argent pour le mois.

VALENTINE. Il n'y a pas le compte.[29]

TRIELLE. Comment, pas le compte?

VALENTINE. Non.

TRIELLE. Si.

VALENTINE. Non. Est-ce que tu deviens imbécile? De huit cents francs ôtez six cent cinquante?

TRIELLE. Reste cent cinquante francs.

VALENTINE. Eh bien?

[24] *Je te fais suer?* (Slang) I give you a pain?

[25] *liseur d'âmes* as a mindreader

[26] *sur mes vieux jours = quand je serai vieux*

[27] *le terme = le loyer* the rent

[28] *en monnaie* in currency

[29] *Il n'y a pas le compte = Le compte n'est pas juste* It isn't right

TRIELLE. Eh bien quoi?

VALENTINE. Donne-les moi.

TRIELLE. Ah, non.

VALENTINE. Pourquoi donc?

TRIELLE. Parce que tu me les dois.

VALENTINE. Moi?

TRIELLE. Oui, toi.

VALENTINE. Qu'est-ce que tu me chantes?[30] Tu ne m'as pas prêté d'argent. Je suis bonne ménagère, peut-être;[31] j'ai de l'économie et de l'ordre, et tu as eu le temps de t'en apercevoir depuis cinq ans que nous sommes mariés.

TRIELLE. Tu t'écartes de la question. Il ne s'agit pas de tes rares vertus, mais bien de tes imperfections, lesquelles, hélas, sont sans nombre. Tu te moques de moi.[32] Et tes cent cinquante francs d'amende?

VALENTINE. Décidément je parle à un fou. Quels cent cinquante francs d'amende?

TRIELLE. Les cent cinquante francs d'amende que j'ai eu le regret de t'infliger en punition de tes écarts de langage,[33] impertinences diverses, rébellions en tout genre, et cætera et cætera. (*Mutisme ahuri de Valentine.*) Tu ne comprends pas?

VALENTINE. Pas une syllabe.

TRIELLE. Je vais te lire le détail; ça t'ouvrira les idées. (*Il tire de sa poche un petit calepin qu'il ouvre, et il en commence la lecture.*) *Du 1er septembre: Pour avoir tranché*[34] *une question sans en connaître le premier mot, puis, convaincue de son erreur, s'y être cramponnée de parti pris*[35] *avec une insigne mauvaise foi, afin d'avoir raison quand même et d'exaspérer le sieur Trielle, homme modéré, patient et doux*..............................3 *fr.* 95

VALENTINE. Hein? Qui? Quoi? Qu'est-ce?

TRIELLE. *Du 2: Pour avoir, le sieur Trielle ayant exprimé le*

[30] *Qu'est-ce que tu me chantes?* (Colloquial) = *Qu'est-ce que tu dis?* How do you get that way? Don't be so innocent

[31] *peut-être* = *j'espère*

[32] *Tu te moques de moi* (understood: *quand tu prétends ne pas savoir*)

[33] *écarts de langage* abusive speeches

[34] *tranché* = *décidé*

[35] *s'y être cramponnée de parti pris* having stubbornly stuck to it

*désir de dîner un quart d'heure plus tôt, fait servir*[36] *un quart d'heure plus tard, et répondu au dit Trielle qui se plaignait sans acrimonie: «Si tu n'es pas content, va-t'en dîner ailleurs.»*. . . *6 fr. 70.*

VALENTINE. Ah çà[37] . . .

TRIELLE. *Du 3: Pour avoir traité le sieur Trielle de*[38] *sale grigou parce qu'il se refusait à acheter comme inutile et coûteuse, une lanterne à verres de couleur en imitation de fer forgé*. . . . . . . . *2 fr. 50*

*Du 4: Pour avoir dit au sieur Trielle qui regrettait l'absence d'abatis dans le bouillon: «Tu répètes toujours la même chose»,— ce qui n'était que trop vrai*. . . . . . . . . . . . . . . . . . . . . . . . . . *1 fr. 45*

*Du 5: Pour lui avoir dit: «Te rappelles-tu la fois où je t'ai pardonné d'être rentré*[39] *à sept heures du matin?»*. . . . . . . . . . *71 francs*

VALENTINE, *suffoquée.* Combien?

TRIELLE. 71 francs.

VALENTINE. C'est pour rien.[40]

TRIELLE. Quand on a pardonné aux gens, on ne doit pas être tout le temps à le leur corner[41] aux oreilles. Et, du reste, pardonné quoi? Je t'ai expliqué cent fois que j'avais manqué le dernier train.

VALENTINE. Et mon œil?[42] Je ne te crois pas.

TRIELLE. Crois ce qu'il te plaira de croire; mais si tu dois me poursuivre de ta miséricorde, me persécuter du souvenir de tes bienfaits, tu peux les garder pour toi: je leur préfère tes rancunes. . . . Toc! (*Clignement d'œil.*) Je continue:

*Du 6: Pour avoir été surprise*[43] *en train de démantibuler la lanterne de l'antichambre, ceci dans le but de forcer le sieur Trielle à en acheter une autre, à verres de couleur, en imitation de fer forgé*. . . . . . . . . . . . . . . . . . . . . . . . . . . . . . . . . . . *4 fr. 90*

*Du 7:* . . .

VALENTINE. Ça va durer longtemps?

TRIELLE. Quoi? Le système des amendes? Tant que tu ne seras pas revenue à un plus juste sentiment des égards auxquels j'ai droit et que j'exige désormais.

[36] *fait servir = fait servir le dîner*
[37] *Ah çà* . . . Look here . . .
[38] *traité . . . de = appelé*
[39] *rentré = revenu à la maison*
[40] *C'est pour rien = C'est très bon marché* It's a gift; Is that all?
[41] *corner = répéter; crier*
[42] *Et mon œil?* (slang) My eye you did!
[43] *surprise = attrapée* caught

VALENTINE. Des égards!

TRIELLE. Oui.

VALENTINE. C'est à mourir de rire.

TRIELLE. Bien entendu. Voilà cinq ans que je m'ingénie à excuser ton injustice et que je me crée des devoirs tout exprès pour avoir le souci de les remplir. Aujourd'hui, je pousse la prétention jusqu'à supposer que,[44] peut-être, un jour, une fois par hasard, tu as pu t'en apercevoir et en avoir été touchée: c'est donc moi qui suis dans mon tort.[45] Eh bien! ma fille, j'y suis, j'y reste. J'en ai pardessus les épaules[46] et tu commences à m'embêter.[47]

VALENTINE. Nous ne sommes pas dans une écurie.[48] Je n'ai pas l'habitude qu'on me parle sur ce ton-là.

TRIELLE. Tu n'auras que la peine de la[49] prendre.

VALENTINE. C'est ce que nous verrons.

TRIELLE. C'est tout vu.

VALENTINE. Mon cher . . .

TRIELLE. Tu veux entrer dans des explications? Entrons; ça nous promènera.[50] Voilà, je te le répète, cinq années que ma bonne volonté crédite ta mauvaise grâce, et que je pardonne chaque jour à la veille, dans l'espérance, toujours déçue, du lendemain. Les premiers temps de notre mariage, je tentai de la persuasion, et t'exaltant les avantages de la concorde, la joie des unions introublées, je te tins des discours[51] dictés par la douceur et par la mansuétude mêmes . . . Peines perdues.[52] Une fois que j'avais en vain, une heure, procédé par le raisonnement, la patience m'échappa et je t'administrai[53] . . .

[44] *je pousse la prétention jusqu'à supposer que* I dare to entertain the idea that (Literally: I raise my expectation to the extent of supposing that)

[45] *qui suis dans mon tort = qui ai tort* who am in the wrong

[46] *J'en ai pardessus les épaules* I am fed up

[47] *m'embêter* (Colloquial) = *m'ennuyer* make me sick

[48] Valentine is objecting to the familiar language of Trielle.

[49] *la = l'habitude*

[50] *ça nous promènera* it will be refreshing

[51] *je te tins des discours = je te dis des choses*

[52] *Peines perdues* I might have saved myself the trouble (*peines = efforts*)

[53] *je t'administrai* . . . (understood: *une paire de gifles*)

VALENTINE. Voilà une belle action d'éclat![54] Je te conseille de triompher! Brute! Lâche! Goujat!

TRIELLE. J'userai de ta permission et triompherai selon mon droit. Car cet acte d'autorité, que je n'accomplis pas en pure perte,[55] t'inspira de saines réflexions. Je ne suis ni un lâche, ni un goujat, ni une brute, ainsi qu'il te plaît à dire. Je suis tout simplement, mon Dieu! un pauvre diable d'homme de lettres . . .

VALENTINE. . . . sans aucune espèce de talent.

TRIELLE. . . . sans aucune espèce de talent, mais qui aimerait bien, cependant, trouver dans son petit intérieur[56] une paix qui, peut-être, à la longue,[57] lui permettrait d'en acquérir. Malheureusement, vous autres femmes, vous vous blasez tout de suite sur les meilleures choses. Je vis venir avec tristesse le moment où les corrections[58] t'allaient devenir indifférentes; je dus passer à un autre genre d'exercice. C'est alors que j'imaginai de me venger sur le mobilier.

VALENTINE, *ironique*. C'était malin.[59]

TRIELLE. Très malin même, puisque le jour où je fis voler en éclats le miroir de l'armoire à glace, tu restas muette d'ahurissement, de quoi j'éprouvai une joie telle qu'en moins de six semaines j'immolai sans regret deux chaises, le pot à eau, la lampe, la pendule, la soupière et divers autres objets de première nécessité. Le fâcheux est,[60] ô Valentine, qu'il n'en soit pas du mobilier comme du phénix[61] qui renaît de ses cendres. La perspective d'avoir à en acheter d'autre[62] me gâta vite l'âpre jouissance que je goûtais à casser les meubles; une fois encore je dus chercher autre chose. Seulement quoi? M'en aller? Peut-être. Mais où aller? Je commençais à désespérer quand le ciel me suggéra l'idée de te faire désormais, purement et simplement, payer de ta poche tes fautes; solution heureuse, j'ose le croire, définitive en tout cas, et à laquelle

[54] *action d'éclat* = *victoire*

[55] *en pure perte* = *inutilement; en vain*

[56] *intérieur* home

[57] *à la longue* = *finalement* in the long run

[58] *les corrections* corporal punishment

[59] *malin* = *intelligent*

[60] *Le fâcheux est* = *Ce qui est fâcheux, c'est* The trouble is

[61] *phénix* phœnix—a mythological bird which, after burning on a funeral pile, rose again from its own ashes. A symbol of immortality.

[62] *en . . . d'autre* = *d'autre mobilier*

je m'arrête.[63] De cette heure donc, tu peux en toute tranquillité donner libre cours aux élans de ton infernal caractère. Quoi que tu dises, quoi que tu fasses, tu n'auras pas de moi le moindre rappel à l'ordre:[64] je mettrai cela sur la note, simplement. Tu paieras à la fin du mois. Hurle, braille, rugis, vocifère, fais du scandale tout ton soûl, trouble tant que tu voudras le repos des voisins; tu n'as à t'occuper de rien: tu paieras à la fin du mois. Plus de querelles, j'en ai assez. Plus de pugilats, j'en suis las. Énergiquement déterminé à avoir la paix chez moi et ne l'ayant pu obtenir ni par les bons procédés, ni par les moyens extrêmes, je prends le parti[65] de l'acheter avec tes propres deniers. J'ai dit. Je ne te retiens plus. Bonjour. Tu peux t'en retourner à tes occupations. Je suis au désespoir de te quitter si vite, mais le devoir m'appelle et mon journal n'attend pas.

Valentine. Quand tu auras assez causé, tu le diras.

Trielle. J'ai assez causé.

Valentine. C'est heureux. Mes cent cinquante francs.

Trielle. Pas un sou.

Valentine. Tu ne veux pas me les donner?

Trielle. Non.

Valentine. C'est une idée fixe?

Trielle. Oui.

Valentine. La maison est lourde.[66]

Trielle. Je le sais.

Valentine. Nous avons des charges.[67]

Trielle. Je ne dis pas.[68]

Valentine. Je te préviens qu'avec 650 francs, il me sera impossible d'y faire face.

Trielle. Tu leur tourneras le dos.

Valentine. A ton aise.[69] Nous en serons quittes pour[70] vivre de pain et d'eau claire.

[63] *à laquelle je m'arrête* which I have decided upon

[64] *rappel à l'ordre* scolding

[65] *le parti = la décision*

[66] *la maison est lourde = le ménage coûte cher*

[67] *des charges* obligations

[68] *Je ne dis pas = Je ne dis pas non* May be so

[69] *A ton aise = Comme tu veux*

[70] *Nous en serons quittes pour* All we shall have to do is

Trielle. Jamais de la vie. N'en crois rien. Tu t'arrangeras comme tu pourras, mais si je ne trouve pas à mes repas la nourriture saine et copieuse que réclame mon bon appétit, indice de ma conscience calme, j'irai manger au café,—à tes frais, bien entendu. Il serait rigolo que je sois mis au pain sec chaque fois que tu aurais été insupportable, ou que tu te seras fait pincer démantibulant une lanterne.

Valentine. C'est ton dernier mot?

Trielle. Le dernier.

Valentine. Bien. (*Étendant le bras vers la croisée.*) Tu vas me donner mon argent ou je vais me jeter par la fenêtre.

Trielle. Par la fenêtre?

Valentine. Par la fenêtre.

Trielle, *tranquillement, va à la fenêtre qu'il ouvre.* Saute! (*Un temps.*) Allons, saute! (*Valentine demeure immobile, attachant sur Trielle des yeux chargés de haine. Enfin:*)

Valentine. Tu serais trop content, assassin! (*Trielle referme la fenêtre et redescend en scène.*[71])

Valentine, *le poursuivant.* Assassin! Assassin! Assassin!

Trielle, *à sa table, courbé sur son calepin:*

*Du 1er octobre: pour avoir menacé le sieur Trielle de se suicider sous ses yeux, tentant ainsi d'exploiter la tendresse de cet excellent mari* . . . . . . . . . . . . . . . . . . . . . . . . . . . . . . . . . . *4 fr. 95*

Valentine. Lâche! Lâche! Lâche!

Trielle. *Pour ne l'avoir pas fait* . . . . . . . . . . . . . . . . . . *10 sous.*

Valentine. Oh! je le sais, va, ce que tu cherches! . . . Je le sais. Tu soupires après[72] mon trépas![73]

Trielle. Trépas! (*Écrivant.*) *Soixante-quinze centimes . . . pour s'être servie, au cours de la conversation, de locutions empruntées au lexique de Népomucène Lemercier.*[74]

Valentine. Voilà trop longtemps que je souffre sans me plain-

[71] *redescend en scène* comes to the front of the stage

[72] *Tu soupires après = Tu désires impatiemment*

[73] *mon trépas* (literary) = *ma mort*

[74] *Népomucène Lemercier* (1771-1840) —A French poet and dramatist whose style was often unnatural and bombastic.

dre, j'en ai assez! Je retourne dans ma famille. (*Elle sort en coup de vent.*[75])

### SCÈNE III

TRIELLE, *seul. Comme si rien ne s'était passé, il est revenu à son pupitre. Là, se dictant à lui-même:*

*«Soudain, élevant vers le ciel un regard de hautain défi: Eh bien, cria le vieillard, sois maudit, Dieu d'inclemence, Dieu d'injustice! Toi qui n'as pas écouté mes prières, demeure à jamais*[1] *abhorré! Je jette ton nom en pâture à l'exécration des générations à venir.* (*S'épongeant le front:*) Quel métier! (*Il poursuit:*) *Comme il achevait ces épouvantables blasphèmes . . .* (*S'interrompant.*) Et le terrassier se plaint de son sort! (*Il poursuit:*) . . . *un bruit de pas troubla le silence de la rue.* (*S'interrompant.*) Et le mineur élève des revendications! (*Il poursuit:*) *De blême qu'il était, le vieillard devint livide.* (*S'interrompant.*) Et le cocher se met en grève! (*Il poursuit:*) *Si c'était lui, murmura-t-il. Oh! connaître enfin cet ennemi! le tenir haletant sous mon genou! A ce moment, un étranger déboucha de la rue de la Harpe.*[2] *Le vieillard bondit comme un tigre, mais aussitôt une étrange défaillance s'empara de tout son être. Ses jambes fléchirent sous le poids de son corps, et poussant un cri terrible, il s'évanouit!»* J'ai dit:[3] trente lignes sensationnelles. Sensationnelles; je suis tranquille.[4] Reste à savoir si elles sont trente. Comptons. (*Il additionne du bout de sa plume. Réapparition de Valentine, vêtue d'un manteau de voyage et tenant une valise à la main.*)

### SCÈNE IV

VALENTINE, TRIELLE. *Valentine traverse la scène et gagne la porte du fond.*

VALENTINE. Eh bien, adieu.

TRIELLE. Ah! c'est toi, tu t'en vas. Eh bien, adieu.

[75] *en coup de vent* = *rapidement* (Literally: like a gust of wind)

[1] *à jamais* = *pour toujours*

[2] *rue de la Harpe* is a rather dismal street in the Paris Latin Quarter.

[3] *J'ai dit* = *Voilà; C'est fini*

[4] *je suis tranquille* = *j'en suis sûr*

VALENTINE. Tu n'as rien à me dire?

TRIELLE. Non. Pourquoi?

VALENTINE. Je ne sais pas. Je pensais que, peut-être . . .

TRIELLE. Tu te trompais.

VALENTINE. Je te fais mes excuses.

TRIELLE. Il n'y a pas de quoi.[5]

VALENTINE. En somme on peut se quitter faute de pouvoir s'entendre, et conserver pourtant de l'estime l'un pour l'autre.

TRIELLE. C'est évident.

VALENTINE. N'est-ce pas?

TRIELLE. Sans doute.

VALENTINE. Alors, c'est bien entendu?[6]

TRIELLE. Quoi?

VALENTINE. Tu n'as rien à me dire?

TRIELLE. Rien du tout.

VALENTINE. Eh bien, adieu.

TRIELLE. Eh bien, adieu. (*Trielle se remet à la besogne.*)

VALENTINE. C'est égal,[7] on m'aurait rudement étonnée, si on était venu me dire hier que tu me flanquerais à la porte[8] aujourd'hui.

TRIELLE. Je ne te flanque pas à la porte.

VALENTINE. C'est le chat.[9] Qu'est-ce que tu fais alors?

TRIELLE. Je ne te retiens pas. C'est tout.

VALENTINE. Mais . . .

TRIELLE. Tu veux t'en aller, va-t-en. Tu ne penses pas que je vais te garder de force? (*Un temps.*)

VALENTINE. . . . Et comme ça[10] . . . ça ne te fait rien?

TRIELLE. Qu'est-ce qui ne me fait rien?

VALENTINE. Que je m'en aille.

TRIELLE. Ça ne te regarde pas. De quoi te mêles-tu?[11]

VALENTINE. Il me semble pourtant qu'après cinq ans de ménage[12] tu pourrais me quitter sur une bonne parole.

[5] *pas de quoi* (*faire des excuses*) no reason to

[6] *C'est bien entendu* It's all settled

[7] *C'est égal* = *Tout de même* Just the same

[8] *tu me flanquerais à la porte* = *tu me jetterais dehors*

[9] *C'est le chat* I like your nerve (Literally: Maybe you'll say the cat is doing it)

[10] *Et comme ça* = *Alors vraiment*

[11] *De quoi te mêles-tu?* Why meddle with it?

[12] *de ménage* = *de vie en commun*

TRIELLE. Je te souhaite de te bien porter et de trouver, là où tu vas, le bonheur que je n'ai pu réussir à te procurer sous mon toit. J'ai la conscience d'avoir été un tendre et fidèle mari. Patient à ton exigence, résigné à ta dureté et travaillant dix heures par jour à écrire des romans ineptes mais qui me valaient[13] la joie de te pouvoir donner un chez toi[14] où tu avais chaud et des robes qui te faisaient belle, j'ai tout fait pour te rendre heureuse. Tu ne t'en es pas aperçue, c'est dans l'ordre.[15] La femme ne voit jamais ce que l'on fait pour elle, elle ne voit que ce qu'on ne fait pas.

VALENTINE. En tout cas, tu pourrais m'embrasser.

TRIELLE. Si tu veux. (*Il va à elle, l'embrasse froidement, redescend ensuite à l'avant-scène.*)

VALENTINE, *dans un mouvement de sortie*. Eh bien, adieu.

TRIELLE. Eh bien, adieu. (*Valentine, lentement, passe la porte, mais à peine a-t-elle disparu, qu'elle rentre, dépose sa valise, et revenant à son mari:*)

VALENTINE. Donne-les moi, mes cent cinquante francs.

TRIELLE, *avec douceur*. Non.

VALENTINE. Je t'en prie!

TRIELLE. Je ne peux pas, je t'assure.

VALENTINE. Pourquoi?

TRIELLE. Parce que j'ai eu la faiblesse de te pardonner trop de fois et que tu me l'as fait payer trop cher. (*Valentine veut parler.*) N'insiste donc pas, je te dis que tu perds ton temps. Et puis, que fais-tu là? Tu ne t'en vas plus? A cause?[16] Je croyais que tu souffrais trop. Allons va, ma petite fille, sauve-toi. Retourne auprès de tes parents. Cela vaudra mieux pour nous deux.

VALENTINE. Je t'en supplie, je t'en conjure, donne-moi mes cent cinquante francs! Si tu ne me les donne pas, je vais devenir folle!

TRIELLE. Pour ce que ça te changera[17] . . .

VALENTINE. Écoute.

TRIELLE, *un peu agacé, un peu amusé aussi*. Oh!

[13] *me valaient = me procuraient*
[14] *un chez toi = un intérieur* a home
[15] *dans l'ordre = naturel*
[16] *A cause? = Pourquoi?*
[17] *Pour ce que ça te changera . . . = Cela ne te changera pas beaucoup*

Valentine, *se cramponnant à lui.* Laisse-moi donc parler. Pour les cent cinquante francs . . .

Trielle. Encore les cent cinquante francs!

Valentine. . . . Tu me les retiendras un autre jour . . . le mois prochain . . . quand tu voudras, mais pas aujourd'hui, mon Dieu! pas aujourd'hui! . . . Aujourd'hui, vois-tu, je les veux! . . . il me les faut! . . . j'en ai besoin!

Trielle, *étonné de la façon dont le mot a été prononcé.* A ce point-là? . . . Regarde-moi un petit peu, Valentine. Tu as fait une bêtise?[18] (*Mutisme éloquent de Valentine.*) Naturellement. Laquelle?

Valentine. Tu ne crieras pas trop fort?

Trielle. Je tâcherai. Va toujours.[19]

Valentine. Eh bien, j'ai un effet[20] à payer aujourd'hui.

Trielle. Tu as souscrit un effet?

Valentine. Oui.

Trielle. Cela ne m'étonne pas de toi. Ce qui me surprend c'est que tu aies trouvé à le passer.[21] La loi refusant à la femme le droit de signer des billets sans l'autorisation de l'époux, le tien est nul et sans valeur.

Valentine. Pardon.

Trielle. Comment, pardon?

Valentine. Sans doute.[22] (*Très simplement.*) J'ai imité ta signature pour faire croire qu'il était de toi.

Trielle, *abasourdi.* Et tu viens me dire cela avec ton air tranquille? . . . Mais c'est un faux![23]

Valentine. Qu'est-ce que ça fait? (*A cette réponse inattendue, faite d'ailleurs sur le ton de la plus absolue bonne foi, Trielle demeure sans un mot. Il contemple longuement la jeune femme, comme frappé d'admiration.*)

Trielle. Allez donc répondre à cela! (*Il complète sa pensée, d'un large geste d'impuissance. Puis:*) De combien le billet?

Valentine. Cent cinquante.

[18] *une bêtise* some stupid thing
[19] *Va toujours = Continue*
[20] *un effet* a promissory note
[21] *que tu aies trouvé à le passer = que tu aies réussi à le faire accepter*
[22] *Sans doute = Évidemment*
[23] *un faux* a forgery

Trielle. Mazette! Tu n'y vas pas avec le dos de la cuillère.[24] (*Un temps.*) Une acquisition, peut-être?

Valentine. Une acquisition, en effet.

Trielle. Indispensable?

Valentine. Si on veut.[25]

Trielle. Nécessaire, au moins?

Valentine. Cela dépend.

Trielle. Enfin, utile?

Valentine. Oui et non.

Trielle, *effleuré d'une idée.* Une lanterne à verres de couleur?

Valentine, *baissant le nez.* En imitation de fer forgé.

Trielle. Elle y est arrivée![26] Ça y est! . . . Sais-tu que des gamins reçoivent des calottes qui les ont méritées moins que toi? A-t-on idée d'un tel appétit de lanterne! . . . (*Il garde le ton de la dispute, mais la conviction n'y est plus, devant ces excès d'enfantillage.*) Enfin![27] . . . Et où l'as-tu fourrée, cette œuvre d'art? Va me la chercher, que je la contemple! . . . (*Mais Valentine ne bouge pas.*) Allons! Cours! Vole! Bondis!—Non? (*Valentine en effet, de la tête, a eu un «Non» embarrassé.*) Tu ne veux pas? (*Même jeu de Valentine.*) Tiens, tiens, tiens . . . Regarde-moi encore. (*Avec une grande douceur.*) Tu l'as cassée?

Valentine. En l'apportant. (*Et comme Trielle fixe sur elle un regard empli d'une immense allégresse:*) Ce n'est pas ma faute, à moi, si c'était de la camelotte. Elle avait un œil![28] . . . mais un œil! . . . Tout le monde y aurait été pris. Alors, qu'est-ce que tu veux, je me suis laissé tenter . . . J'ai donc proposé au marchand, comme si j'étais venue de ta part, de nous faire crédit jusqu'à la fin du mois, moyennant un petit écrit.[29] Alors, le marchand a dit oui. Alors, je lui ai remis l'écrit . . . que j'avais préparé d'avance. Alors il m'a remis la lanterne enveloppée dans un grand papier; et une fois à la maison, quand j'ai défait le papier pour avoir la lanterne,

[24] *Mazette! Tu n'y . . . cuillère* Jimminy crickets! You certainly went the whole hog (Literally: You don't use the back of your spoon)

[25] *Si on veut = Peut-être* (Literally: If one wishes to call it that)

[26] *Elle y est arrivée! = Elle a réussi!* She has had her way!

[27] *Enfin! . . .* Oh well!

[28] *Elle avait un œil!* It was lovely to look at (*œil = aspect*)

[29] *moyennant un petit écrit* in return for my note

le machin m'est resté dans une main, la chose[30] dans l'autre. Voilà comment c'est arrivé. (*Tout ce récit a été dit d'une voix larmoyante. Trielle l'a écoutée gravement, se gardant bien d'*[31]*interrompre. Mais Valentine ayant achevé:*)

TRIELLE, *la parodiant.* Le machin t'est resté dans une main, la chose dans l'autre! . . . (*Changeant de ton:*) Tiens, tu es trop bête, tu me désarmes! Les voilà tes cent cinquante francs. Et puis imite-la encore, ma signature; tu verras un peu[32] si, ce coup-là,[33] je ne te fais pas mettre en prison. Tu n'as pas honte?

VALENTINE. Merci, Edouard.

TRIELLE, *faussement indigné.* Faussaire! . . . Canaille! . . . Mouche ton nez!

VALENTINE. Et les autres?

TRIELLE. Quels autres?

VALENTINE. Les autres cent cinquante francs.

TRIELLE. Ah ça, par exemple,[34] c'est le comble! Il faut encore . . . ?

VALENTINE. Dame! Ce n'est que juste. Ceux-là, c'est pour payer ton billet.

TRIELLE, *l'œil au ciel.* Mon billet!—Allons file! Que je ne te revoie plus, que je n'entende plus parler de toi!

VALENTINE. Alors, tu? . . .

TRIELLE. Quand la Banque passera,[35] je verrai ce que j'ai à faire. (*Du coup,*[36] *délivrée à la fois de la crainte d'une diminution et de la terreur du gendarme, Valentine se sent touchée. Elle va à Trielle, le fixe longuement dans les yeux. Puis, d'une voix où se trahit la profonde surprise d'une personne qui fait tout à coup une découverte inattendue:*)

VALENTINE. C'est pourtant vrai que tu es un bon mari.

TRIELLE. Il est fâcheux que tu t'en aperçoives le jour, seulement, où je réussis à te faire peur. (*Elle ne répond que d'un petit mouve-*

[30] *le machin . . . la chose . . .* the what-you-may-call-it . . . the stuff . . .

[31] *se gardant bien d' = faisant bien attention de ne pas*

[32] *tu verras un peu* you just see; you'll find out

[33] *ce coup-là = cette fois-là*

[34] *par exemple* I declare

[35] *Quand la Banque passera* When the bank collector comes (In France checks are not in common use and the banks send collectors around to receive payments on notes, rent, etc.)

[36] *Du coup = Alors*

*ment de corps, tendre et câlin. Elle se glisse dans ses bras, le front reposé à l'épaule du jeune homme qui l'a laissé faire sans rien dire.)*

TRIELLE, *mélancoliquement.* Οἷα κεφαλή, dit le renard d'Ésope,[37] καὶ ἐγκέφαλον οὐκ ἔχει.[38]

VALENTINE. Qu'est-ce que tu dis?

TRIELLE. Rien. C'est du grec.

VALENTINE, *vaguement flattée.* Comme tu es gentil quand tu veux!

*(Elle sort lentement, son argent à la main. Trielle la suit du regard. Que de puérilité, mon Dieu! . . . Que d'inconscience! . . . Que de faiblesse! . . . —Elle disparaît enfin. Trielle reste seul. Alors, il hausse les épaules, et, d'une voix qu'on entend à peine, il murmure, le cœur plein de pitié, cette simple exclamation:)* Misère![39] . . . *(Cependant le travail le réclame. De nouveau il revient à son pupitre, où il achève de compter les lignes de son feuilleton:)* 317, 319, 320. Le compte y est.[40] *(Il dit, trempe sa plume dans l'encre, puis se dictant à lui-même:)* «La suite au prochain numéro.»

RIDEAU

[37] *Ésope* Æsop—A famous Greek fabulist. Little is known about him. He is supposed to have lived from 620 to 560 B.C.

[38] Οἷα κεφαλή . . . καὶ ἐγκέφαλον οὐκ ἔχει. (Pronounce: Hoya Kefalay . . . Ky enkefalon ook ekhey)—A citation from a fable of Æsop. Its equivalent is found in La Fontaine's fable *"Le Renard et le Buste"*: Belle tête, dit-il; mais de cervelle point.

[39] *Misère!* What a life!

[40] *Le compte y est* It's the required number of lines

## QUESTIONNAIRE

*(Scènes I et II)*

1. A quoi Trielle est-il occupé?
2. Que pensez-vous des lignes qu'il est en train d'écrire?
3. Qu'en pense-t-il lui-même?
4. Pourquoi s'était-il enfermé?
5. Comment sa femme se moque-t-elle de lui?
6. Que veut dire Trielle lorsqu-il déclare que l'heure est proche?
7. Pourquoi Valentine est-elle entrée?
8. Pourquoi se fâche-t-elle?
9. Quelle somme Valentine reçoit-elle d'habitude au début du mois pour les frais du ménage?
10. Combien Trielle lui donne-t-il cette fois-ci?
11. Qu'est-ce que Valentine réclame?
12. Que prétend son mari?
13. Comment Valentine proteste-t-elle?
14. Quelle explication Trielle donne-t-il finalement?
15. Mentionnez les raisons de quelques-unes des amendes infligées par Trielle?
16. Pour quelle raison a-t-il infligé à sa femme une énorme amende de 71 francs?
17. Pourquoi Valentine avait-elle démantibulé la lanterne de l'antichambre?
18. Quels procédés Trielle avait-il employés auparavant pour tâcher d'avoir la paix chez lui?
19. A quelle décision est-il finalement arrivé?
20. Qu'est-ce que Valentine déclare?
21. Qu'est-ce qu'elle menace de faire?
22. Comment Trielle prend-il la chose?
23. Quels sont les motifs des dernières amendes?
24. Où Valentine s'en va-t-elle?

*(Scènes III et IV)*

1. A quel travail se remet l'écrivain?
2. Trielle est-il satisfait des dernières lignes qu'il vient d'écrire?
3. Pourquoi Valentine vient-elle vraiment dire au revoir à son mari?
4. Quels nouveaux reproches lui fait-elle?
5. A quelle conclusion Trielle est-il arrivé sur les femmes?
6. A quel propos Valentine supplie-t-elle son mari?
7. Qu'est-ce qu'elle avoue avoir fait?
8. Comment avait-elle dépensé les 150 francs?

9. Qu'est-il arrivé à la fameuse lanterne?
10. Pourquoi Trielle se laisse-t-il attendrir?
11. Comment Valentine profite-t-elle de ce moment de faiblesse?
12. Comment Valentine exprime-t-elle sa gratitude?
13. Quelle citation Trielle fait-il?
14. Qu'en pense Valentine?
15. Comment Trielle exprime-t-il l'amertume de son cœur?

[*For notes on these two poems see pages 249-250.*]

## PAUL FORT

### La Ronde

Si toutes les filles du monde voulaient s'donner la main,
tout autour de la mer elles pourraient faire une ronde.

Si tous les gars du monde voulaient bien êtr' marins,
ils f'raient avec leurs barques un joli pont sur l'onde.

Alors on pourrait faire une ronde autour du monde,
si tous les gens du monde voulaient s'donner la main.

## STUART MERRILL

### Offrande

Les enfants de la France dansent et chantent des rondes
En la saison des neiges comme en la saison des fleurs.
Qu'il vente, qu'il pleuve ou qu'il tonne par le monde,
Que les hommes soient en sang ou les femmes en pleurs,
Les enfants de la France dansent et chantent des rondes.

*Sur le pont d'Avignon,* chantent-ils, ou *gai la Marguerite,*
Au fond des maisons rouges dont le toit fume l'hiver
Et des blanches au seuil desquelles la cigale crépite.
Que la saison qui passe roule la flamme ou le fer,
*Sur le pont d'Avignon,* chantent-ils, ou *gai la Marguerite.*

Les pommes sont roses ou les olives grises,
La Garonne rugit et la Seine sourit,
Mais la même chanson, au mistral comme aux brises,
S'envole de la France, du Nord comme du Midi.
Les pommes sont roses et les olives grises.

Cheveux blonds, cheveux noirs, sabots ou sandales,
Les bambins chantent haut la grâce du doux pays,
Font sonner de leur danse les mottes et les dalles,
A la ville ou aux champs, en tourbillons réjouis,
Cheveux blonds, cheveux noirs, sabots ou sandales.

Notre mère la France, acceptez cette offrande:
Notre amour du pauvre, notre haine du tyran,
L'épée pour qui commande, le pain pour qui demande,
Et pour mieux vous chanter, les rondes de vos enfants.
Notre mère la France, acceptez cette offrande!

## NOTES ON THE POETRY

### *Villon's Ballade des Pendus*

This famous ballad in which is to be found all the elements of Villon's poetry—shame, despair, piety, accompanied by the most realistic and dramatic treatment—was probably written in 1463. At that time, the author, who belonged to a band of thieves, had been arrested and condemned to be hanged, after a man had been slightly wounded in a brawl. Villon, however, was pardoned a little later and banished from Paris for ten years.

First stanza: line 2—*N'ayez* = *N'ayez pas*
 line 3—*si vous avez pitié de nous, pauvres (gens)*
 line 4—*aura merci* = *aura pitié*
 line 6—*trop* too well
 line 9—*mal* = *malheur*
Second stanza: line 6—*Envers* = *Auprès* To
Third stanza: line 6—*De ça de là* = *Dans une direction, puis dans une autre*
 line 7—*à* = *selon*
 line 9—*Ne soyez donc* = *Ne soyez donc pas*
Envoi: line 2—*n'ait droit de seigneur sur* should rule over

### *Ronsard's Ode à Cassandre*

Under the poetic name of Cassandra, Ronsard sings his love for Diane de Salvati, a beautiful Italian girl he had met when he was twenty years old.

First stanza: line 3—*de pourpre* = *rouge foncé*
 line 4—*A point* = *N'a point*
 line 4—*cette vêprée* = *ce soir*
Second stanza: line 1—*Las!* = *Hélas!*
 line 1—*peu d'espace* = *peu de temps*
 line 2—*dessus la place* = *sur la terre*
Third stanza: line 2—*fleuronne* = *fleurit*
 line 3—*verte nouveauté* = *fraîcheur printanière*
 line 4—To be compared with Horace's "Carpe diem" *"Cueille le jour"*

### *du Bellay's D'un Vanneur de Blé aux Vents*

Third stanza: line 4—*j'ahanne* (archaic, onomatopœic) = *je m'essouffle* I breathe heavily

### *La Fontaine*

### *Le Loup et l'Agneau*

line 7—*Qui* = *Qu'est-ce qui* What

line 12—*elle* = *Votre Majesté*
line 13—*je me vas* = *je vais en me . . .* = *je suis en train de me* + inf.
line 19—*de moi tu médis* = *tu dis du mal de moi* you slandered me
line 21—*encor* (poetic license) = *encore*
line 22—*n'est* = *n'est pas*
line 23—*des tiens* = *de ta famille*

## *Le Corbeau et le Renard*

line 1—*Maître* Master—La Fontaine often gives this title to animals or to country people. The latter use is still fairly common among peasants.
line 1—*sur un arbre perché* = *perché sur un arbre*
line 4—*tint . . . ce langage* = *fit . . . ce discours*
line 5—Note the ceremonious "Monsieur du Corbeau" which classifies the crow among the nobility, while later, after the Fox has taken the cheese, he addresses the crow as "Mon bon Monsieur" (line 13) which implies irony and familiarity.
line 8—*se rapporte à* = *est semblable à; est aussi beau que*
line 9—*le phénix* the phœnix—A unique fabulous bird; a symbol of remarkable superiority
line 10—*ne se sent pas de joie* is beside himself with joy
line 17—*confus* = *déconcerté*
line 18—*on ne l'y prendrait plus* = *on ne l'attraperait plus ainsi*

## *Victor Hugo*

## *Extase*

Although this poem was written at the beginning of Victor Hugo's career, it is already quite typical of his pantheistic philosophy.

First stanza: line 5—*confus* = *indistinct; vague*

## *Oh! je fus comme fou . . .*

On September 4, 1843, Victor Hugo's daughter Léopoldine and her young husband Charles Vacquerie were drowned while sailing on the river Seine. This was a terrible blow for the poet. The memory of this tragedy and of his lost daughter haunted him for many years. This poem was written on the ninth anniversary of the tragedy, in 1852.

line 1—*dans le premier moment* at first (when Hugo heard the news of the tragedy)
line 3—*à qui* from whom
line 8—*Je fixais . . .* = *Je fixais* (*dans ma pensée*)
line 10—*de ces malheurs sans nom* = *de tels malheurs, trop horribles pour être nommés*
line 14—*la chambre à côté* the next room
line 17—*que de* = *combien de*

line 18—*Tenez!* = *Écoutez!* (Behold!)
line 19—*que j'écoute* = *pour que je puisse écouter*

## *Musset*

### *Rappelle-toi . . .*

This poem was written on a melody of the famous 18th century Austrian composer Mozart, entitled *"Vergiss mein nicht"*. The last nine lines are carved on Musset's tomb.

First stanza: line 5—*du plaisir* = *de la volupté*

### *Sur une morte*

First stanza: line 3—*Michel-Ange* (pronounce *"Miquel"*) Michelangelo (1475-1564)—The most famous of the Florentine artists of the Renaissance. It is said that the execution of the paintings in the Sistine Chapel in Rome was so exhausting that the artist would often sleep there.
Second stanza: line 4—*fait l'aumône* = *fait* (constitutes) *la charité*
Fourth stanza: line 2—*s'attachant à* = *se posant longuement sur*
Fifth stanza: line 2—*ne s'est point* = *ne s'est jamais*
Sixth stanza: lines 3, 4—*Eût . . . senti* = *Avait . . . senti*
line 4—*la céleste rosée* = *les larmes qui sont divines*
Seventh stanza: line 4—*N'eût veillé* = *N'avait pas veillé*
Eighth stanza: line 2—*faisait semblant de* made a pretense of
line 3—*le livre* (*de la vie*)

## *Baudelaire*

Baudelaire's poems must not be translated literally. The reader must try to feel their profound mystic significance which is obtained by the musicality of words and lines, and especially by the blending of all sensorial effects (visual, auditive, olfactory, etc.) with the thought or the sentiments. Baudelaire's poetry is an incantation.

### *Harmonie du Soir*

First stanza: line 1—*Voici venir les temps* = *Voici les temps* (l'heure; la saison) qui viennent
line 2—*un encensoir* a church censer—The mystic value is obtained by this metaphor taken from the Roman Catholic service. It will be maintained, later in the poem, by the use of two similar metaphors: *reposoir*, and *ostensoir*.
line 3—*tournent* is the important word of this line. It brings in a mysterious motion which blends perfume and sounds, and leads us to the subsequent images: *valse*, and *vertige*.
Second stanza: line 2—*frémit* quivers—This verb, by expressing the music of the human heart as well as the tremolo of the violin, connects the sensorial effects with the deeper human emotions.

line 4—*reposoir* altar—The calm and the coloring of the summer sunset bring the mystic image of an altar with its golden and red draperies, its flowers, and its burning of incense.

Third stanza: line 2—*le néant vaste et noir* = *l'angoisse de la mort à laquelle la nuit qui tombe fait songer.*

line 4—*s'est noyé* drowned—This verb, as well as the next words of the line, blends the image of the setting sun with the idea of the tragedy of death.

line 4—*qui se fige* which coagulates (and slowly loses its living color)

Fourth stanza: line 2—For the poet, who is pursued by the idea of death, the only salvation lies in the memory of the brilliant sunset, in the recollection of the luminous moments of his life.

line 4—*Ton souvenir . . . luit*—This develops the thought of line 2. Night has come, but the memory of the beloved rises in the poet's heart and replaces the sun.

line 4—*ostensoir* monstrance. This last word introduces a mystic synthesis. A monstrance is a frame of gold or silver in which the consecrated host is presented for the adoration of the faithful. In French, it is also called *"soleil"*.

## *La Cloche fêlée*

At the time when this poem was written, Baudelaire was living in a house on the Ile Saint-Louis, in Paris, just behind the cathedral of Notre Dame. No doubt the poet is thinking of the bells of the cathedral. The *"cloche au gosier vigoureux"* doubtless is the big or *bourdon* bell.

First stanza: line 4—*Au bruit des* = *Accompagnés par le bruit des*

Second stanza: Every word or image in this stanza conveys the idea of health and of vigor. *Vigoureux, alerte, bien portante, cri, soldat.* This is set in contrast with the picture which the poet will give of himself in the next lines of the sonnet.

Third stanza: line 1—*en ses ennuis* = *dans sa désolation*

line 2—*peupler* = *remplir*

Fourth stanza: line 1—*épais* = *guttural*

## *Verlaine*

Verlaine is essentially an impressionistic artist. His poetry is the expression of his temperament—extremely sensitive, melancholy, feminine. The effects are obtained by delicate nuances, a vague terminology, and above all a musical, verbal pattern. The reader should not look for thoughts or even profound sentiments, but try to recreate in himself the poet's mood or *"état d'âme"*. By its special verbal technique Verlaine's poetry is almost as close to music as it is to literature.

## *La lune blanche*

Third stanza: line 5—*Que l'astre irise* = *Que la lune illumine* iridescent

## *Il pleure dans mon cœur*

Second stanza: line 2—*qui s'ennuie = qui est affligé*
Third stanza: line 2—*qui s'écœure = écœuré; désespéré* sickened
line 4—*Ce deuil = Cette profonde tristesse*
Fourth stanza: line 1—*peine = souffrance*
line 2—*de ne savoir = de ne pas savoir*
line 4—*a tant de peine = est si triste*

## *Le ciel est par-dessus le toit . . .*

This poem was written in a cell of the Mons prison in Belgium where Verlaine was confined for two years after he had shot and slightly wounded his friend Arthur Rimbaud, a young poet of genius for whom he felt a passionate and jealous friendship. The poet's life had been a miserable one: abandonment of his family, poverty, drunkenness, and finally imprisonment.

In his cell, through the window of which only the sky and the top of a tree can be seen, Verlaine is pursued by remorse. He will even return to the religious mysticism of his youth. This physical as well as moral situation must be kept in mind while reading this poem.

First stanza: line 4—*sa palme = ses hautes branches*
Third stanza: line 3—*rumeur = bruit léger presque indistinct*
Fourth stanza: line 1—*ô toi que voilà = toi qui es ici, en prison*

## *Paul Fort's La Ronde*

This poem is written in French free verse (*vers libre*). The rhythm of each line is that of the classical or romantic line of twelve syllables, but the pronunciation is that of modern prose, so that the final mute syllables of words are counted or not, just as the poet wishes.

line 2—*faire une ronde* dance in a ring

## *Stuart Merrill's Offrande*

The following poem is written in French free verse and follows the same principles of rhythm and syllabification as the preceding poem.

First stanza: line 1—*rondes* roundelays; ring-dances—Songs and dances, the dancers forming a circle and holding each other's hands
line 3—*Qu'* Whether; Even if
Second stanza: line 1—*Sur le pont d'Avignon* and *Gai, la Marguerite* are two of the oldest French *"rondes"*. The following are some of the verses:

Sur le pont d'Avignon
Tout le monde y danse, danse.
Sur le pont d'Avignon
Tout le monde y danse en rond.
Les beaux messieurs font comm' ça,
Et puis encor' comm' ça.
Sur le pont . . . etc.

Où est la Marguerite?
Oh gai, oh gai, oh gai!
Où est la Marguerite?
Oh gai, franc cavalier.

Elle est dans son château
Oh gai . . . etc.

lines 2, 3—The "*maisons rouges*" are those of northern France; the "*blanches*" are those of the south.

line 4—*roule la flamme ou le fer* = *apporte les horreurs de la guerre*

Third stanza: line 1—Apples are cultivated in the northwest, olives in the southeast of France

line 2—The *Garonne* river, in the southwest of France, in the spring rolls torrential waters. The *Seine*, in the north, is a calm and smiling river.

line 3—The "*mistral*" is a cold north wind which blows at times over the south of France. It is contrasted here with the more gentle winds which blow in the north.

Fourth stanza: line 2—*grâce* gracefulness, charm

line 3—*de* = *par*

line 3—*mottes* (*de gazon*) turf.

## VOCABULAIRE

From this vocabulary have been omitted a very few words that are identical in spelling and meaning in both French and English. In order to aid the student, particularly in the early assignments, many irregular verb forms have been included.

The following abbreviations have been used: *adj.* adjective; *adv.* adverb; *art.* article; *coll.* colloquial; *cond.* conditional; *conj.* conjunction; *def.* definite; *excl.* exclamation; *f.* feminine; *fam.* familiar; *fig.* figuratively; *fut.* future; *imp.* imperfect; *impv.* imperative; *ind.* indicative; *inf.* infinitive; *m.* masculine; *obs.* obsolete; *part.* participle; *partic.* participial; *pl.* plural; *pop.* popular; *poss.* possessive; *prep.* preposition; *pres.* present; *pron.* pronoun; *Span.* Spanish; *subj.* subjunctive

### A

**à** to, at, by, in, into, on, upon, with, from, as to, up to, till, until, around, under, according to, in proportion to, against

**abandonner** to abandon, forsake, give up, let go; **s'—** abandon oneself, give oneself up completely, indulge in

**abasourdi, -e** stunned, bewildered, dumbfounded

**abatis** *m.* giblets

**abattement** *m.* prostration, dejection, despondency

**abattre** to fell, cut down

**abbaye** *f.* abbey

**abbé** *m.* abbot, priest

**abbesse** *f.* abbess; **rue des A—s** *street in Saint-Omer*

**abeille** *f.* bee

**abhorrer** to abhor, detest

**abîme** *m.* abyss, unfathomable depth

**abord** *m.* access, approach; **d'—** first, at first, in the first place; at once; **de prime —** at the very first, at the outset; **tout d'—** at the very outset

**aborder** to approach, accost, address, arrive at, come to

**aboyer** to bark

**abrégé** *m.* epitome, summary

**abreuvoir** *m.* trough, drinking-place

**abri** *m.* shelter

**absolu, -e** absolute, entire, complete

**absolument** absolutely, entirely, completely, positively

**absoudre** to absolve, free from blame

**absurde** absurd, ridiculous

**abuser** to take advantage of, impose upon

**académie** *f.* academy

**accabler** to overwhelm, crush, depress, torment

**accalmie** *f.* calm

**accent** *m.* accent, tone, inflection

**accepter** to accept, take, be willing, consent, agree

**accès** *m.* attack, fit, spasm

**accident** *m.* accident, unfortunate circumstance

**accompagner** to accompany, go with

**accomplir** to accomplish, fulfill; **s'—** happen, take place, occur

**accord** *m.* agreement; **d'— (avec)** in agreement (with), together (with); **être d'—** to agree, be agreed, be in agreement

**accorder** to grant, give; accord, concede, allow; show; reconcile, adjust; **s'—** agree, be in agreement, fit together, get along well together

**accoster** to accost, address, speak to

**accouder (s')** to lean on one's elbow

**accourir** to hasten, rush *or* come up, come running, hasten to come

**accoutrer** to fit out, dress, dress up

**accoutumé, -e** accustomed, used

**accroupir** to crouch, squat

**accueil** *m.* greeting, welcome, reception

**accusateur** *m.* accuser, plaintiff

**accuser** to accuse, blame
**acheminer (s')** to walk, make one's way, direct one's steps
**acheter** to buy, purchase
**acheteur** *m.* purchaser
**achever** to finish, complete, complete the ruin of; (to) finally . . . ; end up by
**acquérir** to acquire, obtain
**acqui-s, –t** *past def. of* **acquérir**
**acquis, –e** *past part. of* **acquérir**
**acquisition** *f.* purchase
**acquitter** to acquit, discharge; pay, settle; **s'—** settle with
**acrimonie** *f.* bitterness, sharpness
**acte** *m.* act, paper, deed, certificate, document, proceeding; **— de décès** death certificate; **— de mariage** marriage certificate
**acteur** *m.* actor
**acti-f, –ve** *adj.* active, energetic
**actif** *m.* assets
**action** *f.* action; **— d'éclat** splendid achievement, brilliant action, victory
**activité** *f.* activity
**actrice** *f.* actress
**actuellement** actually, now, at the present time, nowadays, today
**additionner** to add
**adieu** *m.* farewell, farewell to
**admettre** to admit, agree, concede, take in
**administrer** to administer
**admirable** admirable, wonderful, very fine, extraordinary, charming
**admirer** to admire
**adorer** to adore, worship, idolize, be extremely fond of
**adossé, –e** leaning against, with its back against
**adoucir** to soothe, assuage, alleviate, mitigate, moderate
**adresse** *f.* address; skill, craft
**adresser** to address; **— la parole à** address, speak to; **s'—** address oneself, speak, appeal (to), apply (to)
**adroit, –e** clever, skillful, cunning, shrewd
**adroitement** adroitly, cleverly, dexterously, delicately
**advenir** to happen, occur, befall
**adversaire** *m. & f.* adversary, opponent
**advint** *past def. of* **advenir**
**affaibli, –e** weakened, weak
**affaire** *f.* affair, thing, matter, business, business deal, dispute; *pl.* business; **avoir — à** to have to deal with, have dealings with; **avoir — de** have to do with; **en faire son —** attend to it oneself; **faire de mauvaises —s** make out poorly, do poor business; **mauvaise —** trouble, misadventure; **se tirer d'—** get out of a difficulty, manage, get along
**affaissé, –e** dejected, depressed, collapsed
**affamé, –e** *adj.* famished, without food
**affamé** *m.* hungry man
**affecter** to affect, assume
**affectueu-x, –se** affectionate, kind, kindly
**affermir** to strengthen
**affiler** to sharpen
**affirmer** to affirm, assert, declare, assure
**affligé, –e** *adj.* distressed, afflicted, sorrowful
**affligé** *m.* sufferer, person in distress
**affliger** to afflict, distress, grieve
**affreu-x, –se** frightful, dreadful, terrible
**afin: — de** (+ *inf.*) in order to; **— que** (+ *subj.*) in order that
**agacer** to annoy, irritate
**âge** *m.* age, time of life, era, epoch; **moyen- —** middle ages
**âgé, –e** old
**agent** *m.* agent, policeman; **— de la Sûreté** detective
**agir** to act; **— sur** have an effect *or* influence upon; **s'— de** be a matter *or* question of, have to do with
**agiter** to agitate, disturb, stir; **s'—** move around
**agneau** *m.* lamb
**agréable** agreeable, nice, pleasant, pleasing, satisfactory, suitable
**agréer** to accept; **Agréez,** *etc.,* Yours truly
**agrément** *m.* charm, attraction, attractive *or* pleasant quality, pleasure
**ahanner** to breathe heavily from physical exertion
**ah çà** well, now, look here; by the way
**ahuri, –e** perplexed, amazed

**ahurissement** *m.* bewilderment, amazement
**aide** *f.* help, assistance; **être en — à** to help, aid, protect
**aider** to aid, help, assist
**aie, -nt, -s** *pres. subj. of* **avoir**
**aigu, -ë** sharp
**aiguille** *f.* needle; hand (*of a clock*); **ouvrage d'—** needlework
**aile** *f.* wing
**aille** *pres. subj. of* **aller**
**ailleurs** elsewhere, somewhere else; **d'—** furthermore, nevertheless, moreover, besides, anyway, in any case; otherwise
**aimable** amiable, agreeable, lovely, delightful, charming, good-natured, attractive, friendly, kind
**aimant** *m.* magnet; **pierre d'—** loadstone
**aimé, -e** loved, beloved
**aimer** to love, like, be fond of; **— mieux** prefer
**aîné, -e** elder, oldest
**ainsi** thus, so, in this manner; **—dit(es)** so called; **— que** and also, as well as, together with; as, just as, like; **pour — dire** so to speak, as it were; **puisqu'il en est —** since that is the case
**air** *m.* air, atmosphere, appearance, manner, aspect; tune, melody, aria; **avoir l'— de** (+ *noun*) to look like, resemble; **les quatre fers en l'—** on one's back
**aise** *f.* ease, comfort, pleasure; **à l'—** comfortable; **à mon (son) —** comfortably, easily; comfortable; **à ton —** suit yourself, as you like, very well; **être bien —** to be very glad *or* happy
**aisé, -e** well-to-do
**ait** *pres. subj. of* **avoir**
**ajouter** to add
**ajuster (s')** to adapt *or* suit *or* accustom oneself
**alarme** *f.* fear, worry, uneasiness
**alarmer** to alarm, frighten
**Alava** *f. one of the Basque provinces in northern Spain*
**Alcala de la Panaderos** *f. suburb of Seville*
**alerte** *adj.* alert, nimble
**alerte** *f.* alarm
**algébriste** *m.* algebraist
**aligner** to lay out in a line
**aliment** *m.* article of food
**allécher** to allure, attract
**allée** *f.* path, walk, passage, driveway; **— et venue** walking back and forth
**allègre** cheerful, jolly
**allégresse** *f.* joy, glee, delight
**alléguer** to allege, mention
**Allemagne** *f.* Germany
**allemand, -e** *adj.* German
**allemand** *m.* German (*language*)
**Allemand** *m.* German
**aller** to go, proceed; **allons!** come now! well now!; **je me vas désaltérant** I am quenching my thirst; **va toujours** go ahead; **— au fait** come to the point, state one's business; **— chercher** go get, go for, fetch; **— chercher que** get the idea that; **— en journée** hire out by the day; **pis —** unworthy makeshift, worst possible makeshift, last resource; **y — avec le dos de la cuillère** adopt half-way measures; **s'en —** go away, depart
**allonger** to extend, lengthen, stretch out, thrust forward, protrude; **s'—** stretch out
**allons** come now! well now!
**allumer** to light
**almanach** *m.* almanac
**Almanza** *f. town in southeastern Spain*
**alors** then, at that time; in that case, as a result; **— que** while, whereas, although; at the time when; **jusqu'—** hitherto, up to that time
**altération** *f.* excessive emotion
**altérer** to alter, change, have an effect upon
**alternativement** in turn
**amant** *m.* lover, accepted suitor
**amante** *f.* lover, sweetheart, woman in love
**amasser** to accumulate, pile up, save up
**âme** *f.* soul, mind, creature, person; **liseur d'—s** mind-reader
**amende** *f.* fine
**amener** to bring, bring up, lead, induce
**am-er, -ère** bitter, sharp, unpleasant
**amèrement** bitterly
**américain, -e** American

**Amérique** *f.* America; **l'— du Nord** North America
**amertume** *f.* bitterness
**ami** *m.* friend; **mon —** my dear fellow; my dear (husband)
**amiable** courteous; **à l'—** by private contract, without contest, by mutual consent
**amical, –e** friendly
**amie** *f.* friend, sweetheart; **bonne —** sweetheart; **m'—** sweetheart
**amitié** *f.* friendship, friendliness, kindness; **lier une étroite — avec** to become exceedingly friendly with
**amorce** *f.* bait, lure
**amour** *m.* love
**amourette** *f.* flirtation, trivial love-affair
**amoureu-x, –se** *adj.* in love
**amoureux** *m.* person in love, lover, sweetheart
**ample** full, spacious, copious
**amusant, –e** amusing, funny, entertaining, diverting
**amuser** to amuse, entertain; **s'—** amuse *or* enjoy oneself, have a good time
**an** *m.* year
**analogue** similar
**analyser** to analyze
**anatomie** *f.* anatomy; **faire l'— de** to dissect
**ancien, –ne** *adj.* ancient, old; former
**ancien** *m.* old man
**andalous, –e** Andalusian
**Andalouse** *f.* Andalusian woman
**Andalousie** *f.* Andalusia (*district in southern Spain*)
**André** Andrew
**âne** *m.* donkey
**anéantir** to overcome, prostrate, dumbfound; ruin, destroy
**anéantissement** *m.* annihilation
**ânerie** *f.* stupidity; **vertigineux d'—** unbelievably stupid
**anglais, –e** *adj.* English
**Anglais** *m.* Englishman
**angoisse** *f.* anguish, suffering
**anisette** *f.* anisette (cordial)
**anneau** *m.* ring
**année** *f.* year
**annoncer** to announce, inform, indicate
**annuler** to annul, nullify
**antichambre** *f.* anteroom, foyer
**antique** ancient, old
**antiquité** *f.* antiquity
**anxiété** *f.* anxiety, worry
**apaisement** *m.* appeasement, feeling of peace
**apaiser** to appease, calm, quiet, pacify
**apercevoir** to perceive, see, notice; feel; **s'—** notice, perceive, realize, be conscious of
**aperçoit** *pres. ind. of* **apercevoir**
**aperçoive** *pres. subj. of* **apercevoir**
**aperçu, –e** *past part. of* **apercevoir**
**aperçûmes** *past def. of* **apercevoir**
**aperçu-rent, –s, –t** *past def. of* **apercevoir**
**aperçussent** *imp. subj. of* **apercevoir**
**apitoyer** to move to pity, enlist the sympathy of
**Apocalypse** *f.* Apocalypse, Book of Revelation
**apparaître** to appear
**apparemment** apparently, evidently
**apparence** *f.* appearance, indication, probability; **en —** apparently, seemingly
**apparenté, –e** related, connected
**appartenir** to belong, behoove, be the business (of)
**apparut** *past def. of* **apparaître**
**appel** *m.* roll-call, call, appeal
**appeler** to appeal; call, name, summon; **en —** appeal; **faire —** send for, summon; **s'—** be called *or* named
**appétissant, –e** appetizing
**appétit** *m.* appetite, yearning, longing, desire
**applaudir** to applaud
**application** *f.* diligence, effort, attention
**appliquer** to apply, fix, affix; give (*a blow*); **s'—** be applied to, fit
**apporter** to bring, carry
**apposer** to affix, place upon
**appréciation** *f.* appreciation, estimation, valuation
**apprécier** to appreciate, take a liking to, like, admire
**apprendre** to learn, learn about, hear about, realize; teach, tell, inform about
**apprêt** *m.* preparation
**apprêter** to prepare, get ready; **s'—** prepare, get ready

**apprirent** *past def. of* **apprendre**
**appri-s, -t** *past def. of* **apprendre**
**appris, -e** *past part. of* **apprendre**
**approche** *f.* approach
**approcher** to approach, go near; bring near, bring together; **s'—** approach, draw near
**approprié, -e** appropriate, suitable
**appuyer** to lean, rest, support; emphasize, stress; press on, step on; **s'—** lean, rest, support itself *or* oneself
**âpre** rude, rough, violent, sharp, bitter
**après** after, afterwards, later; at; next to, second to; **— que** after; **d'—** according to, from, based on
**après-midi** *m. or f.* afternoon
**âpreté** *f.* sharpness, bitterness, asperity
**apte** fit, qualified, suited
**arabesque** *f.* tracery, design, flourish
**arbitre** *m.* arbiter, judge
**arbre** *m.* tree
**archevêque** *m.* archbishop
**argent** *m.* silver; money, cash; **— blanc** silver; **— comptant** cash, liquid assets
**argenté, -e** silvery
**argenterie** *f.* silverware
**argile** *m.* clay
**argot** *m.* slang
**Aristote** Aristotle (384-322 B.C.) *celebrated Greek philosopher*
**arme** *f.* arm, weapon; **maître d'—s** fencing teacher; **se mettre au port d'—s** to carry arms, shoulder arms
**armée** *f.* army; **porter sur les cadres de l'—** to commission; reinstate
**armer** to arm
**armoire** *f.* cupboard, closet, wardrobe; **— à glace** wardrobe with mirrored door
**armorié, -e** with one's coat-of-arms, blazoned
**arracher** to snatch, extract, draw, pull out; **— des larmes** cause tears to flow
**arranger** to arrange, fix, adjust, settle, make arrangements; **s'—** manage to get along; arrange, arrange matters, come to an agreement, manage
**arrêter** to stop, check, detain, arrest; draw up, establish, decide, settle; engage, hire; **— sur la grande route** commit highway robbery; **s'—** stop, pause, halt; decide
**arrière** *m.* back; **en —** backward, behind
**arrivée** *f.* arrival
**arriver** to arrive, come, reach; happen, occur; succeed; hit, strike; **arrive qui plante** come what may, let come what will; **voilà qu'arrive** up comes
**arroser** to moisten, sprinkle, wet
**arsenal** *m.* naval headquarters, dockyard
**art** *m.* art; **maître ès —s** master of arts
**artésien, -ne** from Artois (*province in northern France*)
**article** *m.* article, item, particular clause, phrase
**artiste** *m. & f.* artist
**artistement** artistically, skillfully, finely
**Artois** *m.* *province in northcentral France*
**asile** *m.* refuge, shelter, asylum
**aspect** *m.* sight
**assassiner** to assassinate, kill, murder
**assemblage** *m.* group
**assembler** to assemble, gather together
**asseoir** to seat; **faire —** make . . . sit down, offer a seat to; **s'—** sit down
**asservissement** *m.* subjection, servitude, bondage
**assez** enough, sufficiently, well enough, rather, quite, somewhat
**assied** *pres. ind. of* **asseoir**
**assiette** *f.* plate, dish
**assis, -e** seated, sitting
**assister** to be present, attend, witness
**assit** *past def. of* **asseoir**
**associer** to associate, combine; **s'—** admit as a partner
**assoupissant, -e** soporific, narcotic
**assourdir** to deafen
**assuré, -e** assured, certain, definite
**assurément** assuredly, certainly, really
**assurer** to assure, ensure, maintain; **s'—** assure oneself, make sure, feel *or* be sure
**astre** *m.* star, heavenly body
**Athènes** *f.* Athens (*capital of Greece*)
**Atlantique** *m.* Atlantic (ocean)
**atmosphère** *f.* atmosphere, surroundings, environment

**atome** *m.* atom
**attachant, –e** engaging, attractive, interesting
**attachement** *m.* attachment, affection
**attacher** to attach, tie, fix; **s'—** fix itself, be fixed
**attaque** *f.* attack
**attaquer** to attack
**attardé, –e** belated
**atteindre** to reach, attain; catch, overtake; strike
**attendant: en —** in the meanwhile
**attendre** to await, wait, wait for; expect, look for, hope for; **en attendant** in the meanwhile; **s'— à** expect, expect to; **se faire —** be long in appearing, be slow in coming
**attendrir** to move, affect, touch; **s'—** be moved to pity, soften, relent
**attendrissant, –e** moving, affecting
**attente** *f.* waiting, expectation, expectancy
**attester** to certify, bear witness to
**attifer** to bedeck, dress up
**attirant, –e** attractive, engaging, interesting
**attirer** to attract, draw
**attracti-f, –ve** attractive, possessing the power to attract
**attrait** *m.* attraction, charm
**attraper** to catch, take hold of
**attribuer** to attribute, ascribe; assign, bequeath
**attribut** *m.* attribute, characteristic
**au = à + le**
**auberge** *f.* inn, tavern
**aubergiste** *m.* innkeeper
**aucun, –e** any, anyone; no, none, no one, not any
**audace** *f.* audacity, boldness
**audacieu-x, –se** bold
**au-dessous (de)** under, underneath, beneath
**au-dessus (de)** above, over, beyond
**audomarois, –e** *adj.* of Saint-Omer
**Audomarois** *m.* inhabitant of Saint-Omer
**aujourd'hui** today, now
**aumône** *f.* alms; **faire l'—** to bestow alms, give to the poor, give in charity
**aumônier** *m.* chaplain
**aune** *f.* ell, yard
**auparavant** previously, beforehand, before
**auprès** close by, near; **— de** near, at, beside, next to, to, in the company *or* presence of, in comparison with
**auquel** to whom, to which, in which
**aur-a, –ai, –as, –ez, –ons, –ont** *fut. of* **avoir**
**aur-aient, –ais, –ait, –iez, –ions** *cond. of* **avoir**
**aurore** *f.* dawn; **— boréale** aurora borealis, northern lights
**aussi** also, too, so, as, thus; therefore; **— bien** anyhow, moreover; **— bien que** as well as; **— . . . que** as . . . as
**aussitôt** at once, immediately, forthwith, right away; **— que** as soon as
**autant** as much, as many, so much, the same, as well; **— que** as well as, as far as, in so far as; **— vaudrait** one might as well; **d'— moins de . . . que** all the less . . . inasmuch as
**auteur** *m.* author, writer
**authenticité** *f.* authenticity
**authentique** authentic, genuine, incontestable, legal, definite
**automne** *m. or f.* autumn
**autorisation** *f.* authorization, approval, permission
**autoriser** to authorize, give permission
**autorité** *f.* authority
**autour (de)** around, about
**autre** *adj.* other, else, different; **— chose** another thing, something else, anything else; **bien — chose** quite different; **d'— sorte** differently
**autre** *m. & f.* other person, different person; **l'un à l'—** to each other; **l'un et l'—** both, each one; **ni l'un ni l'—** neither
**autrefois** formerly, before, previously; former times
**autrement** otherwise, differently
**Autriche** *f.* Austria
**autrichien, –ne** Austrian
**aux = à + les**
**auxquels** *pl. of* **auquel**
**avaler** to swallow
**avance** *f.* advance; **d'—** in advance,

beforehand, in anticipation; **par —** in advance, beforehand, previously
**avancer** to advance, extend; **s'—** advance, proceed, draw near
**avant** before, beforehand, formerly; **— de** (+ *inf.*) before; **— peu** before long, shortly; **— que** (+ *subj.*) before; **en —** forward, forth; **en — de** at the front of, ahead of; **si —** so far, so deep
**avantage** *m.* advantage, profit, benefit, interest; upper-hand, superiority; **avoir l'—** to be the victor
**avant-scène** *f.* forestage, front of the stage
**avare** miserly, stingy
**avec** with
**aventure** *f.* adventure, incident; **il y a maintenant près de cinquante ans de cette —** that incident occurred almost fifty years ago
**avenue** *f.* avenue, driveway
**avertir** to notify, warn
**aveu** *m.* admission, confession
**aveuglément** blindly
**aveugler** to blind
**avidement** eagerly, greedily
**Avignon** *m. town in southern France*
**avis** *m.* opinion, suggestion, bit of information; advice, notification
**aviser** to think of, consider; **s'—** think (of), bethink oneself, take it into one's head
**avocat** *m.* lawyer
**avoir** to have, possess; be the matter with; make (*a sign; a gesture*); perform (*a kind act*); get *or* receive (*news*); **a-t-on idée de** can anyone imagine; **ce qu'il y a** what the matter is; **eut ceci de remarquable** was remarkable in this respect; **il aura beau faire** do what he will; **il y a** there is *or* are; ago; **il y a maintenant près de cinquante ans de cette aventure** that incident occurred almost fifty years ago; **il y avait** *or* **il y a eu** *or* **il y eut** there was *or* were; **qu'est-ce qu'il y a** what is the matter; **tu as à me parler** you have something to say to me; **— affaire à** *or* **— à faire à** have to deal with, have dealings with; **— affaire de** have to do with; **— à se louer de** have occasion to be pleased with; **— beau . . .** (to) . . . in vain, be useless to; **— besoin de** need, have to, have need of; **— chaud** be *or* feel warm; **— coutume de** be accustomed to; **— de la suite** be persistent *or* consistent; **— de la voix** express oneself verbally; **— de l'économie** be frugal *or* thrifty *or* saving; **— de l'ordre** be orderly *or* steady; **— droit** be entitled; **— envie** wish, desire, feel like; **— faim** be hungry; **— honte** be ashamed; **— horreur de** abhor; **— l'air de** (+ *noun*) look like, resemble; **— la tête ouverte** have a fractured skull; **— l'avantage** be the victor; **— le fouet** be whipped; **— l'habitude** be accustomed *or* used; **— l'œil à ce que** see to it that, watch out that; **— ordre** receive *or* get an order, be condemned; **— peur** be afraid; **— raison** be right; **— soif** be thirsty; **— soin de** (+ *inf.*) take care to; **— tort** be *or* do wrong, be in the wrong; **— toutes les envies du monde** be highly desirous of, want very much; **en — par-dessus les épaules** have enough of it, be fed up with it; **ne point — de prise sur** fail to function in the case of
**avoué** *m.* attorney, solicitor
**avouer** to confess, admit
**ayant** *pres. part. of* **avoir**
**ayez** *impv. & pres. subj. of* **avoir**
**ayons** *impv. & pres. subj. of* **avoir**
**axe** *m.* axis

## B

**babillard, -e** talkative, loquacious
**bague** *f.* ring
**baguette** *f.* rod, switch, stick; **mener à la —** to rule with an iron hand, make toe the line
**bah** oh well, never mind
**bâillement** *m.* yawning
**bâiller** to yawn, gape
**baiser** *m.* kiss
**baiser** to kiss
**baisser** to lower; **se —** stoop, bend over

**bal** *m.* ball, dance
**balafrer** to slash, gash
**balai** *m.* broom
**balance** *f.* scales, pair of scales
**balancer (se)** to sway
**balbutier** to stammer
**balcon** *m.* balcony
**baleine** *f.* whale
**baliverne** *f.* nonsense, silly remark
**balle** *f.* bullet
**ballot** *m.* pack, package, bundle, bale
**Baltique (la mer)** the Baltic (Sea)
**bambin** *m.* baby, child.
**banc** *m.* bench, seat; dock, prisoner's box
**bande** *f.* band, group, crowd; hull, side (*of a ship*)
**bander** to bandage, bind
**bannir** to banish, exile
**banque** *f.* bank; **billet de —** banknote
**Banquier: rue du —** *street in south-eastern Paris*
**baquet** *m.* tub
**baragouiner** to jabber, murder (*a language*)
**baraque** *f.* hut, shack
**barbare** *m.* barbarian
**barbe** *f.* beard
**barbouiller** to daub, smear, soil
**bar lachi** *f.* (*Gypsy*) loadstone
**baroque** odd, strange, singular
**barque** *f.* boat
**barratcea** *m.* (*Basque*) garden
**barre** *f.* bar, arm, tiller
**barreau** *m.* bar
**barrer** to bar, block
**barrière** *f.* barrier, fence, gate
**bas, –se** *adj.* **low, sordid; à voix —se** in an undertone *or* whisper, in a low voice; **chambre —se** room on the ground floor
**bas** *adv.* low, down, in a whisper, in a subdued tone; **ici- —** here on earth, here below; **là- —** over there, yonder, back there; down there, down below
**bas** *m.* stocking; lower portion, bottom; **au — de** below; **d'en —** lower; **de haut en —** from head to foot, all over; **en — de** down from
**base** *f.* basis, foundation, bottom
**basque** *adj.* Basque; **tambour de —** tambourine
**Basque** *m.* Basque, inhabitant of one of three provinces in north-central Spain
**basse-cour** *f.* poultry yard
**bataille** *f.* battle
**bateau** *m.* ship, boat
**bâtir** to build, construct
**bâton** *m.* stick, cane, cross-piece, bar, staff, baton, emblem of high rank
**battre** to beat, knock, strike, beat against, pound, beat down; **— comme plâtre** beat to a pulp; **se —** fight, struggle
**baume** *m.* balm, consolation, comfort
**bavarois, –e** Bavarian
**Baztan** *m. valley in north-central Spain*
**beau** *or* **bel, belle** fine, handsome, beautiful, splendid; **de la belle façon** in fine style, in great shape; **de plus belle** all the more, more than ever, worse than ever; **avoir —** to . . . in vain, be useless to; **il aura — faire** do what he will; **le plus — de . . .** the most amusing thing about . . . , the climax of . . .
**beaucoup** much, very much; many, a great deal; **être pour — dans** to play an important part in, be largely responsible for
**beau-père** *m.* father-in-law
**beauté** *f.* beauty
**bébé** *m.* baby
**bec** *m.* beak, bill
**bée** *m.* baa (*bleating*)
**beignet** *m.* fritter
**bel** *see* **beau**
**bêler** to bleat
**bélier** *m.* ram
**belle** *adj. see* **beau**
**belle** *f.* beautiful woman *or* girl
**belle-mère** *f.* mother-in-law
**bénédiction** *f.* benediction, blessing
**bénéficier** to make a profit
**bénévolement** benevolently, kindly
**bercer** to rock
**béret** *m.* beret, woolen cap
**berger** *m.* shepherd
**Berlin** *m.* Berlin (*capital of Germany*)
**berline** *f.* berlin (*carriage*)
**besogne** *f.* task, duty, work, job

**besoin** *m.* need, want; **avoir — de** to need, have to, have need of
**bestiaux** *pl. of* **bétail**
**bétail** *m.* cattle
**bête** *adj.* stupid, silly
**bête** *f.* beast, animal; fool, simpleton
**bêtise** *f.* stupidity, nonsense, foolish thing, foolish act
**beurre** *m.* butter
**biau** *dialetic form of* **beau**
**bibliothèque** *f.* library
**Bicêtre** *m. suburb south of Paris containing a large asylum for the aged and the insane*
**bicêtrien** *m.* inmate of the Bicêtre asylum
**bien** *adv.* well, good, nice, fine, clearly, right, all right, indeed, very, very well, quite, truly, certainly, really, just, exactly, many, much, hard, a great deal, greatly, else, at least, easily, readily, thoroughly, completely, well off, comfortable, satisfied, to the point, willingly, nicely; **— entendu** naturally, of course; **— que** although; **aussi —** anyhow, moreover; **aussi — que** as well as; **c'est — entendu** it's agreed; **eh —** well, very well, well now; **je le pensais —** it's just as I thought; **je vous le disais —** it is just as I told you; **ou —** or else, or on the other hand; **ou — . . . ou —** either . . . or else; **se trouver —** to like it, be satisfied; **vouloir —** be willing, consent; (to) kindly . . . ; grant, concede
**bien** *m.* wealth, property; good, benefit, welfare; **être communs en —s** to be joint owners of property; **faire un — à** do good, benefit
**bien-aimée** *f.* beloved girl *or* woman, sweetheart, dearest
**bienfaisant, -e** beneficent, good, kind, charitable; beneficial, salutary
**bienfait** *m.* benefit, blessing, kindness, benevolent act, good deed
**bienfaiteur** *m.* benefactor
**bienfaitrice** *f.* benefactress
**bienheureu-x, -se** blessed, blissful, happy
**bien que** although
**bientôt** soon; **à —** hoping to see you again soon
**bigamie** *f.* bigamy
**bijouterie** *f.* piece of jewelry
**billet** *m.* note, promissory note; banknote, bill; ticket; **— de banque** banknote; **— de faveur** complimentary ticket, pass
**bivaquer** to bivouac, sleep in the open
**bivouac** *m.* camp
**bizarre** strange, curious
**blaguer** to joke; **histoire de —** just as a joke
**blan-c, -he** white, blank; **argent —** silver
**blaser (se)** to become surfeited (with), become sick (of)
**blasphème** *m.* blasphemy, oath
**blé** *m.* wheat
**blême** pale
**blessant, -e** hurting, offending, offensive; cruel
**blessé** *m.* wounded man
**blessée** *f.* wounded woman
**blesser** to wound, injure, offend; **se —** hurt oneself, be hurt
**blessure** *f.* wound, injury
**bleu, -e** blue
**blouse** *f.* smock
**bohême** *adj.* of loose *or* irregular habits
**bohême** *f.* Gypsydom, Gypsies
**bohême** *m.* vagabond
**bohémien** *m.* Gypsy, Gypsy language
**bohémienne** *f.* Gypsy girl, Gypsy woman
**boire** to drink, swallow; **— l'un à l'autre** drink to each other's health; **— un coup** have a drink
**bois** *m.* wood, woods
**boisson** *f.* drink
**bon, -ne** good, fine, nice, right, dear, full, whole, complete, reliable; (*ironically*) darn it all, the deuce; **— Dieu** gracious, good heavens; **— enfant** easy going, good-natured; **— esprit** sensible man; **— marché** cheap; **—ne amie** sweetheart; **—ne foi** sincerity, frankness; **à — entendeur, salut** a word to the wise is sufficient; **à la —ne heure** good, very well, all right; **de — cœur** heartily, whole-heartedly; **de — matin** early; **de —ne foi** sin-

cerely, honestly; **de —ne heure** early; **de —ne volonté** voluntarily, willingly; **faire —** to be good *or* safe; **faire — ménage** live together on good terms; **pour tout de —** in real earnest, deeply; **sur une —ne parole** amicably; **tenir —** to hold fast, hold out; **trouver —** approve, allow, not to mind

**Bonaparte** *see* **Napoléon**

**bonbon** *m.* candy

**bond** *m.* bound, leap, jump

**bondir** to leap, jump

**bonheur** *m.* good fortune, happiness, contentment; **par —** happily, fortunately

**bonhomme** *m.* good fellow, dear old soul

**bonjour** *m.* good morning, good day

**bonne** *f.* maid, servant

**Bonne-Espérance (cap de)** Cape of Good Hope

**bonnement: tout —** simply, just, ingenuously

**bonnet** *m.* cap, hat; **— de nuit** nightcap; **— de police** fatigue cap, foraging cap

**bonté** *f.* kindness, goodness, good will, favor, act of kindness

**bord** *m.* bank, shore, coast; edge, brim, border, side; **à —** on board, on the vessel

**bordure** *f.* border, frame

**boréal, –e** northern; **aurore —e** aurora borealis, northern lights

**borgne** *adj.* blind in one eye, one-eyed

**borgne** *m.* one-eyed man, man with one blind eye

**borne** *f.* stone post, horseblock

**borner** to restrict, limit, confine; **se —** limit oneself, be content

**Bossey** *m. small Swiss town near Geneva*

**Bossuet, Jacques Bénigne** (1627-1704) *bishop of Meaux, author and orator*

**Bothnie** *f.* Bothnia (*district on the gulf of Bothnia partly in Sweden and partly in Finland*)

**botte** *f.* bunch, bundle; boot, shoe

**bouche** *f.* mouth

**boudeu-r, –se** pouting, sulky, sullen

**boue** *f.* mud

**bouffonnerie** *f.* buffoonery, joke

**bouger** to budge, stir, move

**bouillon** *m.* spurt, gush; broth

**bouillonner** to bubble, boil

**boulanger** to bake, make bread

**boule** *f.* ball

**bouleau** *m.* birch-tree

**boulet** *m.* cannon ball

**bouleversement** *m.* confusion, turmoil, agitation, upset

**bouleverser** to throw into confusion, agitate, disturb, upset

**bourde** *f.* bluff, sham; blunder

**bourdonnement** *m.* buzz, buzzing, murmur, noise

**bourg** *m.* town

**bourgeois, –e** *adj.* civilian

**bourgeois** *m.* citizen of the middle-class, civilian

**bourgeoisie** *f.* middle-class

**bourreau** *m.* executioner, tormentor, torturer

**bourse** *f.* purse, pocketbook; **coupeur de —s** pickpocket

**bout** *m.* end, tip, point; bit, piece; back; **à —** at the end, over; **après un — de chemin** after going a short distance; **pousser à —** to drive too far

**bouteille** *f.* bottle

**boutique** *f.* shop, store

**brailler** to bawl, cry out

**branche** *f.* branch

**braquer** to point, aim, direct, fix

**bras** *m.* arm

**brave** *adj.* brave; good, nice, fine

**brave** *m.* fine fellow, fine man; brave man; bully

**bravo** *m.* bravo, shout of approval

**brèche** *f.* breach, gap

**br-ef, –ève** *adj.* brief, short

**bref** *adv.* in short

**breuvage** *m.* beverage, drink

**bréviaire** *m.* breviary, prayerbook

**brigadier** *m.* corporal, police sergeant

**brillamment** brilliantly

**brillant, –e** brilliant

**briller** to shine, gleam

**brise** *f.* breeze

**briser** to break, smash, shatter; break off relations; **se —** break up, go to pieces

**broder** to embroider
**bronze** *m.* bronze, bronze statue
**brosser** to brush
**brouiller** to confuse, mix up
**broussailles** *f. pl.* underbrush
**brouter** to browse, graze
**bruit** *m.* noise, sound
**brûle-gueule** *m.* cutty-pipe, short pipe
**brûler** to burn, desire ardently, long; **se — la cervelle** blow one's brains out
**brume** *f.* mist, haze
**brune** *f.* brunette
**brusquement** suddenly, sharply, quickly, abruptly
**brusquerie** *f.* abruptness, sharpness
**bruyant, -e** noisy, loud
**buffet** *m.* cupboard, sideboard
**bureau** *m.* desk, office
**bu-rent, -t** *past def. of* **boire**
**but** *m.* goal, destination, aim, purpose, point, end in view
**butin** *m.* booty, plunder
**buvai-ent, -s, -t** *imp. of* **boire**
**buvant** *pres. part. of* **boire**
**Byron, Lord** (1788-1824) *famous English romantic poet*

## C

**ça = cela** that; **— y est** that's right, that's fine
**çà** *adv.* here; **ah —** well, now, look here, by the way; **de — de là** hither and thither, back and forth
**cabane** *f.* cabin, hut; hutch
**cabaret** *m.* wine-shop, tavern
**cabinet** *m.* room, small room, private room, consulting room, study, private office
**cabrer (se)** to rear
**cabri** *m.* kid
**cabriolet** *m.* two-wheeled carriage, gig
**cacher** to hide, conceal; **se —** hide oneself, hide
**cacheter** to seal
**cadavéreu-x, -se** cadaverous, corpse-like
**cadavre** *m.* corpse, dead body
**cadeau** *m.* present, gift
**cadence** *f.* cadence, time, rhythm; **en —** keep time, in time *or* rhythm
**cadencé, -e** cadenced, musical, harmonious
**cadre** *m.* list of officers; **porter sur les —s de l'armée** to commission; reinstate
**café** *m.* café; coffee
**cahier** *m.* notebook
**caillou** *m.* pebble, stone
**calcul** *m.* calculation, computation
**calculer** to calculate, design
**calé** *m. pl.* Gypsies
**calepin** *m.* notebook, memorandum book
**Caliban** *deformed slave in Shakespeare's* The Tempest
**Californie** *f.* California
**câlin, -e** fawning, cajoling
**calleu-x, -se** calloused
**calli** *f.* Gypsy
**calme** *adj.* calm, peaceful
**calme** *m.* calm, quiet, peace
**calmer** to calm, quiet, pacify, soothe; **se —** calm oneself, calm down, subside
**calotte** *f.* box on the ear
**camarade** *m. & f.* comrade, friend
**caméléon** *m.* chameleon
**camelotte** *f.* cheap *or* inferior goods
**camisole** *f.* jacket, waistcoat
**camp** *m.* camp; **maréchal de —** brigadier general
**campagne** *f.* campaign; country, country estate
**canaille** *f.* scoundrel
**canapé** *m.* sofa, couch
**canarder** to fire upon, shoot from under cover
**canari** *m.* canary; simpleton
**candeur** *f.* candor, frankness, innocence, simplicity, ingenuousness
**canicule** *f.* dog-days; dog-star, Sirius
**canne** *f.* cane
**canon** *m.* cannon
**cantonnier** *m.* road laborer, road mender
**cap** *m.* cape; **— de Bonne-Espérance** Cape of Good Hope
**capitaine** *m.* captain
**capote** *f.* cloak with a hood; **— d'uniforme** soldier's overcoat, military overcoat
**caprice** *m.* caprice, fancy, liking

**capricieu-x, -se** capricious
**capter** to steal, get hold of
**car** for, because
**carabin** *m.* saw-bones, medical student
**caractère** *m.* character, disposition
**carat** *m.* carat, small diamond
**caressant, -e** affectionate
**carillon** *m.* set of chimes
**carillonner** to chime
**carnaval** *m.* carnival
**carnifex** *m.* (*Latin*) butcher, tormentor, torturer
**carré -e** *adj.* square
**carré** *m.* square, square patch
**carreau** *m.* square
**carrière** *f.* career, profession
**carte** *f.* card; map; **le dessous des —s** the hidden secret of things, what remains concealed beneath the surface
**cartésien** *m.* Cartesian, follower of the philosophy of Descartes
**cas** *m.* case, instance, circumstance, occasion, event; **en tout —** at any rate, in any case, anyway, at least
**casquette** *f.* cap
**casser** to break, break down, break up, smash; annul; **se —** break
**cassie** *f.* cassia
**castagnette** *f.* castanet
**Castillan** *m.* Castilian
**catalepsie** *f.* catalepsy
**Catalogne** *f.* Catalonia (*northeastern district of Spain*)
**catéchisme** *m.* catechism, study of the principles of religion
**catholique** *adj.* Catholic
**catholique** *m. & f.* Catholic
**cause** *f.* cause, reason; case, suit; **à —?** why? **à — de** on account of
**causer** to cause, be the cause of, produce; chat, converse, speak
**cavalerie** *f.* cavalry
**cavalier** *m.* horseman, cavalryman
**ce, cet, cette, ces** *adj.* this, that, these, those; **cette nuit** last night
**ce** *pron.* it, this, that, they, these, those, he, she, the reason, the fact
**ceci** this; **eut — de remarquable** was remarkable in this respect
**céder** to yield, submit, give in, weaken; hand over, turn over
**ceinture** *f.* belt, waist, waist measure
**ceinturon** *m.* belt, sword-belt
**cela** that; **c'est —** *or* **ça** that's right, all right; **c'est pour — que** that is why
**célébration** *f.* celebration
**célèbre** famous
**céleste** celestial, heavenly
**celle** *see* **celui**
**celui, celle, ceux, celles** he, the one; she; the person, that; they, those, the ones; **— -ci** the latter, this one; **— -là** the former, that one
**cendre** *f.* ashes
**censé, -e** supposed, considered
**cent** (one) hundred
**centaine** *f.* hundred, group of about one hundred
**centième** hundredth
**cent-millième** hundred-thousandth
**centre** *m.* center, middle
**cependant** however, nevertheless; meanwhile; **— que** (*obs.*) while
**cercle** *m.* circle; **quart de —** quadrant
**cercueil** *m.* coffin
**cérémonie** *f.* ceremony
**certainement** certainly, surely, of course
**certes** certainly, assuredly
**certitude** *f.* certainty, assurance
**cervelle** *f.* brain; **se brûler la —** to blow one's brains out
**ces** *pl. of* **ce, cet, cette**
**César** Julius Caesar (100-44 B.C.) *famous Roman dictator and general*
**cesse** *f.* ceasing; **sans —** repeatedly, incessantly, constantly, always, ever
**cesser** to cease, stop, come to an end
**cet, cette** *see* **ce**
**ceux** they, them, those; **— -ci** these
**chacun, -e** each, each one
**chagrin** *m.* grief, sorrow, concern, disappointment, regret
**chagriner** to grieve, hurt
**chaîne** *f.* chain
**chair** *f.* flesh, body
**chaise** *f.* chair; **— de paille** straw-bottomed chair, chair with a rush seat; **— dépaillée** chair with a broken seat; **— de poste** stage-coach
**châle** *m.* shawl
**chaleur** *f.* warmth, heat
**chaleureusement** warmly, affectionately
**chalumeau** *m.* reed, pipe

**Chambord** *m. small village in north-central France noted for its magnificent Renaissance castle*
**chambre** *f.* chamber, room, bedroom; **— à coucher** bedroom; **— basse** room on the ground floor; **C— haute** upper chamber, senate; **femme de —** chambermaid; **robe de —** dressing gown; **valet de —** valet, manservant
**chambrée** *f.* soldiers' dormitory
**champ** *m.* field, space; **donner la clef des —s** to release, set free; **sur-le- —** immediately
**champêtre** rural, rustic, country
**champignon** *m.* mushroom
**changeant, –e** changeable, variable
**changement** *m.* change
**changer** to change, alter; **pour ce que ça te changera** as for that making any change in you
**chanson** *f.* song; *pl.* nonsense
**chant** *m.* song, singing
**chanter** to sing; ring; talk nonsense
**chanteuse** *f.* singer
**chantonner** to hum
**chanvre** *m.* hemp
**chaos** *m.* chaos, confusion
**chapeau** *m.* hat
**chapelle** *f.* chapel
**Chapelle: barrière de la —** *or* **porte de la —** *entrance to Paris at the extreme north*
**chapitre** *m.* chapter
**chaque** each, every
**Charenton** *m. eastern suburb of Paris noted for its insane asylum*
**charge** *f.* profession; load, burden; expense, obligation; **ne relever aucune —** to find no evidence
**charger** to charge, blame, tell on, accuse; load, lade, overload, cover; entrust, commission; fill; **se — de** take care of, look after, take upon oneself
**chariot** *m.* wagon
**charmant, –e** charming, pleasing, delightful, attractive
**charme** *m.* charm, attraction
**charogne** *f.* carcass, carrion
**charrette** *f.* cart
**charrier** to carry along
**chasse** *f.* hunt, hunting
**châsse** *f.* shrine
**chasser** to chase, drive away, dispel
**chat** *m.* cat; **c'est le —** I like your nerve
**château** *m.* castle
**châtier** to chastise, punish
**châtiment** *m.* chastisement, punishment
**chatouiller** to tickle, irritate
**chaud, –e** *adj.* warm, hot
**chaud** *m.* warmth, heat; **avoir —** to be *or* feel warm
**chaudronnier** *m.* tinker
**chauffer** to heat, warm; **faire —** warm
**Chaussée-d'Antin: rue de la —** *street in north-central Paris*
**chebec** *m.* xebec (*Mediterranean three-masted vessel with square and lateen sails*)
**chef** *m.* leader, chief, head; main *or* essential point
**chemin** *m.* road, route, way, journey; **à moitié — de** half-way along; **après un bout de —** after going a short distance
**cheminée** *f.* fireplace, mantelpiece, chimney
**chemise** *f.* shirt, wrapper
**chêne** *m.* oak, oak tree
**chenu, –e** hoary, white-haired
**cher, chère** dear, expensive, costly; scarce; beloved, darling; **mon —** my dear fellow; *as adv.* dearly
**chercher** to seek, search, look for, try, endeavor; **— querelle à** pick a quarrel with; **aller —** go get, go for, fetch; **aller — que** get the idea that
**chèrement** dearly, expensively; **peu —** inexpensively
**chérir** to cherish, love dearly
**chéti-f, –ve** puny, wretched
**cheval** *m.* horse; **à —** on horseback
**cheveu** m. hair
**chèvre** *f.* goat
**chevrier** *m.* goatherd
**chez** at *or* to the home *or* store of; in the case of; with, in, to, among; in *or* into the room of; in the presence of; **un — toi** a home
**chien** *m.* dog; **— de garde** watch-dog; **— de manchon** lap dog
**chiendent** *m.* dog-grass, couch-grass
**chiffre** *m.* figure, number, amount
**Chine** *f.* China

**chipe calli** *m.* Gypsy language
**chirurgien** *m.* surgeon
**chocolat** *m.* chocolate
**choir** to fall
**choisir** to choose, select; **se —** choose for oneself
**choix** *m.* choice
**choquer** to shock, offend, displease; **se —** be shocked *or* offended *or* displeased
**chose** *f.* thing, matter, affair, object; **autre —** another thing, something else, anything else; **bien autre —** quite different; **cela ne me fit pas grand'—** I didn't mind that much; **quelque —** something, anything
**chou** *m.* cabbage
**chrétien** *m.* Christian
**chute** *f.* fall, descent
**cicatrice** *f.* scar
**ci-dessous** below, hereafter
**cidre** *m.* cider
**ciel** *m.* sky, heaven; God; **juste —** good heavens
**cieux** *pl. of* **ciel**
**cigale** *f.* grasshopper
**cigare** *m.* cigar
**cinq** five
**cinquantaine** *f.* about fifty
**cinquante** fifty
**cinquantième** fiftieth
**cinquième** fifth
**circonférence** *f.* circumference
**circonstance** *f.* circumstance, case
**circonvenir** to circumvent, get around
**circulaire** circular
**cire** *f.* wax
**ciseaux** *m. pl.* scissors
**cité** *f.* city, town
**citer** to cite, quote
**citoyen** *m.* citizen
**civilité** *f.* courtesy, good breeding, politeness; compliment
**clair, –e** clear, plain, evident; **—-obscur** semi-darkness
**clairement** clearly, distinctly
**clair-obscur** *m.* semi-darkness
**claquement** *m.* snapping, slapping
**claquer** to snap, click
**classe** *f.* class
**classement** *m.* classification
**Claye** *f. village about fifteen miles east of Paris*
**clé** *f.* key; **se mettre sous —** to lock oneself in
**clef** *f.* key; **donner la — des champs** to release, set free
**clerc** *m.* clerk; **maître —** *or* **premier —** head clerk
**clientèle** *f.* customer, customers, practice
**clignement** *m.* wink; **— d'œil** wink
**climat** *m.* climate
**clin d'œil** *m.* twinkling of an eye
**cloche** *f.* bell
**clos, –e** closed, shut
**coaguler (se)** to coagulate
**cocarde** *f.* cockade, bow of ribbon
**cocher** *m.* coachman
**cochère** for carriages; **porte —** carriage entrance
**cochon** *m.* pig; **toit à —s** pig-sty, pigpen
**coco** *m.* (*coll.*) rascal, scoundrel
**Code** *m.* Code, law
**cœur** *m.* heart, soul, mind, strength, courage; sweetheart, lover; **à —** seriously; **à — reposé** quietly, undisturbed; **de bon —** heartily, wholeheartedly; **faire le joli —** to play the gallant; **homme de —** courageous man, man of feeling; **rester sur le —** to rankle within
**coffre-fort** *m.* safe, strong box
**coi, –te** quiet
**coiffer** to put on the head; dress one's hair; **se — de** put in one's hair
**coin** *m.* corner, piece
**colère** *f.* anger; **en —** angry; **mettre en —** to make angry; **se mettre en —** become angry
**colimaçon** *m.* snail
**collège** *m.* school
**collègue** *m.* colleague, companion
**coller** to stick, glue, hold fast; flatten against
**collet** *m.* coat collar, neckband, ruff; **mettre la main sur le —** to arrest, seize
**collier** *m.* necklace
**Colomb, Christophe** (1446?-1506) Christopher Columbus
**colonne** *f.* column

**colossal, –e** colossal, immense, enormous, huge
**combat** *m.* battle, struggle
**combattre** to combat, fight, oppose, contest
**combien** how much, how many, how greatly, to what extent
**comble** *m.* top, height, acme, perfection; **c'est le —** that's the limit, that beats everything
**comédie** *f.* comedy
**comédie-ballet** *f.* comedy with music and dances
**comédien** *m.* comedian, actor
**comédienne** *f.* comedian, actress
**comète** *f.* comet
**comique** *adj.* comic, comical
**comique** *m.* comical element, comedy
**commandement** *m.* command, order
**commander** to command, order, give orders to
**comme** like, as, as if, as it were; as well as, since, while; whereas; for; how; **— il faut** well-bred, genteel, respectable; properly, in the right way; **— pour** as if to, pretending to
**commencement** *m.* beginning, rudiment
**commencer** to commence, begin, start
**comment** how, why, what, indeed, what do you mean
**commerçant** *m.* business man
**commerce** *m.* business
**commère** *f.* crony, friend, talkative old woman, gossip, old girl, "sister"
**commettre** to commit; **se —** be committed, take place, occur, happen
**commis, –e** *past. part. of* **commettre**
**commission** *f.* errand, order
**commode** easy
**commodité** *f.* convenience; (*obs.*) means, conveyance
**commun, –e** common, together, public; general, universal, ordinary; **être —s en biens** to be joint owners of property; **peu —** unusual
**communiquer** to impart; **se —** impart to each other
**compagnie** *f.* company, group
**compagnon** *m.* companion, comrade; **— de voyage** traveling companion
**comparaison** *f.* comparison
**comparer** to compare
**compère** *m.* comrade, pal, old fellow, "brother"
**complaisance** *f.* courtesy, kindness, goodness
**complètement** completely, entirely
**compléter** to complete, finish; complement
**complimenter** to compliment
**compliqué, –e** complicated
**complot** *m.* plot
**comporter** to carry with it, admit of; **se —** act, behave
**composer** to compose, form, make up; write; **se —** be composed, consist
**comprendre** to understand, realize; include, comprise
**compris, –t** *past def. of* **comprendre**
**compris, –e** *past part. of* **comprendre; y —** including
**compromettre** to compromise
**compromis, –e** compromised
**comptant** in cash, in ready money; **argent —** cash, liquid assets
**compte** *m.* account, calculation, review; **il n'y a pas le —** that isn't the right amount; **sur le — de** in regard to, concerning
**compter** to count, count on, intend; compute, reckon; rely, depend; expect, hope
**comptoir** *m.* counter
**comte** *m.* count
**comtesse** *f.* countess
**concentré, –e** concentrated, inward, very strong
**concernant** concerning, regarding, about
**concevoir** to conceive, understand, feel, visualize, imagine; express, couch
**concis, –e** concise, to the point
**conclure** to conclude, terminate; decide
**conçois** *pres. ind. of* **concevoir**
**concorde** *f.* harmony
**conçu, –e** *past part. of* **concevoir**
**condamné** *m.* condemned man, sentenced man
**condamner** to condemn, sentence, convict
**condition** *f.* condition, state; station, social rank
**condoléance** *f.* condolence
**conduire** to conduct, lead, take

**conduite** *f.* conduct, leadership, management
**conférence** *f.* conference, meeting
**conférer** to confer
**confesser** to confess, admit
**confiance** *f.* confidence, trust
**confier** to confide, entrust
**confirmer** to confirm
**confiseur** *m.* confectioner
**confit, -e** candied
**confiteor** (*Latin*) I confess
**confondre** to confound, confuse; **se — avec** mistake oneself for, think that one is
**confrère** *m.* colleague
**confrérie** *f.* brotherhood
**confus, -e** confused, embarrassed; indistinct
**conjurer** to entreat, beseech, implore
**connaissance** *f.* acquaintance, acquaintanceship; knowledge; consciousness; **de —** familiar; **faire — avec** to become acquainted with
**connaître** to know, recognize, be acquainted with, make one's acquaintance, understand, realize, discover, possess; **je ne connais que lui** I am sure that I know him; **se — en** be a good judge of; **se faire —** give oneself up; become known *or* famous
**connu, -e** known, well-known; possessed
**conquérir** to conquer
**conquête** *f.* conquest
**consacrer** to consecrate, establish; devote; **se —** devote oneself, devote one's attention
**conscience** *f.* conscience, consciousness, realization
**conscrit** *m.* recruit
**conseil** *m.* advice, bit of advice; council
**conseiller** *m.* counseler, councilor; **— au parlement** judge of the court of appeals
**conseiller** to counsel, advise
**consentir** to consent, agree
**conséquence** *f.* consequence, result, effect
**conséquent: par —** consequently, therefore
**conserver** to preserve, retain, keep, maintain, save, keep up *or* on
**considérable** large, great
**considération** *f.* consideration, respect, esteem; **en — de** on account of
**considérer** to consider, think; look at, examine, reflect upon; respect, esteem
**consigne** *f.* orders, instructions
**consigner** to consign, deposit, put; record, state, mention; refuse admittance
**consistance** *f.* consistency, shape; stability, value, importance
**consister** to consist
**consoler** to console, comfort; **se —** console oneself, find consolation
**consommer** to consume
**consonne** *f.* consonant
**constamment** constantly
**constance** *f.* constancy; consistency, firmness
**constatation** *f.* observation, discovery; statement, declaration
**constater** to ascertain, verify, settle, note
**constituer** to settle, establish
**Constitutionnel (le)** *a Parisian liberal and anti-Bourbon newspaper*
**construire** to construct, build, make
**construit, -e** constructed, built, made
**consulter** to consult
**consumer** to consume, burn, burn up
**conte** *m.* story, tale
**contempler** to contemplate, gaze upon *or* at
**contemporain** *m.* contemporary
**contenance** *f.* demeanor, bearing, look
**contenir** to contain
**content, -e** satisfied, happy, glad
**contenter** to content, satisfy; **se —** be satisfied; limit oneself
**contenu** *m.* contents
**conter** to relate, tell; **— fleurettes** talk sweet nonsense, flirt; **en — de toutes les couleurs à** indulge in all kinds of jesting with
**contigu, -ë** contiguous, adjoining, next
**continuer** to continue, keep up *or* on
**contractant** *m.* contracting party, covenanter
**contraire** *adj.* contrary, opposite
**contraire** *m.* contrary, opposite; **au —** on the contrary, on the other hand, quite the reverse
**contrarier** to vex, annoy, irritate; oppose

**contraste** *m.* contrast
**contrat** *m.* contract
**contre** against, opposed to, toward, with, at; **à —-temps** at the wrong time; **se mettre —** to take sides against
**contrebande** *f.* smuggling
**contrebandier** *m.* smuggler
**contrée** *f.* country, countryside; region
**contre-marche** *f.* countermarch
**contre-temps: à —** at the wrong time
**contribuer** to contribute
**convaincre** to convince
**convaincu, –e** convinced
**convenable** suitable, proper, decent, nice
**convenir** to agree, acknowledge, admit; suit, be suitable *or* proper
**convention** *f.* agreement
**conviction** *f.* conviction, convincing proof, evidence
**convien-nent, –t** *pres. ind. of* **convenir**
**convier** to invite
**convulsi-f, –ve** convulsive
**copie** *f.* copy
**copieu-x, –se** bountiful, plentiful
**coq** *m.* cock, rooster
**coqueluche** *f.* whooping-cough
**coquin** *m.* rascal, rogue; **— émérite** past master in the art of trickery
**coquine** *f.* rascal, rogue
**corbeau** *m.* crow, raven
**cordage** *m.* rigging
**corde** *f.* rope
**cordeau** *m.* line; **tirer au —** to lay out by rule and line
**Cordoue** *f.* Cordova (*city in south-central Spain*)
**corne** *f.* horn
**corner** to din, shout, repeat
**corps** *m.* body; **— de garde** guard-house, military post
**correction** *f.* corporal punishment
**correctionnel, –le** relating to misdemeanors, correctional; **police —le** magistrate's court, police court
**corrégidor** *m.* (*Span.*) magistrate, mayor
**correspondant** *m.* business representative, agent
**correspondre** to correspond
**corriger** to correct, chastise; **se —** correct oneself, reform
**corrompu, –e** foul
**Cosaque** *m.* Cossack
**côte** *f.* coast, shore
**côté** *m.* side, direction, way; aspect, phase, turn; section; **à —** adjacent, adjoining; **à — de** next to, beside; **du — de** in the direction of, toward
**coton** *m.* cotton
**cotonnade** *f.* cotton goods
**côtoyer** to go along *or* at the side of, skirt
**cou** *m.* neck; **sauter au — de** to throw one's arms around the neck of, embrace, fall all over; **se jeter au — de** fall into the arms of, embrace, fall all over
**couché, –e** lying, stretched out; in bed, sleeping
**coucher** *m.* setting (of the sun)
**coucher** to lie, sleep; **— en joue** aim at; **chambre à —** bedroom; **se —** go to bed, lie, lie down
**coude** *m.* elbow
**coudre** to sew, stitch; **dé à —** sewing thimble
**couleur** *f.* color, light; **— de feu** fiery red; **de —** colored; **en conter de toutes les —s à** to indulge in all kinds of jesting with; **sous d'odieuses —s** in an unfavorable light
**coulisse** *f.* wings (of a theater); **faire les yeux en —** to ogle, leer
**coup** *m.* blow, stroke, bolt, cut, thrust, shot, draught, job, "haul," trick, time, occasion; **— de feu** shot; **— de poing** punch, blow; **— de vent** gust of wind; **— d'œil** glance; **— sur —** again and again; **à —s de pierre** by throwing stones; **boire un —** to have a drink; **ce —-là** that time, on that occasion; **donner un — de main à** to help; **du —** at once, all at once; **du premier —** the first time; **sortir en — de vent** to sail out, breeze out; **tout à —** suddenly; **tout d'un —** suddenly, all of a sudden
**coupable** guilty, to blame
**coupé** *m.* coupé, brougham
**couper** to cut, cut off; **— la parole à** cut short, interrupt, silence; **se — la parole** interrupt each other

**coupeur** *m.* cutter; **— de bourses** pickpocket
**cour** *f.* court, courtyard, yard
**courageusement** courageously, bravely
**courant** *m.* current, course, stream
**courbé, –e** bent, stooping
**courber** to bend, stoop
**courir** to run, rush, hasten; advance, progress
**couronne** *f.* crown
**cours** *m.* course, direction; vent, rein
**course** *f.* errand, trip, race; bull-fight; **—s de taureaux** bull-fights; **à la —** running, on the run
**court, –e** short; **à — de** short of, lacking, without; **haut et —** high and dry
**cousine** *f.* cousin
**couteau** *m.* knife
**coûter** to cost
**coûteu-x, –se** costly, expensive
**coutume** *f.* custom; **à sa —** as was his (her) custom; **avoir — de** to be accustomed to; **de —** customary, usual
**couvert, –e** *past part. of* **couvrir**
**couverture** *f.* blanket, cover, covering
**couvrir** to cover
**cracher** to spit, hiss
**craignai-ent, –t** *imp. of* **craindre**
**craignant** *pres. part. of* **craindre**
**craignirent** *past def. of* **craindre**
**craindre** to fear, be afraid, dread
**crainte** *f.* fear
**crainti-f, –ve** timid, fearful
**cramponner (se)** to hold fast, hang on, cling, stick (to)
**crâne** *m.* cranium, skull
**crasseu-x, –se** dirty, filthy
**cravate** *f.* cravat, necktie
**créancier** *m.* creditor
**créateur** *m.* creator
**création** *f.* creation
**créature** *f.* creature, person, being
**crédit** *m.* credit
**créditer** to credit; excuse, find excuses
**créer** to create, make, cause; **se —** create *or* procure for oneself
**crème** *f.* cream
**crépiter** to crackle
**crépuscule** *m.* twilight
**crête** *f.* crest
**creuser** to dig
**creux** *m.* hollow
**crever** to burst; die; split; put out (*an eye*)
**cri** *m.* cry, shout, yell, exclamation
**crier** to cry, cry out, shout, yell, shriek, scream
**Crillon, Louis de** (1543-1615) *famous captain called by Henri IV "le brave des braves"*
**criminel** *m.* **–le** *f.* criminal
**crise** *f.* crisis; attack, dangerous condition
**critique** *f.* criticism
**crochet** *m.* hook; curl, twist
**croire** to believe, think; **en — ses oreilles** believe one's ears; **se —** believe oneself to be, believe that one is, believe that one has; **se — en droit de** believe that one has a right to, believe oneself justified in
**croisé, –e** crossed; (*of arms*) folded
**croisée** *f.* window
**croiser** to cross, fold (*one's arms*)
**croix** *f.* cross
**Croquemitaine** *m.* ogre, bogey
**croupe** *f.* back (*of a horse*); **en —** riding behind (*on the same horse*)
**croûte** *f.* crust, scab
**croyance** *f.* belief
**cru, –e** *adj.* crude, blunt, harsh
**cru, –e** *past part. of* **croire**
**cruauté** *f.* cruelty
**cruel, –le** *adj.* cruel, wretched, painful; unyielding, irresponsive
**cruel** *m.* heartless *or* unkind man
**cruelle** *f.* unkind *or* irresponsive woman *or* girl
**crûmes** *past def. of* **croire**
**cru-s, –t** *past def. of* **croire**
**cuarto** *m.* (*former Spanish copper coin* farthing
**cueillir** to pick, pluck, gather; take advantage of
**cuiller** *or* **cuillère** *f.* spoon; **y aller avec le dos de la —** to adopt half-way measures
**cuir** *m.* leather
**cuire** to cook, bake
**cuisant, –e** poignant, painful, acute, severe
**cuisine** *f.* kitchen
**cuisiner** to cook

**cuisinier** *m.* cook
**cuisinière** *f.* cook
**cuisse** *f.* thigh
**cuisson** *f.* cooking, baking
**cuit, –e** cooked, baked
**culbuter** to overturn, upset, throw head over heels
**culotte** *f.* breeches
**culpa** *f.* (*Latin*) fault; **mea —, Deus** my fault, O Lord
**culpabilité** *f.* guilt
**cultivateur** *m.* farmer
**cultivé, –e** cultivated, superior
**cultiver** to cultivate, nurture
**curer** to cleanse, clean
**curieu-x, –se** *adj.* curious, strange, unusual, inquisitive
**curieux** *m.* inquisitive man, busybody; sightseer, investigator, novelty seeker
**curiosité** *f.* curiosity
**cuvier** *m.* wash-tub

## D

**d'abord** first, at first, in the first place; at once; **tout —** at the very outset
**daigner** to deign, condescend
**d'ailleurs** furthermore, moreover, besides; however, nevertheless, anyway, in any case; otherwise
**daim** *m.* (*fam.*) fool, simpleton, jackass
**dalle** *f.* flagstone
**dam** why, indeed
**dame** *f.* lady
**damier** *m.* checkerboard
**dangereu-x, –se** dangerous
**dans** in, within, into, from, out of, at, on, during
**danse** *f.* dance, dancing
**danser** to dance; **maître à —** dancing teacher
**danseur** *m.* dancer
**dard** *m.* dart
**dater** to date
**dauphin** *m.* dolphin
**davantage** more, anything more, still more, further
**de** of, by, from, with, in, to, for, than, about, at, concerning, during, upon, over; **— . . . en** from . . . to
**dé** *m.* thimble; **— à coudre** sewing thimble
**débarquer** to disembark, land
**débarasser** to free, rid; **se — de** get rid of
**débile** weak
**débiteur** *m.* debtor
**déboucher** to emerge, come out
**debout** standing, on one's feet; **se tenir —** to stand, stand erect
**débris** *m.* remnant, ruins, relic, wreckage
**début** *m.* beginning
**décamper** to clear out, get out
**décent, –e** decent, proper
**déception** *f.* deception; disappointment
**décès** *m.* death, decease; **acte de —** death certificate
**décevoir** to disappoint
**déchaîné, –e** let loose, furious, raging, uncontrolled
**déchirer** to tear, tear up, rip
**décidément** decidedly, actually, really
**décider** to decide, decide upon, settle, bring about; prevail upon, induce, **se —** resolve, determine, make up one's mind, come to a decision
**décisi-f, –ve** decisive, convincing
**décision** *f.* decision, resolution
**déclaration** *f.* declaration, statement
**déclarer** to declare, state, assert, announce
**déclore** to open, unfold
**décoloré, –e** colorless, pale
**déconcerter** to disconcert
**découragé, –e** discouraged
**découvert, –e** *past part. of* **découvrir**
**découverte** *f.* discovery
**découvrir** to discover, disclose, reveal, uncover, see, get a view of; **se —** remove one's hat
**décrire** to describe
**déçu, –e** disappointed
**dédaigner** to disdain, scorn
**dédaigneusement** disdainfully, scornfully
**dédain** *m.* disdain, scorn, contempt
**dedans** in, inside, within, in it; **en —** within, inside
**déesse** *f.* goddess
**défaillance** *f.* weakening, exhaustion, collapse
**défaire** to undo, untie, take away *or* down, remove, unwrap

**défaut** *m.* failing, fault, defect, shortcoming
**défendre** to defend; forbid; **se —** defend oneself, protest; **se — de** resist
**défense** *f.* defense
**défi** *m.* defiance, challenge
**défiance** *f.* suspicion, distrust
**défiant, –e** distrustful, suspicious
**défier** to defy, challenge
**défigurer** to disfigure
**définiti-f, –ve** definite, absolute, positive, final, legal
**défunt** *m.* dead man
**dégager** to disengage, release, set free
**dégaîner** to unsheathe (*a sword*)
**dégât** *m.* damage, depradation, waste, ruin
**dégoût** *m.* disgust, displeasure, aversion; **il lui prit un si grand —** he became so disgusted
**dégoûtant, –e** disgusting, loathsome
**dégradation** *f.* deprivation of rank
**dégrader** to degrade, debase, deteriorate; reduce in rank
**degré** *m.* degree
**déguisement** *m.* disguise
**déguiser** to disguise, conceal; **se —** disguise oneself
**dehors** outside; **en —** outwards; **en — de** outside of, beyond
**déjà** already, now, after all
**déjeuner** *m.* breakfast
**déjeuner** to lunch
**delà : au — (de)** beyond
**délecter (se)** to delight (in)
**délicat, –e** delicate, refined, considerate; **peu —** indelicate, unrefined, vulgar, inconsiderate
**délicatesse** *f.* delicacy, considerateness, consideration, considerate act, tact
**délices** *f. pl.* delight, attractiveness
**délicieu-x, –se** delicious, delightful charming, most attractive
**délinquant** *m.* delinquent, offender
**délire** *m.* delirium, mania, frenzy, rapture, enthusiasm
**délit** *m.* offense
**délivrer** to deliver, free, rescue, liberate
**demain** tomorrow; **— il fera jour** tomorrow will be another day
**demande** *f.* demand, claim, request, question, proposal, marriage proposal
**demander** to demand, request, ask, ask for; **se —** ask oneself, wonder
**démantibuler** to break, put out of order
**démarche** *f.* application, approach, overture, attempt, step, act, procedure
**démêlé** *m.* quarrel, dispute
**démêler** to unravel, solve, discover, distinguish
**démesurément** beyond measure, enormously
**demeurer** to remain, live, dwell, reside
**demi, –e** half; **à —** half, half way
**demi-diamètre** *m.* half diameter
**demi-dieu** *m.* demigod
**demi-heure** *f.* half hour
**demi-lieue** *f.* half league (*about* 1¼ *miles*)
**demi-mort, –e** half dead
**demi-solde** *f.* half pay
**démolir** to demolish, tear down
**démon** *m.* demon, devil
**démontrer** to demonstrate, prove
**démordre** to let go, give in, yield
**denier** *m. old French coin; fig. in pl.* money
**dénoûment** *m.* conclusion, solution
**dent** *f.* tooth
**dentelle** *f.* lace
**dénué, –e** devoid
**dépailler** to remove the straw from; **chaise dépaillée** chair with a broken seat
**départ** *m.* departure
**dépêcher (se)** to hasten, hurry
**dépendre** to depend
**dépens** *m. pl.* cost
**dépense** *f.* expense, expenditure
**dépenser** to spend
**déplaire** to displease
**déplorer** to lament, regret
**déployer** to unfold, display
**déposer** to deposit, put, put down, lay aside
**dépôt : — de mendicité** workhouse
**dépouille** *f.* spoils, booty
**dépouiller** to despoil, rob, strip
**dépourvu, –e** devoid, lacking
**depuis** since, for, from; **— que** since
**déraisonner** to rave, be out of one's head, talk irrationally
**déranger** to disturb, bother, annoy
**derechef** again, once more, anew

**derni-er, –ère** last, final, most recent; **à la dernière extrémité** as a final resort; **ce —** the latter
**dérober** to steal, rob; **se —** shun, avoid; be invisible
**derrière** behind, in back of, back; **par —** behind, in back, following
**des = de + les**
**dès** as early as, from, even from, no later than, beginning with, immediately upon; **— que** as soon as, from the very moment when
**désagréable** disagreeable, unpleasant, distasteful
**désagréablement** disagreeably
**désalterer (se)** to quench one's thirst, drink; **je me vas désaltérant** I am quenching my thirst
**désarmer** to disarm
**Descartes, René** (1596-1650) *famous French philosopher*
**descendre** to descend, fall, come down, go down, get down, alight, get out (*of a vehicle*), come off *or* go off (*guard*)
**désert** *m.* desert
**déserter** to desert
**désespérant, –e** disheartening, provoking, very distressing
**désespéré, –e** despondent, greatly distressed
**désespérer** to despair, give up hope
**désespoir** *m.* despair, dejection, desperation; **au —** greatly grieved, extremely sorry
**déshonorer** to dishonor, disgrace
**désigner** to designate, indicate, point out
**désir** *m.* desire, wish
**désirer** to desire, wish, want
**désobéir** to disobey
**désolant, –e** annoying, provoking, disheartening, distressing, pitiful
**désordre** *m.* disorder, confusion, chaos
**désormais** henceforth, from now on
**desquels = de + lesquels**
**dessécher** to dry, dry up
**dessiner** to draw, sketch
**dessous** *adv.* under, below, underneath; **ci- —** below, hereafter; **de —** under, lower
**dessous** *m.* bottom, under part; **au- — de** under, underneath, beneath, below; **le — des cartes** the hidden secret of things, what remains concealed beneath the surface
**dessus** *adv. & prep.* above, on, on top, upon, over, over it, on it, upon it; **de —** from, out of, up from; **là- —** thereupon; **mettre un visage —** to associate a face with it, place him
**dessus** *m.* upper part; **au- — de** over, above, beyond; **par- —** over, above, on top of
**destin** *m.* fate, destiny
**destinée** *f.* destiny, fate
**destiner** to destine, intend, assign, design, plan, reserve
**désunir** to disunite, separate
**détacher** to detach, take away, remove; **se —** detach *or* free itself
**détail** *m.* detail, item, separate items
**détaillé, –e** detailed
**détective** *m.* detective
**détention** *f.* confinement
**détériorer** to deteriorate, impair
**déterminer** to determine, resolve, make decide, cause to make up one's mind, prevail upon; cause, bring about; **se —** decide, resolve
**détester** to detest, hate
**détour** *m.* turn, turning, winding
**détourner** to turn aside, avert; **se —** turn away
**dette** *f.* debt
**deuil** *m.* grief, mourning
**Deus** *m.* (*Latin*) God
**deux** two; **— fois** twice; **— mots** a few words; **à — fois** twice; **à — pas** a few steps away; **à — portes de** two doors away from; **entre — eaux** under water, just below the surface; **ployé en —** bent double, crouching; **tous —** *or* **tous les —** both
**deuxième** second
**devant** before, in front of, in front, in the presence of
**développer** to develop; **se —** be developed, develop, grow
**devenir** to become, become of
**devien-s, –t** *pres. ind. of* **devenir**
**deviner** to guess, suspect, surmise, imagine; perceive, discover, solve
**devin-s, –t** *past def. of* **devenir**

**dévoiler** to reveal
**devoir** *m.* duty; exercise, lesson; **se mettre en — de** to set about
**devoir** to owe, must, have (to), be (to), be obliged (to), ought, should
**dévolu, -e** *adj.* transferred, awarded
**dévolu** *m.* claim; **jeter son — sur** to have designs upon, fix one's choice upon
**dévorer** to eat up, devour, swallow
**dévot, -e** devout, religious
**dévouement** *m.* devotion; sacrifice, self-denial
**diable** *m.* devil, fellow; **au —** to the devil (with); **envoyer à tous les —s** to curse roundly; **que —** for heaven's sake, what the dickens
**diablerie** *f.* deviltry, mischievous act
**diabolique** diabolical, devilish
**diamant** *m.* diamond
**diamètre** *m.* diameter
**dicter** to dictate; **se —** dictate to one-self
**Dieu** *m.* God; **bon —** gracious, good heavens; **mon —** well, indeed, my goodness, good heavens
**différence** *f.* difference
**différent, -e** different, various
**difficile** difficult, hard to please
**difficulté** *f.* difficulty
**digérer** to digest, swallow
**digne** worthy, deserving
**dignité** *f.* dignity, high position, honor
**dimanche** *m.* Sunday
**dîmes** *past def. of* **dire**
**diminuer** to diminish, lessen
**diminution** *f.* reduction
**dîner** *m.* dinner
**dîner** to dine
**Diogène** (412-323 B.C.) Diogenes (*Greek cynic philosopher*)
**dire** *m.* statement
**dire** to tell, say, speak, utter, remark, pronounce, recite, express oneself, reveal, claim; **ainsi dit(es)** so called; **dis donc** tell me now, come now, look here; **je vous le disais bien** it is just as I told you; **quand je vous le disais** didn't I tell you; **— vrai** tell the truth; **c'est-à- —** that is to say, the fact is, namely, in other words; **faire —** have pointed out *or* indicated; **faire — à** send word to, notify; **pour ainsi —** so to speak, as it were; **vouloir —** mean, indicate, signify; **se —** say to oneself *or* each other, reflect, call oneself, claim to be
**diriger** to direct, manage; **se —** direct one's step, proceed, go, walk
**discerner** to discern; **faire —** reveal, disclose
**discorde** *f.* discord, dissention, disagreement
**discours** *m.* discourse, speech, talk, conversation
**discr-et, -ète** discreet, unobtrusive, prudent, circumspect
**discussion** *f.* discussion, dispute
**discuter** to discuss, debate, dispute, argue
**disparaître** to disappear, cease to exist
**disparition** *f.* disappearance
**disparu, -e** disappeared, gone
**disparut** *past def. of* **disparaître**
**dispenser** to dispense, spare; **se — de** dispense with, spare oneself the trouble of
**disperser** to scatter
**disposer** to dispose, incline, possess, have at one's command, arrange; **se —** get ready, be about
**disproportion** *f.* difference in size
**dispute** *f.* argument, argumentation
**disputer** to dispute, argue; **se —** dispute, disagree, argue, quarrel
**disséquer** to dissect
**dissiper** to dissipate, disperse, dispel, relax
**dissolution** *f.* annulment
**dissuader** to dissuade
**distinctement** distinctly, clearly
**distinguer** to distinguish, recognize, perceive; **se —** distinguish oneself *or* itself, achieve distinction, be famous
**distraire** to distract, divert, amuse; **se —** distract *or* amuse oneself
**distrait, -e** inattentive, heedless, absent-minded, listless
**dit, -e** said, surnamed; **le —** the aforesaid
**dive** (*obs.*) divine
**divers, -e** diverse, various, varied, different

**divertir** to divert, amuse, entertain; **se —** be amused, laugh (at)
**divertissement** *m.* diversion, entertainment
**diviser** to divide, separate; **se —** be divided
**dix** ten; **tous les — jours** every ten days
**dix-huit** eighteen
**dix-neuf** nineteen
**docile** submissive, obedient
**doigt** *m.* finger
**doi-s, -t, -vent** *pres. ind. of* **devoir**
**domestique** *adj.* domestic, household
**domestique** *m. & f.* servant
**dompter** to tame, subdue, overcome
**don** *m.* gift, talent
**don** (*Span.*) Sir (*title given to nobles in Spain*)
**donc** then, now, therefore, thus, hence, so, of course, to be sure, just; **dis —** tell me now, come now, look here
**donner** to give, grant, give the appearance of, cause, attribute, place, touch; **— de mon sabre** thrust my saber; **— la clef des champs** release, set free; **— un coup de main à** help; **se —** give oneself, take (*the trouble*); give *or* apply to each other; assume, assume an air of; **se — la main** join hands, hold hands; **se — la peine** take the trouble; **se — rendez-vous** meet by appointment, arrange to meet
**dont** of which, of whom, whose; with (by, in, for, from about) which *or* whom
**dormir** to sleep
**Dorothée** Dorothea
**dos** *m.* back; **de —** from behind; **y aller avec le — de la cuillère** to adopt half-way measures
**dossier** *m.* file, bunch of legal documents
**doubler** to line
**doucement** softly, quietly, gently, slowly
**douceur** *f.* sweetness, mildness, gentleness
**douleur** *f.* pain, sorrow, grief
**douro** *m.* Spanish silver dollar
**doute** *m.* doubt; **sans —** doubtless, probably; of course, naturally
**douter** to doubt; **se —** suspect; **se — de** suspect, have suspicions concerning
**dou-x, -ce** sweet, soft, gentle, pleasant; (*of water*) fresh
**douzaine** *f.* dozen
**douze** twelve
**dragon** *m.* dragoon
**drap** *m.* cloth, sheet
**drapeau** *m.* flag
**dresser** to prepare, draw up, draft, arrange; raise, lift, straighten up, hold erect; **se —** straighten up, rise, draw oneself up
**drogue** *f.* drug
**droit, -e** *adj.* right, straight, erect; **de — fil** in a straight line
**droit** *m.* right, law; **— de seigneur** dominion; **avoir —** to be entitled; **se croire en — de** believe that one has a right to, believe oneself justified in
**droite** *f.* right, right hand, right side
**drôle** *adj.* funny, comical, queer
**drôle** *m.* rogue, scamp
**du = de + le**
**dû, due** *past part. of* **devoir**
**duchesse** *f.* duchess
**duplicité** *f.* duplicity
**duquel** of which, of whom, whose
**dur, -e** hard, harsh, difficult, disagreeable, hard to accept, bold, daring
**durable** lasting, permanent
**durant** during, for
**durée** *f.* duration, length
**durer** to last
**dureté** *f.* sharpness, unkindness, harshness, severity
**du-s, -t** *past def. of* **devoir**
**dusse** *imp. subj. of* **devoir**
**dussé-je** even if I were to

## E

**eau** *f.* water; **entre deux —x** under water, just below the surface; **moulin à —** mill driven by a water-wheel; **pot à —** water-pitcher
**ébène** *f.* ebony
**ébloui, -e** dazzled, dizzy, bewildered
**éblouir** to bewilder, dazzle, fascinate
**éblouissement** *m.* dizziness, giddiness
**ébranler** to shake, stir, disturb, agitate

**écaille** *f.* shell
**écart** *m.* lapse, slip; **— de langage** abusive speech
**écarter** to push aside, spread apart; **s'—** withdraw, stand aside; wander, stray; **s'— de** avoid
**échanger** to exchange
**échapper** to escape; **la patience m'échappa** I lost patience; **s'—** escape, avoid
**échauffer (s')** to grow warm *or* excited *or* angry
**échoir** to fall (to), come (to), fall to one's lot
**échouer** to run aground
**échu, –e** *past part. of* **échoir**
**.ija** *f. Spanish town about 35 miles south of Cordova*
**éclair** *m.* flash, gleam; flash of lightning
**éclaircir** to clarify, clear up
**éclaircissement** *m.* explanation, elucidation, clarification
**éclairer** to enlighten, explain; turn on the light for, light one's way
**éclat** *m.* burst, outburst, peal; bit, fragment; **action d'—** splendid achievement, brilliant action, victory; **faire un — de rire** to burst into laughter; **partir d'un — de rire** burst into laughter
**éclater** to break out; **— de rire** burst out laughing
**éclore** to open, blow, flower
**écœurer (s')** to become sickened
**école** *f.* school
**écolier** *m.* schoolboy, pupil
**éconduire** to dismiss, show out
**économie** *f.* economy saving; **avoir de l'—** to be frugal *or* thrifty *or* saving
**écorcher** to skin, chafe
**écouler (s')** to pass by, elapse, progress
**écouter** to listen, listen to, harken, heed
**écran** *m.* screen
**écraser** to crush
**écrevisse** *f.* craw-fish
**écrier (s')** to exclaim, cry
**écrire** to write
**écrit, –e** *adj.* written; **c'est —** it is decided, fate has so decreed it
**écrit** *m.* writing, signed document, note
**écriture** *f.* handwriting, penmanship
**écrivain** *m.* author, writer
**écrouer** to lock up, confine
**écu** *m. silver coin formerly worth from sixty cents to a dollar*
**écume** *f.* froth, foam
**écurie** *f.* stable
**édition** *f.* edition
**Édouard** Edward
**éducation** *f.* education, training, upbringing, rearing
**effacer** to efface, eradicate; **s'—** vanish, disappear
**effaroucher** to frighten, startle
**effectivement** in reality, truly enough, in fact
**effeminé, –e** effeminate
**effet** *m.* effect, result; bill, payment, obligation, promissory note; **en —** in fact, indeed, in reality, really
**efflanqué, –e** thin, lean
**effleurer** to graze, touch; **effleuré d'une idée** with a faint suspicion of the truth
**effraction** *f.* breaking in
**effrayer** to frighten, alarm, terrify; **s'—** become frightened *or* alarmed
**effroi** *m.* fright, terror, alarm, horror
**effronté, –e** bold, brazen, impudent
**effroyable** terrible, frightful, horrible, awful
**égal, –e** equal, same, alike, all the same; **c'est —** all the same, no matter
**également** in like manner, equally, alike, likewise, also
**égaler** to equal, rival, be on the same footing (with)
**égard** *m.* regard, respect, courtesy, consideration
**égipan** *m.* satyr
**église** *f.* church; **être d'—** to be an ecclesiastic, enter the priesthood
**égoïsme** *m.* egoism, egotism
**égoïste** selfish
**égorger** to cut the throat of, butcher; **s'—** cut each other's throats, butcher each other
**égout** *m.* sewer
**Égypte** *f.* gypt; the Gypsies
**égyptien** *m.* trooper of the Egyptian campaign

**Égyptien** *m.* Gypsy
**eh** well; — **bien** well, very well, well now
**élan** *m.* impulse, impetuosity, outburst, urge
**élancer (s')** to spring, jump, leap, dart, fly, rush
**élasticité** *f.* elasticity, suppleness
**élégamment** elegantly
**élégance** *f.* elegance
**élégant, –e** elegant, aristocratic, distinguished, expensive, stylish, sumptuous
**élément** *m.* element, item
**élevé, –e** raised, brought up; elevated, lofty
**élever** to raise, bring up; **s'—** amount; rise, arise, spring up; (*of the pulse*) quicken, beat fast; **s'— contre** rise to oppose
**élite** *f.* elite, superior class
**Elizondo** *m. Basque village in the Pyrenees*
**elle** she, her, it
**elles** they
**Éloi** Eloy
**éloigné, –e** distant, removed
**éloigner** to withdraw, remove; **s'—** go away, go off
**éloquence** *f.* eloquence
**éloquent, –e** eloquent, expressive, suggestive
**embarquement** *m.* shipment
**embarquer (s')** to embark, start off
**embarrassé, –e** embarrassed
**embarrasser** to embarrass; **s'—** be embarrassed, trouble one's head about
**embêter** to annoy, make sick
**emblématique** emblematical, symbolical
**embobeliner** to inveigle, wheedle
**embrasser** to embrace, kiss; **s'—** embrace *or* kiss one another
**embrouiller** to jumble, mix up, put into disorder
**émérite** emeritus, confirmed, finished, perfect; **coquin —** past master in the art of trickery
**emmêler** to entangle
**emmener** to take, take away, carry off
**émotion** *f.* emotion, feeling, sensation
**émoucher** to drive the flies from, brush off the flies
**émouvoir** to stir, move, touch; **s'—** become moved, show emotion
**emparer (s')** to take possession of, seize
**empêcher** to prevent; **s'—** refrain, keep (from), help
**empereur** *m.* emperor
**empire** *m.* domination, influence, sway, hold, authority
**emplâtre** *m.* plaster
**emplette** *f.* purchase
**emplir** to fill
**employer** to employ, use, put to use, devote
**empoisonné, –e** poisonous, foul
**emporter** to carry *or* take away *or* along *or* off; **l'— sur** win the victory over, gain supremacy over, be better than
**empreindre** to mark, imprint, impress
**empreint, –e** marked, stamped, impressed, filled
**empreinte** *f.* imprint, print, mark, impression
**empresser (s')** to hasten, be eager
**emprunt** *m.* loan; **nom d'—** assumed name
**emprunter** to borrow, choose
**ému, –e** stirred, moved, full of emotion
**en** *prep.* by, in, within, into, while, when, at, to, on, like, as, in the manner of, of, in the rôle of, with a, with; **de . . . —** from . . . to
**en** *pron.* of it, its, of them, their, from it, for it, on account of it, about it *or* them; some, any; **où — étais-je** where was I, what point had I reached
**encadrer** to frame, surround
**enceinte** *f.* circuit; **mur d'—** inclosing wall, city wall
**encensoir** *m.* censer, incense burner
**enchantement** *m.* enchantment, magic
**enchanter** to enchant, delight
**enclos** *m.* inclosed field
**enclume** *f.* anvil
**encore** yet, as yet, still; again, once again; even, at least; more, some more, further, besides; **— un(e)** another; **— une fois** once again, over again, anew
**encourager** to encourage, cheer up
**encre** *f.* ink

**encrier** *m.* inkstand, inkwell
**endetter** to get into debt
**endormant, –e** soporific, inducing sleep
**endormir (s')** to fall asleep, go to sleep
**endroit** *m.* locality, point, place, spot
**enduire** to coat
**endurcir** to harden
**endurer** to endure
**énergique** energetic
**énergiquement** energetically, vigorously, strenuously
**énergumène** *m.* fanatic
**énerver** to enervate, provoke
**enfance** *f.* infancy, childhood; **tomber en —** to become childish
**enfant** *m. & f.* child; *as adj.* childish; **bon —** easy going, good-natured; **hospice des E—s trouvés** foundling asylum
**enfantillage** *m.* childishness, childish trick, childish act; **ces excès d'—** these exceedingly childish acts
**enfantin, –e** childish, childhood
**enfer** *m.* hell
**enfermer** to lock up, imprison, shut up *or* in, enclose; **s'—** shut oneself in
**enferrer (s')** to run oneself through (*with a sword*)
**enfin** finally, at last, in short; anyway, after all; well now
**enflammer (s')** to become inflamed *or* impassioned
**enfler (s')** to swell
**enfoncer** to thrust, plunge, drive in, break through; ruin, victimize; **s'—** bury oneself, hide; **se faire —** get caught, be duped
**enfuir (s')** to take flight, fly away, run away, depart
**engageant, –e** engaging, captivating, charming, prepossessing, delightful
**engager** to induce, urge; **s'—** enlist, enter, venture into; pledge one's possessions; pledge oneself, promise, agree; become involved
**enjambée** *f.* stride
**enjôleu-r, –se** wheedling, coaxing, teasing
**enjouement** *m.* liveliness, sprightliness
**enlèvement** *m.* removal
**enlever** to carry off *or* away; lift up
**ennemi, –e** *adj.* hostile, inimical, adverse, averse
**ennemi** *m.* enemy
**ennui** *m.* boredom, weariness, vexation, care, trouble
**ennuyer** to trouble, worry; tire, bore; **s'—** find it dull, have a poor time of it, be bored, become weary
**énorme** enormous, huge, immense
**enrager** to go mad, be furious *or* indignant
**enregistrement** *m.* registry; **receveur de l'—** recorder of deeds
**enrôler** to enroll, enlist
**enseignement** *m.* instruction, education
**enseigner** to teach, instruct
**ensemble** *adv.* together; **tout —** at the same time
**ensemble** *m.* whole, entirety; general appearance
**ensevelir** to bury
**ensorceler** to bewitch, enchant, cast a spell over
**ensuite** then, next, after that
**entéléchie** *f.* entelechy
**entendeur** *m.* hearer; **à bon —, salut** a word to the wise is sufficient
**entendre** to hear, understand, study, examine, mean, intend, imply, expect; **— parler de** hear about, hear mentioned; **s'—** come to terms, come to an understanding; understand one another, get along together; understand oneself; be understood
**entendu, –e** heard, understood; meant, intended; **bien —** naturally, of course; **c'est bien —** it's agreed
**enterrer** to bury
**entêtement** *m.* stubbornness, persistence
**enthousiasme** *m.* enthusiasm, animation
**enti-er, –ère** entire, whole, complete; **tout —** completely, entirely, all
**entièrement** entirely, completely, altogether
**entonnoir** *m.* funnel
**entourer** to surround
**entraîner** to drag, drag into, draw; involve, entail, cause; persuade
**entre** between, among, in; **— deux eaux** under water, just below the surface

**entrée** *f.* entrance, admission; **d'—** front
**entreprendre** to adopt, undertake
**entrer** to enter, go in, come in, penetrate, start in upon
**entretenir** to converse with, talk to; support, maintain
**entretien** *m.* conversation, talk
**entrevoir** to catch a glimpse of, see dimly
**entrevue** *f.* interview
**entr'ouvert, -e** half opened, opened part way
**entr'ouvrir** to half open, open partially
**énumérer** to enumerate
**envahir** to invade
**envelopper** to envelop, wrap, cover; include
**enverrai** *fut. of* **envoyer**
**envers** toward, to, in respect *or* relation to
**envie** *f.* wish, desire, longing; **avoir —** to wish, desire, feel like; **avoir toutes les —s du monde** be highly desirous of, want very much; **il me prend — de** I long to, I have a great desire to
**environ** about, approximately
**environner** to surround
**environs** *m. pl.* vicinity, neighborhood
**envoler (s')** to fly away, escape, disappear
**envoyer** to send; **— à tous les diables** curse roundly
**épais -se** thick, heavy; guttural
**épanouir (s')** to beam, brighten up; open, blow
**épargner** to save, spare
**épaule** *f.* shoulder; **en avoir par-dessus les —s** to have enough of it, be fed up with it
**épaulette** *f.* epaulette, shoulder strap
**épée** *f.* sword; **mettre l'— à la main** to draw a sword
**éperon** *m.* spur
**épine** *f.* thorn
**épingle** *f.* pin
**épinglette** *f.* priming-rod, priming-wire
**épinglier** *m.* pin-maker
**épisode** *m.* episode
**éponger** to sponge, mop, wipe
**époque** *f.* epoch, era, time
**épouse** *f.* wife
**épouser** to marry, wed
**épouvantable** terrible, awful, frightful, horrible
**épouvante** *f.* terror, fright
**époux** *m.* husband; **les —** the married couple, the husband and wife
**éprendre** to captivate, fascinate; **s'—** fall in love, become enamored *or* infatuated
**épreuve** *f.* test, trial, ordeal
**épris, -e** *past part. of* **éprendre**
**éprouver** to feel, experience
**épuiser** to exhaust, wear out
**équipage** *m.* carriage, vehicle, conveyance; crew; dress, outfit, costume
**équitablement** justly, fairly
**équité** *f.* equity, justice, fairness
**équivalent** *m.* equivalent
**équivaloir** to be the equivalent of, amount to the same thing as
**équivaut** *pres. ind. of* **équivaloir**
**équivoque** equivocal, doubtful, ambiguous
**erani** *f.* (*Gypsy*) respectable woman
**ériger** to erect
**ermitage** *m.* hermitage
**ermite** *m.* hermit
**errant, -e** wandering
**errer** to wander, wander about
**erreur** *f.* error, mistake
**ès** in, of
**escabeau** *m.* stool
**escalader** to scale, climb
**escalier** *m.* stairs, staircase
**escoffier** (*pop.*) to kill, murder
**escrime** *f.* fencing
**Ésope** (620?-560? B.C.) Æsop (*Greek writer of fables*)
**espace** *m.* space, interval, time, room
**Espagne** *f.* Spain
**espagnol, -e** *adj.* Spanish
**espagnol** *m.* Spanish (*language*)
**Espagnol** *m.* Spaniard
**espèce** *f.* kind, sort, species, human race
**espérance** *f.* hope, expectation
**espérer** to hope, hope for, expect
**espiègle** roguish, mischievous
**espingole** *f.* blunderbuss
**espion** *m.* spy
**espoir** *m.* hope, anticipation

**esprit** *m.* spirit, intelligence, mind, character, wit; **bon —** sensible man; **se remettre bien dans l'— de** to regain the good opinion of, get back into the good graces of; **tour d'—** turn of mind, disposition
**essai** *m.* attempt, experiment, test, trial
**essayer** to try, attempt; try out, give a trial
**essor** *m.* flight, scope, impulse
**essuyer** to wipe, clean
**estampe** *f.* print, engraving
**Estepona** *f. small Spanish port northeast of Gibraltar*
**estime** *f.* esteem, estimation, admiration, opinion
**estimer** to esteem, value, respect, estimate, appraise
**estomac** *m.* stomach
**estropier** to cripple, maim, mangle; murder (*a language*)
**et** and
**étable** *f.* cattle stable
**établir** to establish, draw up, settle, set up, fix, institute, show; **s'—** establish oneself, set up as
**établissement** *m.* establishment
**étage** *m.* story, floor
**étang** *m.* pond, pool
**état** *m.* state, condition; profession, trade; government; social position; **homme d'É—** statesman
**Etchalar** *m.* Echalar (*Basque village in the Pyrenees*)
**été** *m.* summer
**éteignit** *past def. of* **éteindre**
**éteindre** to extinguish, put out; **s'—** be extinguished, go out; die out, become extinct
**étendre** to extend, stretch, stretch out; **s'—** stretch out, extend
**étendue** *f.* extent, breadth, scope
**éternel, –le** eternal; **l'Être —** God; **le Père —** God
**étincelant, –e** shining, glistening
**étinceler** to shine, gleam, sparkle
**étoile** *f.* star; **— polaire** Polaris, north star
**étonnant, –e** astonishing
**étonné, –e** astonished, surprised
**étonnement** *m.* astonishment, amazement
**étonner** to astonish, surprise; **s'—** be surprised, wonder
**étouffer** to suffocate, stifle, strangle, choke
**étrange** strange, curious, singular, unusual
**étrang-er, –ère** *adj.* strange, foreign, from another province
**étranger** *m.* stranger, foreigner
**étrangère** *f.* foreign girl *or* woman
**étrangeté** *f.* oddity, strangeness
**étrangler** to choke, strangle
**être** *m.* being, creature, person; **l'Ê— éternel** God
**être** to be, exist, belong, be associated (with); **ça y est** that's right, that's fine; **ce que c'était que** what was; **elle s'en fut à** she went away to; **il n'en est pas de . . . comme de . . . ,** . . . is not like . . . ; **n'est-ce pas** is it not so; **nous sommes le premier octobre** today is the first of October; **nous y sommes** now we have it, I have found the weak point; **où en étais-je** where was I, what point had I reached; **puisqu'il en est ainsi** since that is the case; **qu'est-ce que c'est** what is the matter; **qu'est-ce que c'est que** what is; **qu'est-ce que c'était que** what was; **— bien aise** be very glad *or* happy; **— d'église** be an ecclesiastic, enter the priesthood; **— en aide à** help, aid, protect; **— la peine** be worth while, be of use; **— pour beaucoup dans** play an important part in, be largely responsible for; **en — quitte pour** escape (with), get off (with . . . only)
**étroit, –e** narrow, close, tight-fitting; **lier une —e amitié avec** to become exceedingly friendly with
**étude** *f.* study; office, lawyer's office, main office
**étudiant** *m.* student
**étudier** to study; examine, inspect
**eu, –e** *past part. of* **avoir**
**Euclide** *m.* Euclid (*eminent geometrician who taught mathematics in Alexandria about* 300 B.C.)
**eûmes** *past def. of* **avoir**
**eu-rent, –s, –t** *past def. of* **avoir**
**euss-e, –ent, –ions** *imp. subj. of* **avoir**

**eût** *imp. subj. of* **avoir**
**eux** they, them; — **-mêmes** themselves
**évader (s')** to escape, run away, depart
**évanoui, -e** fainting
**évanouir (s')** to faint; disappear
**évaporer (s')** to evaporate, volatilize
**éveiller** to waken, arouse; **s'—** wake up, awake
**événement** *m.* event, incident
**éventer** to fan, air, ventilate
**évidemment** evidently, obviously
**évident, -e** evident, clear
**éviter** to avoid
**évoquer** to evoke, call up, conjure, bring forth, awaken
**exactement** exactly
**exactitude** *f.* exactness, accuracy
**exaltation** *f.* ardor, excitement, enthusiasm, elation
**exalter** to glorify, extol
**examen** *m.* examination, inspection
**examiner** to examine, inspect, scrutinize
**exaspérer** to exasperate
**excellence** *f.* excellency
**excepté** except, excepting
**excepter** to except, omit
**exceptionnel, -le** exceptional, very unusual
**excès** *m.* excess; **ces — d'enfantillage** these exceedingly childish acts; **l'— de petitesse** the exceedingly small size
**excessivement** exceedingly, extremely
**exciter** to excite, stir, arouse, urge, incite, provoke, spur on, elicit
**excuse** *f.* excuse, apology
**excuser** to excuse, pardon; **excusez** pardon me; **s'—** excuse oneself, offer excuses
**exécration** *f.* execration
**exécution** *f.* execution, accomplishment; punishment
**exemple** *m.* example, case, instance, precedent; **par —** for instance, indeed, I declare
**exercer** to exercise, practise, exert; **s'—** practise
**exercice** *m.* exercise, performance
**exhaler** to exhale, breathe forth, give vent to
**exhorter** to exhort, admonish, urge
**exigeant, -e** exacting
**exigence** *f.* exigency, requirement, unreasonable request, demand, claim
**exiger** to exact, demand, require, necessitate, compel
**exil** *m.* exile, banishment
**exister** to exist, be alive, be living
**exorcisme** *m.* exorcism
**expatrier (s')** to expatriate oneself, leave one's country
**expédition** *f.* expedition, campaign, trip; forwarding; official copy
**expérience** *f.* experience; experiment
**explication** *f.* explanation
**expliquer** to explain; **s'—** explain to oneself, account for
**exploiter** to exploit, prey upon
**exposer (s')** to expose itself, be exposed
**exprès** purposely, on purpose, deliberately
**expressément** expressly, particularly
**exprimer** to express; **s'—** express oneself, talk; be expressed
**exquis, -e** exquisite, charming, delightful, delicious
**extasier (s')** to fall into ecstasy, go into raptures, be struck with admiration
**exténuer** to wear out, exhaust
**extérieur, -e** *adj.* exterior, outer, outward
**extérieur** *m.* outside
**extrait** *m.* extract
**extraordinaire** extraordinary, very unusual
**extrême** extreme, very great; hard, arduous
**extrêmement** extremely, exceedingly
**extrémité** *f.* extremity, extreme, end; **à la dernière —** as a final resort
**Eylau** *m. Prussian town, the scene of a decisive victory by Napoleon over the Prussian and Russian forces in* 1807

### F

**fable** *f.* laughing-stock, gossip, by-word, talk
**fabuleu-x, -se** fabulous, extraordinary, unbelievable
**face** *f.* face; **en —** face to face; **en — de** facing, opposite, before, in front of, in the presence of; **faire — à** to meet, fulfill; face

**fâché, -e** angry, offended, vexed, displeased; sorry

**fâcher** to annoy, vex, anger, displease; **se —** become annoyed *or* angry, take offense

**fâcheu-x, -se** unpleasant, disagreeable, regrettable, provoking, irritating, exasperating; **le — est** the unfortunate part of it is, the trouble is

**facile** easy, simple

**facilement** easily, readily, without difficulty

**facilité** *f.* ease, facility

**façon** *f.* fashion, way, manner; **de — à** so as to, in such a way as to; **de — que** in such a way that, so that; **de la belle —** in fine style, in great shape

**faction** *f.* sentry duty, watch; **en —** *or* **de —** on sentry duty, on guard, on watch

**factionnaire** *m.* sentry

**faible** feeble, weak, soft, indistinct, very sensitive

**faiblesse** *f.* weakness

**faïence** *f.* chinaware, crockery

**faim** *f.* hunger; **avoir —** to be hungry

**fainéant** *m.* loafer, do-nothing, lazy fellow, idler

**faire** to do, make, have, produce, create, cause, constitute, compose, accustom, adopt the rôle of, act, act like, be, transact, carry out, execute, accomplish, commit, make up, dress, bring it about, produce as a result, produce an effect upon, make a difference; ask (*a question*); cut (*a figure*); deliver (*a speech*); extend (*credit*); give (*a description*); give *or* offer (*proof*); go (*a distance*); offer (*excuses; apologies*); pay (*attention; a visit*); say *or* utter (*a prayer*); sign (*a promissory note*); take (*a trip; a step*); tell (*a lie*); **— appeler** send for, summon; **— asseoir** make sit down, offer a seat to; **— bon** be good *or* safe; **— bon ménage** live together on good terms; **— chauffer** warm; **— connaissance avec** become acquainted with; **— de mauvaises affaires** make out poorly, do poor business; **— deux stations** stop at two different points to sight an object through an instrument; **— de vieux os** reach old age, live to be old; **— dire** have pointed out *or* indicated; **— dire à** send word to, let know, notify; **— discerner** reveal, disclose; **— du scandale** start a row; **— face à** meet, fulfill; face; **— horreur à** make shudder, disgust; **— la moue** pout, make a wry face; **— l'anatomie de** dissect; **— l'aumône** bestow alms, give to the poor, give in charity; **— le guet** be on the lookout; **— le joli cœur** play the gallant; **— le méchant** be mean; **— les yeux en coulisse** ogle, leer; **— part de** acquaint with, inform of; **— partie de** be part of, be a member of, belong to; **— parvenir à** send to; **— passer sur sa tête** cause to fall *or* be conferred upon him, inherit; **— peine à voir** be painful to see; **— penser à** remind one of; **— peur à** frighten; **— pitié** excite pity, be absurd; **— plaisir** be nice *or* pleasant; **— remarquer** point out, indicate; **— semblant** pretend; **— suer** make sick, give a pain to; **— tort à** offend; **— un bien à** do good, benefit; **— un éclat de rire** burst out laughing; **— venir** send for, summon; **— vite** be quick, lose no time; **— voile** sail; **— voir** demonstrate, show, reveal, make evident; **avoir à — à** have dealings with, have to deal with; **en — son affaire** attend to it oneself; **il aura beau —** do what he will; **il se peut très bien —** it is quite possible; **laisser —** let alone, not interfere, not disturb; **se —** become, cause oneself to be; take place, occur, happen, be accomplished; **se — attendre** be long in appearing, be slow in coming; **se — connaître** give oneself up; become known *or* famous; **se — enfoncer** get caught, be duped; **se — fort de** pledge oneself to, boast one's ability to; **se — prier** require urging, need coaxing; **se — scrupule** scruple, hesitate

**fait, -e** *past part. of* **faire**

**fait** *m.* fact, point; act, deed; matter, affair, circumstance; **aller au —** to come to the point, state one's business;

mettre au — de acquaint with, tell about; **sûr de mon —** sure of my ground, certain of what I suspected; **tout à —** entirely, completely, altogether, quite, exceedingly
**falbala** *m.* flounce, furbelow, frill
**falloir** to be necessary, be obliged, must, have to, need, want, be lacking, take (*time*); **comme il faut** well-bred, genteel, respectable; properly, in the right way; **s'en —** fall short; **peu s'en faut** very nearly, almost, thereabouts, not far from it
**familiariser (se)** to grow *or* become familiar
**famili-er, -ère** familiar, intimate, common
**famille** *f.* family; **de —** family, domestic; **en —** within the family, privately, at home with one's family
**fanfaron** *m.* braggart, blusterer
**fantaisie** *f.* fancy, whim, caprice; **il prit — au Sirien de** the inhabitant of Sirius took pleasure in
**fantastique** fantastic
**fardeau** *m.* load, burden
**farine** *f.* flour, meal
**farouche** savage, wild
**fasciné, -e** fascinated, spellbound
**fasciner** to fascinate
**fass-e, -es, -ions** *pres. subj. of* **faire**
**fastes** *f. pl.* annals, records
**fatigué, -e** tired, weary
**fatras** *m.* trash, jumble, litter
**faubourg** *m.* quarter, district; suburb; **— Saint Martin** *commercial district in north-central Paris, formerly a suburb*
**faudra** *fut. of* **falloir**
**faudrait** *cond. of* **falloir**
**faune** *m.* faun
**faussaire** *m. & f.* forger
**faussement** falsely, pretending to be
**faut** *pres. ind. of* **falloir**
**faute** *f.* fault, misdeed; want, lack; **— de** for want of, through lack of, because of failure to
**fauteuil** *m.* armchair
**fau-x, -sse** *adj.* false, wrong, untrue; pretended, counterfeit
**faux** *m.* forgery
**faveur** *f.* favor, privilege; **billet de —** complimentary ticket, pass
**favori, -te** favorite
**favoriser** to favor, aid, help
**fécond, -e** fruitful
**feignant** *pres. part. of* **feindre**
**feignit** *past def. of* **feindre**
**feindre** to feign, pretend, dissemble
**feld-maréchal** *m.* field-marshal
**fêlé, -e** cracked
**félicité** *f.* happiness, delight, pleasure
**féminin, -e** feminine
**femme** *f.* woman, wife; **— de chambre** chambermaid; **de —** feminine
**fendre** to break, split, cleave, crack, chop
**fendu, -e** split, cracked
**fenêtre** *f.* window
**fer** *m.* iron; horseshoe; **— forgé** wrought iron; **les quatre —s en l'air** on one's back
**fer-a, -ai, -as, -ez, -ons, -ont** *fut. of* **faire**
**fer-aient, -ais -ait, -iez** *cond. of* **faire**
**ferme** firm, solid, steady, firmly
**fermenter** to ferment
**fermer** to close, shut; **se —** close
**féroce** ferocious, wild, terrible, intense, savage
**ferré, -e** tipped with iron
**festin** *m.* feast, banquet
**fête** *f.* feast, festival, holiday, birthday, entertainment, celebration
**fétu** *m.* straw
**feu, -e** *adj.* late, deceased
**feu** *m.* fire, flame; ardor, heat; **couleur de —** fiery red; **coup de —** shot; **mettre le — à . . .** to set . . . on fire; **sans — ni lieu** homeless
**feuille** *f.* sheet, sheet of paper; leaf
**feuilleter** to turn over the leaves of, peruse, go through
**feuilleton** *m.* continued story in a newspaper, serial
**fibre** *f.* fiber,. filament
**fidèle** faithful, loyal
**fidèlement** faithfully
**fi-er, -ère** *adj.* proud, haughty; fine
**fier (se)** to trust
**fierté** *f.* pride
**fièvre** *f.* fever, excitement
**figer (se)** to congeal, coagulate
**figure** *f.* figure, form, face

**figurer (se)** to picture to oneself, imagine, fancy
**fil** *m.* current, course; thread, string; wire; **de droit —** in a straight line
**file** *f.* file, row, line; **à la —** one after the other
**filer** to run along, get on one's way, be off, decamp, run away; go fast
**filet** *m.* thread, net, netting; **— de voix** thin voice
**fille** *f.* daughter; girl, maid, unmarried woman; **jeune —** girl
**fillette** *f.* little girl, lass
**filleule** *f.* goddaughter
**filou** *m.* sharper, swindler, cheat, crook
**fils** *m.* son
**fîmes** *past def. of* **faire**
**fin, –e** *adj.* fine; clever, shrewd, keen
**fin** *f.* end; **à la —** finally, at last; **mettre — à** to terminate, bring to an end, put an end to
**finalement** finally, at length
**finir** to finish, end, come to an end, end up; die
**fi-rent, –s, –t** *past def. of* **faire**
**fissent** *imp. subj. of* **faire**
**fît** *imp. subj. of* **faire**
**fixe** fixed, set, settled; staring
**fixement** fixedly, steadily
**fixer** to fix, place, establish, give definite form to; attach; gaze at; **se —** remain in one place
**Flamand** *m.* Fleming
**Flamande de Rome** *f.* Gypsy girl
**flamber** to burn, blaze
**flamme** *f.* flame
**flanc** *m.* side
**flâner** to idle, loaf, take one's time
**flanquer** to throw, fling; **— à la porte** (*fam.*) drive out, dismiss, "fire"
**flatter** to flatter
**flatteur** *m.* flatterer
**fléchir** to bend, yield, give way
**flegme** *m.* coolness, lack of passion
**flétrir** to wither, dry up, blight; fade, dim
**fleur** *f.* flower
**fleurette** *f.* floweret, little flower; sweet nonsense; **conter —s** to talk sweet nonsense, flirt
**fleurir** to flower, blossom
**fleuronner** to be in flower
**flirter** to flirt
**flot** *m.* wave, water
**flotter** to float; hover, wave, waver
**fluet, –te** thin, slender, lank
**foi** *f.* faith, trust, confidence; **— de** on my word as; **bonne —** sincerity, frankness; **de bonne —** sincerely, honestly; **ma —** my word, upon my word; **mauvaise —** insincerity; **par ma —** upon my word
**foie** *m.* liver; **huile de — de morue** cod liver oil
**fois** *f.* time; **à deux —** twice; **à la —** at the same time, at once, together; **deux —** twice; **encore une —** once again, over again, anew; **une —** once
**folie** *f.* folly, foolish action, madness
**folle** (*adj.*) *see* **fou**
**folle** *f.* madwoman
**foncé, –e** dark
**fond** *m.* bottom, rear, back, background; end; depth, heart, inside; seclusion; foundation, basis; **au —** at heart, at the bottom of one's heart; **du —** rear
**fondement** m. foundation, basis, groundwork
**fonder** to found, establish
**fondre** to melt; burst (*into tears*)
**fonds** *m.* funds, cash, money; amount; **en —** well off, well supplied with money
**font** *pres. ind. of* **faire**
**Fontenelle, Bernard le Bouvier de** (1657-1757) *French critic and author of scientific works*
**forçat** *m.* convict
**force** *adv.* many, a great many
**force** *f.* force, strength, power, volume; **à — de** by dint of, as a result of; **de —** forcibly
**forcené, –e** mad
**forcer** to force, compel
**forêt** *f.* forest
**forgé, –e** wrought
**forger** to forge; **en forgeant on devient forgeron** practice makes perfect
**forgeron** *m.* blacksmith; **en forgeant on devient —** practice makes perfect
**forme** *f.* form, shape, appearance; **sans autre — de procès** without further ado *or* formality

**former** to form, compose, make up; **se —** be formed *or* shaped; improve

**fort, –e** *adj.* strong, vigorous, powerful; wide; loud; skillful, accomplished; **c'était plus — que moi** I couldn't help it, I couldn't resist; **place —e** fortified town, fortress; **se faire — de** to pledge oneself to, boast one's ability to

**fort** *adv.* very, much, exceedingly, a great deal; quite, very well; firmly, strongly, hard; loudly

**fort** *m.* strong man

**fortement** strongly, greatly; tightly

**forteresse** *f.* fortress

**fortifier** to fortify

**fosse** *f.* grave, ditch, trench

**fou** *or* **fol, folle** *adj.* foolish, mad, crazy, wild; **être pris d'un — rire irrésistible** to burst out in a fit of uncontrollable laughter; **herbes folles** weeds

**fou** *m.* madman, fool; jester

**foudre** *f.* lightning, lightning-bolt

**foudroyer** to strike with lightning; crush, wither, overwhelm

**fouet** *m.* whip; **avoir le —** to be whipped

**Fouettard** *m.* bogeyman, Daddy Whip-hard

**fouetter** to whip

**fouiller** to dig out

**foule** *f.* crowd, multitude

**fouler** to tread, trample; **— aux pieds** trample under foot, trample upon

**four** *m.* oven, stove

**fourberie** *f.* imposture, trickery

**fourmilière** *f.* ant-hill

**fournée** *f.* batch

**fournir** to furnish, supply

**fournisseur** *m.* tradesman

**fourreau** *m.* sheath

**fourré, –e** furred, with fur

**fourrer** to thrust, push in; put away, hide; **se —** hide, take refuge

**fraîchement** freshly, recently, newly

**fraîcheur** *f.* freshness, coolness

**frais, fraîche** *adj.* fresh, cool, cold; rosy, with a rosy complexion

**frais** *m. pl.* expense, expenses, cost

**fran-c, –he** frank, honest, open; downright, out and out

**français, –e** *adj.* French

**français** *m.* French (*language*)

**Français** *m.* Frenchman

**franchement** frankly, freely

**franchir** to cross, jump *or* leap over

**frapper** to knock, strike; **— dans la main** grasp the hand; **— du pied** stamp

**fraudeur** *m.* smuggler

**freluquet** *m.* coxcomb, dandy, prig

**frémir** to shudder, quiver, tremble, throb

**frère** *m.* brother

**fripier** *m.* second-hand clothes dealer

**fripon** *m.* rogue, rascal, scoundrel

**frire** to fry

**frisé, –e** curly

**friser** to curl

**frisson** *m.* chill; **le — prend** I get the shivers

**frissonner** to quiver, shudder, tremble

**frit, –e** fried

**friture** *f.* frying, fry; **marchand de —** dealer in fried fish

**froid, –e** *adj.* cold

**froid** *m.* cold

**froidement** coldly

**frôlement** *m.* rustle, rustling

**frôler** to graze, brush, touch lightly

**fromage** *m.* cheese, piece of cheese

**front** *m.* forehead, brow; face

**frotter** to rub; drub, box (*one's ears*)

**fuir** to flee

**fuite** *f.* flight, escape

**fumée** *f.* smoke

**fumer** to smoke

**fûmes** *past def. of* **être**

**fumier** *m.* dung-heap, manure pile, muck, rubbish

**funeste** fatal, distressing

**furent** *past def. of* **être**

**fureur** *f.* fury, rage

**furieu-x, –se** furious

**furti-f, –ve** furtive, stealthy

**fusain** *m.* spindle-tree

**fusiller** to shoot

**fuss-e, –ent** *imp. subj. of* **être**

**fut** *past def. of* **être**

**fût** *imp. subj. of* **être**

**futé, –e** cunning, crafty, shrewd, sly

**fuyant, –e** furtive, shifting

G

**gagnable** possible of being won
**gagner** to win, earn, get, reach
**gai, –e** *adj.* happy, bright, cheerful
**gai** *excl.* merrily, hi there
**gaieté** *f.* liveliness, sprightliness, cheerfulness
**gaillard, –e** *adj.* merry, wanton
**gaillard** *m.* merry *or* jolly fellow, fellow
**gain** *m.* victory
**galamment** gallantly, politely, courteously
**galant, –e** *adj.* gallant, elegant, stylish, genteel; — **homme** gentleman
**galant** *m.* lover
**galanterie** *f.* gallantry
**galères** *f. pl.* penal servitude; **aux —** in the penitentiary
**galimatias** *m.* rubbish, gibberish, twaddle
**galon** *m.* military stripe; ribbon, lace
**galoper** to gallop
**gambade** *f.* caper
**gamin** *m.* small boy, urchin
**garantir** to guarantee
**garçon** *m.* boy, fellow
**garde** *f.* guard, watch, care; nurse; **chien de —** watch-dog; **corps de —** guard-house, military post; **de —** on sentry duty; **prendre — à** (+ *noun* or *pronoun*) to pay attention to, watch out for, look out for; **prendre — de** (+ *inf.*) take care not to, beware of
**garde** *m.* guard, guardsman
**garde-côte** *m.* coast-guard
**garde-manger** *m.* food chest
**garder** to guard, keep, maintain, preserve, retain, watch, protect; **se — de** take care not to
**gardien** *m.* guardian, keeper
**garnir** to furnish, line, trim, decorate, adorn, cover, fit out
**Garonne** *f.* Garonne (*river*)
**gars** *m.* fellow, chap, boy
**gassendiste** *m.* disciple of Gassendi (1592-1655) *French philosopher and free-thinker*
**gâter** to spoil, put a damper upon
**gauche** *adj.* left; awkward, clumsy
**gauche** *f.* left, left hand
**gauchement** awkwardly
**Gaucin** *m. village in southern Spain about thirty miles from Gibraltar*
**Gaule** *f.* Gaul
**gazette** *f.* newspaper
**gazon** *m.* grass, turf
**géant** *m.* giant
**gelée** *f.* frost
**gémeaux** *m. pl.* Gemini
**gémir** to sigh, moan, groan
**gémissement** *m.* groan, moan
**gendarme** *m.* policeman
**gendre** *m.* son-in-law
**gêne** *f.* constraint
**généalogie** *f.* genealogy, pedigree
**général –e** *adj.* general, chief
**général** *m.* general; **en —** in general, usually
**généralement** generally, usually
**génération** *f.* generation
**généreu-x, –se** generous, liberal, noble
**générosité** *f.* generosity, magnanimity
**Genève** *f.* Geneva (*city in southern Switzerland*)
**genou** *m.* knee; **à —x** on one's knees, kneeling
**genre** *m.* kind, sort, type, type of literature
**gens** *m. or f. pl.* people, folks; servants, helpers; members; **— de loi** lawyers; **jeunes —** young men, youths
**gentil, –le** nice, kind, amiable, pleasant, charming, attractive; pretty
**gentilhomme** *m.* nobleman
**géographique** geographic, geographical
**geôlier** *m.* jailer
**géomètre** *m.* geometrician
**géométrique** geometrical
**gésir** to lie, lie buried
**geste** *m.* gesture, action
**gesticuler** to gesticulate, make gestures
**gifle** *f.* slap
**gilet** *m.* vest, waistcoat
**gisai-ent, –s** *imp. of* **gésir**
**gitanilla** *f.* (*Span.*) little Gypsy girl
**givre** *m.* rime, white frost
**glace** *f.* mirror; **armoire à —** wardrobe with mirrored door
**glacer** to freeze, chill; **se —** become chilled *or* frozen
**glacial, –e** freezing; **mer G—e** Arctic Ocean
**glisser** to slip, slide; **se —** slip, slide

**gloire** *f.* glory, renown, honor, pride, satisfaction, splendor
**glorieu-x, –se** glorious, splendid, magnificent
**gorge** *f.* gorge; throat
**gosier** *m.* throat
**goujat** *m.* cad, churl, blackguard
**gourmand, –e** gluttonous, greedy, fond of good living
**gousset** *m.* pocket, vest-pocket, small inside pocket
**goût** *m.* taste, liking, inclination; good taste, discrimination
**goûter** to taste, like, enjoy
**goutte** *f.* drop
**gouvernail** *m.* rudder, helm
**gouverner** to govern, rule, direct, have supervision over
**gouverneur** *m.* governor; warden (*of a prison*)
**grâce** *f.* grace, charm, graciousness; pardon, mercy, indulgence; thanks; **— à** thanks to; **de —** I beg of you, please, pray
**gracieusement** graciously, courteously, pleasantly
**gracieu-x, –se** gracious, pleasant, agreeable
**grade** *m.* rank, title
**grain** *m.* stalk, particle
**graisse** *f.* grease, oil
**grand, –e** *adj.* grand, great, tall, lofty, big, large, wide, main, full, high; **—e route** main road, highway; **G— Turc** Sultan
**grand** *m.* great man, man of high rank, grandee
**grand'chose** *f.* much, a great deal; **cela ne me fit pas —** I didn't mind that much; **pas —** not much
**grandeur** *f.* size, greatness, dimension
**grandir** to grow up, increase, grow larger *or* greater; make great
**grand'peine** *f.* great difficulty
**grand-père** *m.* grandfather
**grand'tante** *f.* great-aunt
**Grand Turc** *m.* Sultan
**gras, –se** fat, greasy, sticky
**gratis** free of charge, for nothing
**gratter** to scratch
**grave** serious
**gravement** gravely, seriously
**graver** to engrave, imprint, inscribe
**gravité** *f.* seriousness
**gré** *m.* will, liking, pleasure; **de — à —** by mutual agreement, amicably
**grec, –que** *adj.* Greek
**grec** *m.* Greek (*language*)
**Grec** *m.* Greek
**greffe** *m.* office of the court clerk, recorder's office
**grêle** *adj.* slim, slender
**grêle** *f.* hail, hailstorm
**Grenade** *f.* Granada (*city in southern Spain*)
**grenier** *m.* attic, garret
**grêve** *f.* strike; **se mettre en —** to go on strike
**grièvement** grievously, seriously
**griffonage** *m.* scrawl, scribbling
**grigou** *m.* miser, stingy man, curmudgeon
**grillager** to cover with wire netting
**grille** *f.* iron-barred fence, iron-barred gate
**gris, –e** gray
**grognard** *m.* old soldier, veteran
**grogner** to grumble, growl
**gronder** to scold
**gros, –se** *adj.* big, large, huge, great, fat, heavy, thick; coarse, vulgar
**gros** *m.* mass, main body
**Groslay** *m. village nine miles north of Paris*
**grossi-er, –ère** rude, vulgar, coarse, unrefined
**grotte** *f.* grotto, cave
**guère** scarcely, hardly; **ne . . . —** scarcely, hardly; **ne . . . . — que** scarcely more than, hardly as much as
**guérir** to cure, get well
**guérison** *f.* recovery, cure
**guerre** *f.* war; **à la — comme à la —** we must take things as they come
**guet** *m.* watch; **faire le —** to be on the lookout
**guetter** to watch, watch for, keep a close eye upon, spy
**gueule** *f.* mouth, throat, red opening
**gueuse** *f.* beggar, hussy
**guider** to guide
**Guillaume** William
**guillotiner** to guillotine

**guinée** *f.* guinea (21 *shillings*)
**guitare** *f.* guitar

## H

('h *indicates aspirate* h)

**habile** clever, skillful
**habilement** cleverly, skillfully
**habileté** *f.* cleverness, skillfulness, cunning, ability
**habillé, –e** dressed, clad
**habiller** to dress; **s'—** dress oneself, dress, be dressed
**habit** *m.* coat, dress; *pl.* clothes
**habitant** *m.* inhabitant
**habitation** *f.* habitation, dwelling
**habité, –e** inhabited
**habiter** to inhabit, reside, dwell, live at *or* in
**habitude** *f.* habit, custom; force of habit; **avoir l'—** to be accustomed *or* used; **d'—** usually, customarily
**habituel, –le** habitual, constant
**habituer** to habituate, accustom
**'haie** *f.* hedge
**'haine** *f.* hatred, hate
**'haïr** to hate, have great aversion for
**haleine** *f.* breath
**'haletant, –e** panting, breathless
**'haleter** to pant, gasp for breath
**'hallier** *m.* thicket
**'hameau** *m.* hamlet
**'hanche** *f.* hip
**'hanter** to haunt, frequent, associate with
**'haras** *m.* stud, breeding stable
**'hardi, –e** bold, daring
**harmonie,** *f.* harmony
**harmonieu-x, –se** harmonious
**'Harpe, rue de la** *street in central Paris*
**'hasard** *m.* chance, accident; **le — voulut** it happened by chance; **par —** by chance, accidentally
**'hasardeu-x, –se** dangerous, perilous
**'hâter** to hasten, expedite; **se —** hurry, hasten
**'hausser** to heighten, raise, hold up, increase; shrug
**'haut, –e** *adj.* high, tall, lofty; great, big, exalted; **— et court** high and dry; **à —e voix** *or* **à voix —e** in a loud voice; **Chambre —e** upper chamber, senate
**'haut** *adv.* aloud; **tout —** aloud, out loud
**'haut** *m.* height, upper part, top; **de — en bas** from head to foot, all over; **d'en —** upper; **là- —** above, on high, up there
**'hautain, –e** haughty
**'haut-de-chausses** *m.* (*obs.*) breeches, upper hose
**'hautement** loudly, haughtily, stoutly, boldly
**'hauteur** *f.* height
**'hé** hey
**'Heilsberg** *m. town in East Prussia*
**'hein** hey, what
**hélas** alas
**hélix** *m.* helix, rim
**hémisphère** *m.* hemisphere
**herbe** *f.* grass, herb, plant; **—s folles** weeds
**hérésie** *f.* heresy
**hérétique** heretical
**'hérissé, –e** bristling
**héroïque** heroic, courageous
**'héros** *m.* hero
**hésitation** *f.* hesitation
**hésiter** to hesitate
**heure** *f.* hour, time, moment; (*with numeral*) o'clock; **à cette —** at this moment, now; **à la bonne —** good, very well, all right; **à l'— que je vous parle** at the present moment; **de bonne —** early; **demi- —** half hour; **tout à l'—** presently, in a moment; just now, a short while ago
**heureusement** fortunately, happily, luckily
**heureu-x, –se** happy, contented; favorable, successful; fortunate, lucky
**'heurter** to collide with, interfere with, run counter to
**hier** yesterday
**hirondelle** *f.* swallow
**histoire** *f.* history, story, affair; complication; **— de blaguer** just as a joke
**historien** *m.* historian
**historique** historical
**hiver** *m.* winter; **l'—** in winter
**'hocher** to toss, shake, wag

**Homère** *m.* Homer (*Greek epic poet who lived about* 1000 B.C.)
**homme** *m.* man; — **de cœur** courageous man, man of feeling; — **de justice** lawyer; — **de lettres** writer, author; — **de loi** lawyer; — **d'État** statesman; **galant** — gentleman
**honnête** honest, respectable, virtuous, proper
**honnêtement** honestly, respectably, decently
**honnêteté** *f.* honesty, respectability
**honneur** *m.* honor, sense of honor; privilege
**'honte** *f.* shame; **avoir** — to be ashamed
**'honteu-x, –se** shameful, disgraceful; ashamed
**hôpital** *m.* hospital, poorhouse
**horloge** *f.* clock
**horreur** *f.* horror, horrible thing; **avoir — de** to abhor; **faire — à** make shudder, disgust
**horriblement** horribly, terribly, exceedingly
**'hors** except; — **de** outside of, out of; — **d'ici** get out of here
**hospice** *m.* hospital, asylum, almshouse; — **de la Vieillesse** old men's home; — **des Enfants trouvés** foundling asylum
**hôte** *m.* host; guest, inmate
**hôtel** *m.* hotel; mansion
**Hôtel-Dieu** *m. Parisian hospital for the poor*
**hôtesse** *f.* landlady
**huile** *f.* oil; — **de foie de morue** cod liver oil
**'huit** eight; — **jours** a week
**huître** *f.* oyster
**humain, –e** *adj.* human, humane
**humain** *m.* human being, human
**humaniste** *m.* humanist
**humanité** *f.* humanity
**humeur** *f.* humor, disposition
**humide** humid, damp, wet, moist
**humidité** *f.* humidity, dampness
**humilier** to humiliate
**'hurler** to howl, shriek, yell
**hypothèse** *f.* hypothesis

## I

**ici** here, now, at this point; —**-bas** here on earth, here below; **par** — this way, over here
**idée** *f.* idea, conception; **a-t-on — de** can anyone imagine; **effleuré d'une** — with a faint suspicion of the truth; **on n'a pas — de . . .** who ever heard of . . .
**identité** *f.* identity
**Iéna** *f.* Jena (*German town, scene of Napoleon's victory over the Prussians in* 1806)
**if** *m.* yew, yew-tree
**ignoble** base, mean, sordid
**ignorante** *f.* ignorant woman
**ignorer** not to know, be unacquainted with, fail to know, be unaware of, know nothing about
**il** he, it
**île** *f.* island
**illicite** illicit, unlawful
**illuminer** to illuminate, light
**illustre** illustrious, celebrated, famous
**illustrer** to make *or* render illustrious
**ils** they
**image** *f.* image, picture
**imaginaire** imaginary
**imaginer** to imagine, conceive, think up, devise; **s'—** imagine, picture to oneself
**imbécile** *m.* imbecile, fool
**imiter** to imitate, mimic; force
**immatériel, –le** immaterial
**immédiatement** immediately, at once
**immémorial, –e** immemorial
**immérité, –e** underserved
**immobile** motionless
**immobilité** *f.* immobility, lack of motion
**immoler** to sacrifice
**immortel, –le** immortal
**impatiemment** impatiently, eagerly
**impatienté, –e** out of patience, losing patience, provoked
**impatienter (s')** to become impatient, lose patience
**impénétrable** unfathomable
**imperceptible** imperceptible, unnoticeable, slight
**impérial, –e** imperial

**impérieu-x, –se** commanding, domineering, haughty
**imperturbable** unruffled, unconcerned
**implorer** to implore, beseech, entreat
**impoli, –e** impolite
**important, –e** important; **les —s** people of consequence
**importer** to matter, be of importance *or* consequence, make a difference; **n'importe** never mind, it doesn't matter
**importun, –e** troublesome, annoying, tiresome
**importuner** to trouble, disturb
**imposer** to impose, force (*upon*)
**impossibilité** *f.* impossibility; **de toute —** absolutely impossible
**imposteur** *m.* impostor
**imprécation** *f.* imprecation, malediction
**improviste: à l'—** unexpectedly
**impuissance** *f.* powerlessness, helplessness
**impuissant, –e** powerless, impotent
**inaccoutumé, –e** unaccustomed, unusual
**inachevé, –e** unfinished, uncompleted
**inattendu, –e** unexpected
**incertitude** *f.* uncertainty
**inclémence** *f.* mercilessness; **d'—** merciless
**incliner** to incline, be inclined *or* disposed; lower; bend, nod
**incommoder** to disturb, trouble, annoy
**inconnu, –e** *adj.* unknown
**inconnu** *m.* unknown man, stranger
**inconscience** *f.* unconsciousness, heedlessness
**incontestable** indisputable, undeniable
**inconvénient** *m.* disadvantage, difficulty, objection
**incroyable** unbelievable
**inculte** uncultivated, rough, barren
**indécision** *f.* indecision, hesitation
**index** *m.* index finger, forefinger
**indice** *m.* sign, indication, evidence, proof
**indicible** inexpressible, indescribable
**indifférence** *f.* indifference, state *or* attitude of indifference
**indifférent, –e** indifferent, of no interest, immaterial
**indigné, –e** indignant, shocked
**indigner (s')** to grow indignant, become angry
**indiquer** to indicate, designate, point out; set (*a time*)
**indispensable** necessary, requisite, essential
**individu** *m.* individual, person
**indomptable** indomitable, ungovernable, unconquerable
**indûment** unlawfully
**industrie** *f.* industry, ingenuity
**inébranlable** unshakable, immovable, steadfast
**inégal, –e** unequal, uneven, irregular, of unequal size
**inepte** stupid, absurd
**inévitablement** inevitably
**inexprimable** inexpressible, unutterable
**inextinguible** unquenchable, uncontrollable
**infatigable** indefatigable, tireless
**infidèle** faithless, unfaithful
**infini, –e** infinite, endless, boundless
**infiniment** infinitely, exceedingly
**infirmière** *f.* nurse
**infliger** to inflict, impose
**influencer** to influence, prejudice, affect
**influer** to have *or* exert an influence
**infructueu-x, –se** fruitless, unavailing, useless
**ingénier (s')** to strive, contrive, devise a means
**ingénieu-x, –se** ingenious, clever
**ingénu, –e** ingenuous, simple
**ingénument** frankly, fairly
**ingrat, –e** ungrateful
**inhumer** to bury, inter
**injure** *f.* insult
**injuste** unjust, unrighteous
**injustement** unjustly
**injustice** *f.* injustice, unjust act; **d'—** unjust
**innocemment** innocently
**inqui-et, –ète** worried, anxious, disturbed
**inquiéter (s')** to worry, be disturbed *or* worried, bother about, care about
**inquiétude** *f.* uneasiness, worry, concern
**inquisiteur** *m.* inquisitor
**insecte** *m.* insect
**inséparable** inseparable

**insigne** arrant, downright
**insistance** *f.* insistence
**insister** to insist
**inspirer** to inspire, cause, arouse
**installation** *f.* installation, quarters
**instamment** urgently, earnestly
**instance** *f.* entreaty, solicitation
**instant** *m.* instant, moment
**instruction** *f.* instruction, education
**instruire** to instruct, inform
**insultant, –e** insulting
**insulte** *f.* insult
**insulter** to insult
**insupportable** unendurable, unbearable
**intellectuel, –le** intellectual
**intempérance** *f.* intemperance
**intendant** *m.* steward, manager, agent
**intenter** to institute, prefer, commence
**interdire** to forbid, prohibit
**intéressant, –e** interesting
**intéresser** to interest, be of interest; **s'—** take an interest (in), be interested (in)
**intérêt** *m.* interest, concern; profit, advantage
**intérieur, –e** *adj.* interior, inner
**intérieur** *m.* interior, inside; household, home
**interlocuteur** *m.* interlocutor, questioner, speaker
**interprète** *m.* interpreter
**interprétation** *f.* interpretation
**interpréter** to interpret
**interrogation** *f.* question, questioning
**interroger** to question
**interrompre** to interrupt; **s'—** interrupt oneself, stop
**intervalle** *m.* interval; **par —s** from time to time
**intimement** intimately, closely
**intituler** to entitle
**intolérable** intolerable, unbearable
**intraduisible** untranslatable. impossible to describe
**intrépidité** *f.* fearlessness
**intrigant** *m.* schemer, rogue
**introduire** to let in, show in
**introublé, –e** untroubled, peaceful
**introuvable** indiscoverable, undiscoverable
**inutile** useless, unnecessary
**inutilement** uselessly, in vain
**inventaire** *m.* inventory, valuation
**inventer** to invent, imagine, think. think up, devise
**invité** *m.*, **–e** *f.* guest
**inviter** to invite
**involontaire** involuntary, unpremeditated
**involontairement** involuntarily
**invoquer** to invoke, appeal to
**invraisemblance** *f.* improbability
**ir-a, –ai** *fut. of* **aller**
**irai-ent, –s, –t** *cond. of* **aller**
**iriser** to make iridescent
**ironique** ironical
**iron-s, –t** *fut. of* **aller**
**irréguli-er, –ère** irregular
**irrésistible** irresistible, uncontrollable; **être pris d'un fou rire —** to burst out in a fit of uncontrollable laughter
**irrévocablement** irrevocably, permanently
**isolé, –e** isolated, remote
**Italie** *f.* Italy
**ivoire** *m.* ivory
**ivre** intoxicated
**ivrogne** *m.* drunkard

## J

**jadis** formerly, at one time
**jalousie** *f.* Venetian blind
**jalou-x, –se** jealous, envious
**jamais** ever, never; **— de la vie** not on your life, I should say not; **à —** forever, eternally; **ne . . . —** never
**jambe** *f.* leg; **à mi- —** half way up the leg, to mid-leg
**jambon** *m.* ham
**jaque** *m.* (*Span.*) blusterer, bully
**jardin** *m.* garden
**jardinier** *m.* gardener
**jarre** *f.* jar
**jaune** yellow
**je** I
**Jerez** *m. Spanish city south of Seville and about twenty miles from Cadiz*
**jésuite** *m.* Jesuit
**Jésus** Jesus
**jeter** to cast, throw, hurl; cast aside, discard, throw away; put; utter; **— son dévolu sur** have designs upon, fix one's choice upon; **se —** rush,

fall, fling oneself, jump, leap, cast oneself; **se — au cou de** fall into the arms of, embrace, fall all over
**jeu** *m.* game, play; gambling; antic, trick; movement, action; **même —** repeating the same stage-business
**jeun: à —** with *or* on an empty stomach
**jeune** young; **— fille** girl; **—s gens** young men, youths
**jeunesse** *f.* youth, youthfulness
**joie** *f.* joy, delight; **avec —** gladly, willingly; **ne pas se sentir de —** to be overjoyed *or* enraptured
**joindre** to join, connect, add
**joint, –e** joined, connected, added
**joli, –e** pretty, attractive, nice, fine; **faire le — cœur** to play the gallant
**Jordaëns, Jakob** (1593-1678) *Flemish painter*
**joue** *f.* cheek; **coucher en —** to aim at
**jouer** to play, gamble; **se — de** make game of, deceive, take advantage of
**joug** *m.* yoke
**jouir** to enjoy, take pleasure (in)
**jouissance** *f.* joy, enjoyment, pleasure
**jour** *m.* day, light, daylight; time; **à quelques —s de là** a few days later; **au —** at dawn, at daybreak; **au premier —** at the first opportunity; **demain il fera —** tomorrow will be another day; **huit —s** a week; **par —** each day, daily; **quinze —s** two weeks, a fortnight; **sur mes vieux —s** when I grow old; **tous les dix —s** every ten days; **tous les —s** every day, daily; **tout le —** all day long; **un —** some day, one of these days
**journal** *m.* newspaper
**journée** *f.* day; **aller en —** to hire out by the day; **en —s** by the day
**joyeu-x, –se** joyful, happy, delighted, merry
**judiciaire** judiciary, legal
**judiciairement** legally
**juge** *m.* judge
**jugement** *m.* judgment, verdict, court decree, opinion, decision
**juger** to judge, deem, estimate, consider, decide
**juif** *m.* Jew
**juillet** *m.* July
**juin** *m.* June
**Jules** Julius
**jupe** *f.* skirt
**jupon** *m.* skirt
**jurer** to swear, take an oath
**juridique** legal, of judicial proceedings
**jurisconsulte** *m.* jurist, lawyer
**jusqu', jusque, jusqu'à, jusques** as far as, to, until, even, even to, up to, to the point of, up to the time of; **— à ce que** until; **— alors** hitherto, up to that time; **—-là** up to that time, until then; up to that point, that far; **— où** to what point, how far
**juste** just, right, correct, fair, proper; precisely, exactly; **— ciel** good heavens; **au —** exactly
**justement** exactly, precisely; it so happens; right now, just now
**justice** *f.* justice, law, courts of justice; **homme de —** lawyer
**Juvénal** (42-125 A.D.) Juvenal (*famous Roman satiric poet*)
**juvénile** juvenile, youthful, young

## K

**kiosque** *m.* pavilion

## L

**la** *art.* the; a, an; per; at; on *or* in the; during the
**la** *pron.* her, it; so
**là** *adv.* there, here; at home, in; that, it; thereupon; then; **—-bas** over there, yonder, down there, back there, down below; **—-dessus** thereupon, on this subject; **—-haut** above, on high, up there; **à quelques jours de —** a few days later; **de —** hence, from there; **de çà de —** hither and thither, back and forth; **jusque-—** up to that time, until then; up to that point, that far
**là-bas** over there, yonder, down there, back there, down below
**La Bruyère, Jean de** (1645-1696) *famous French moralist*
**lac** *m.* lake
**lâche** *adj.* cowardly, base
**lâche** *m.* coward
**lâcher** to slacken, loosen; empty; fire

**là-dessus** thereupon, on this subject
**La Fontaine, Jean de** (1621-1695) *French poet famous for his fables*
**là-haut** above, on high, up there
**laine** *f.* wool, worsted
**laisser** to let, leave, permit, allow, let have; stop, leave off, put aside *or* down, leave alone *or* in place; skip, omit; — **faire** let alone, not interfere, not disturb; — **tranquille** let alone, not disturb; — **voir** expose, reveal; **se — prendre** be caught *or* trapped
**lait** *m.* milk
**laiterie** *f.* dairy
**laiton** *m.* brass
**lambeau** *m.* rag, scrap, bit, fragment, shred, tatter
**lame** *f.* blade
**lamenter (se)** to lament, whine
**lampe** *f.* lamp
**lancer** to hurl, launch, throw, cast, impel; give (*a blow*); **se —** rush, cast oneself, fly; hurl at one another; burst forth
**langage** *m.* language, speech, talk; **écart de —** abusive speech; **tenir ce —** to speak thus
**langoureu-x, -se** languishing, pining, melancholy
**langue** *f.* tongue, language
**langueur** *f.* languor, lassitude, dullness
**lanterne** *f.* lantern, lamp
**lapin** *m.* rabbit; (*coll.*) horse
**lapon, -ne** Laplandish
**laquais** *m.* lackey, groom, footman, servant
**laquelle** who, whom, which, that
**larcin** *m.* theft
**large** *adj.* broad, wide, big
**large** *m.* breadth; **au —** keep out, keep away, stand off
**largement** broadly, liberally; wide
**larme** *f.* tear; **arracher des —s** to cause tears to flow
**larmoyant, -e** tearful
**las, -se** *adj.* tired, weary
**las** *excl.* alas
**lasser (se)** to become tired *or* weary
**latin** *m.* Latin (*language*)
**laver** to wash
**le** *art.* the; a, an; per; at; on *or* in the; during the
**le** *pron.* him, it; so
**lécher** to lick
**leçon** *f.* lesson
**lecteur** *m.* reader
**lecture** *f.* reading, reading material
**légal, -e** legal
**légende** *f.* legend
**lég-er, -ère** light, slight, trifling; careless, off-hand
**légèrement** lightly, slightly
**légion** *f.* legion
**légiste** *m.* lawyer
**légitime** legitimate, legal
**léguer** to bequeath, leave
**Leibnitz, Gottfried Wilhelm von** (1646-1716) *famous German philosopher*
**leibnitzien** *m.* follower of Leibnitz
**Lemercier, Népomucène** (1771-1840) *French dramatic and lyric poet*
**lendemain** *m.* next *or* following day, morrow; **le — matin** the next morning
**lent, -e** slow; **à pas —s** slowly
**lentement** slowly, gradually
**lequel, laquelle, lesquels, lesquelles** who, whom, that, which
**les** *pl. of* **le, la** the, them
**lesquel-s, -les** who, whom, that, which
**lessive** *f.* washing
**lessiver** to wash
**leste** quick, rapid, agile
**lestement** quickly
**Le Sueur, Jean** (died 1681) *French protestant pastor and historian*
**lettre** *f.* letter; **homme de —s** writer, author
**leur** their, them, to them, for them
**leurs** their
**levain** *m.* leaven, yeast, ferment
**lever** *m.* rise, rising
**lever** to raise, lift; **se —** arise, rise, get up, surge up
**lèvre** *f.* lip
**lexique** *m.* dictionary, vocabulary
**lézardé, -e** full of cracks
**liard** *m.* farthing (*obsolete French copper coin, the fourth part of a* sou)
**libératrice** *f.* liberator, rescuer, deliverer
**libérer** to liberate, free

**liberté** *f.* liberty, freedom, freedom of action
**libre** free, at liberty, clear, out-door
**lien** *m.* bond, tie
**lier** to bind, tie, attach; engage in (*conversation*); — **une étroite amitié avec** become exceedingly friendly with
**lieu** *m.* place, stead; **au — de** instead of; **en ces —x** here, to this locality; **sans feu ni —** homeless
**lieue** *f.* league (*between two and one-half and three miles*); **demi-—** half league (*about one and one-quarter miles*)
**lièvre** *m.* hare
**ligne** *f.* line
**lilas** *m.* lilac tree
**lillipendi** *m.* (*Gypsy*) imbecile, fool
**lime** *f.* file
**limite** *f.* limit, extremity, border
**linge** *m.* linen
**liquidation** *f.* settling, settlement
**lire** to read; **se —** be read, be visible
**lis** *m.* lily
**liseur** *m.* reader; **— d'âmes** mind-reader
**lisiblement** legibly
**lisse** smooth, glossy, sleek
**lit** *m.* bed
**litanie** *f.* litany
**liturgique** liturgical
**livide** livid
**livre** *f.* pound; franc (*frequently used in place of* **franc** *to indicate amount of income*)
**livre** *m.* book
**livrée** *f.* livery, uniform
**livrer (se)** to give oneself over (to), abandon oneself (to), devote oneself (to)
**Locke, John** (1632-1704) *famous English philosopher*
**locution** *f.* phrase
**loge** *f.* dressing-room (*for actors*)
**loger** to lodge, dwell, live
**logique** *adj.* logical
**logique** *f.* logic
**logis** *m.* house, home, dwelling; household; **maréchal des —** cavalry sergeant
**loi** *f.* law, rule, established custom; **gens de —** lawyers; **homme de —** lawyer
**loin** far, afar, away, distant; **au —** in the distance, far·away; **de —** at a distance; **plus —** further, further on
**lointain, -e** *adj.* distant, far away
**lointain** *m.* distant part, remote section, background
**long, -ue** *adj.* long; **en savoir — sur** to know a lot about
**long** *m.* length; **de son —** at full length; **le — de** along, alongside of
**longtemps** long, a long time, for a long time
**longue** *f.* length of time; **à la —** in the long run, finally, after a while
**longuement** for a long time, at length
**longueur** *f.* length; **traîner en —** to drag along endlessly
**lorgnon** *m.* eye-glass
**lors** then, that time; **— de** at the time of; **pour —** thereupon
**lorsque** when
**louange** *f.* praise
**louche** suspicious, dubious
**louer** to praise; **avoir à se — de** have occasion to be pleased with
**louis** *m.* twenty-franc gold coin
**Louis XIV** (1638-1715) *King of France from 1643 to 1715*
**loup** *m.* wolf; (*fam.*) dear, lamb; **saut-de-—** sunken fence, ditch, ha-ha
**lourd, -e** heavy; expensive
**loyal, -e** honest, faithful
**loyer** *m.* rent
**lu, -e** *past part. of* **lire**
**lucidité** *f.* lucidity, lucidness, clearness
**Lucien** Lucian
**lueur** *f.* glimmering, gleam, light
**lugubre** gloomy, mournful, dismal
**lui** he, him, himself; to him, to her; it, to it
**lui-même** himself
**luire** to shine, gleam, glow
**luisant, -e** shining, shiny, gleaming
**Lulli, Jean-Baptiste** (1633-1687) *French operatic composer*
**lumière** *f.* light
**lumineu-x, -se** luminous, bright, shining, beaming, sunny
**lunatique** crazy
**lundi** *m.* Monday

**lune** *f.* moon, satellite
**lunettes** *f. pl.* glasses, spectacles
**lu-rent, –s, –t** *past def. of* **lire**
**lutin** *m.* elf, goblin
**lutter** to struggle, fight; compete
**luxe** *m.* luxury; **de —** elegant, expensive

## M

**M.** = monsieur
**ma** my
**machin** *m.* (*fam.*) thing, thingumbob, what-you-may-call-it
**machinalement** mechanically
**machine** *f.* mechanism
**mâchoire** *f.* jaw, jaw-bone
**madame** *f.* Madam, Mrs.
**mademoiselle** *f.* Miss
**madone** *f.* madonna
**magie** *f.* magic
**magique** magic, magical
**magistrat** *m.* magistrate, judge
**magnifique** magnificent, splendid, superb, wonderful
**maigre** thin
**maille** *f. old French coin;* **sans sou ni —** without a cent to one's name, penniless
**main** *f.* hand; **donner un coup de — à** to help; **en venir aux —s** come to blows; **frapper dans la —** grasp the hand; **mettre la — sur le collet** arrest, seize; **mettre l'épée à la —** draw a sword; **se donner la —** join hands, hold hands; **se serrer la —** shake hands
**maintenant** now
**maintenir** to maintain, uphold
**maintiendront** *fut. of* **maintenir**
**mais** but, why
**maison** *f.* house, household, home; establishment; household expenses, upkeep of the home
**maître** *m.* master, teacher; squire (*title given to lawyers in France*); **— à danser** dancing teacher; **— clerc** head clerk; **— d'armes** fencing teacher; **— ès arts** master of arts; **petit- —** fop, coxcomb, dandy
**maîtresse** *f.* mistress, lady, sweetheart, ladylove
**maîtrise** *f.* mastery
**majesté** *f.* majesty
**majordome** *m.* steward
**majorité** *f.* majority
**mal** *adv.* ill, bad, poorly, incorrectly, badly; badly off, uncomfortable; **— à propos** inappropriate, unsuitable, unseemly, inopportune; at the wrong time; **— né** of low birth, disreputable; **— noté** in bad repute, "in wrong"
**mal** *m.* evil, illness; misfortune, suffering, pain; trouble, difficulty; **— de tête** headache; **vouloir du — à** to be angry with, bear ill will
**malade** *adj.* sick, ill, injured
**malade** *m. & f.* patient
**maladie** *f.* sickness, illness, disease
**maladresse** *f.* awkwardness, clumsiness
**Malaga** *f. Spanish city and port north east of Gibraltar*
**Malebranche, Nicolas de** (1638-1715) *celebrated French metaphysician*
**malebranchiste** of the Malebranche school of philosophy
**malfaisant, –e** malevolent, mischievous
**malfaiteur** *m.* malefactor, evil-doer, criminal
**malgré** in spite of, notwithstanding
**malheur** *m.* misfortune, bad luck; **par —** unfortunately, unhappily
**malheureusement** unfortunately, unhappily
**malheureu-x, –se** *adj.* unhappy, miserable, unfortunate, wretched
**malheureux** *m.* wretch, unfortunate creature
**mali-n, –gne** *adj.* intelligent, clever, shrewd; sly, spiteful
**malin m.** sly fellow, rogue, clever man
**malsonnant, –e** ill-sounding; unseemly, improper
**maltraiter** to maltreat, treat roughly
**mamamouchi** *m.* pretended Turkish dignitary
**maman** *f.* mamma, mother
**manchon** *m.* muff; **chien de —** lap dog
**mandat** *m.* money-order, note
**mander** to inform, notify, send word
**mangeaille** *f.* victuals, eatables

**manger** to eat, eat up, consume; **salle à —** dining room
**manière** *f.* manner, custom; way, means; sort, kind
**manifester** to manifest, show, display; **se —** be shown *or* revealed
**manigancer** to contrive, concoct
**manne** *f.* manna
**manœuvre** *f.* maneuver
**manoir** *m.* manor
**manque** *m.* lack
**manquer** to be missing *or* lacking, miss, lack, fail, come near, need; make a mistake, be wanting in respect; **il ne lui a manqué que** it only needed; **— de parole** break one's word
**mansuétude** *f.* meekness, forbearance
**mante** *f.* mantle, cape
**manteau** *m.* cloak, coat
**mantille** *f.* mantilla, Spanish shawl
**manufacture** *f.* factory
**manuscrit** *m.* manuscript
**manzanilla** *m. name of a Spanish wine*
**maquignon** *m.* horse-dealer
**maquila** *m.* iron-tipped club
**marâtre** *f.* step-mother, cruel mother
**maraudeur** *m.* marauder
**marbre** *m.* marble, marble statue
**marc** *m.* grounds
**marchand, –e** *adj.* trading
**marchand** *m.* merchant, dealer, peddler; **— de friture** dealer in fried fish; **— de sable** sandman
**marchandage** *m.* bargaining
**marchande** *f.* dealer, seller
**marchander** to bargain, quibble over the cost of, haggle over, speculate on
**marchandise** *f.* merchandise, goods
**marche** *f.* march, walk; step, stair
**marché** *m.* market; **à meilleur —** cheaper, less expensively; **bon —** cheap
**marcher** to march, walk; work, go, move, function; travel, proceed; step, tread
**mardi** *m.* Tuesday
**mare** *f.* pool, puddle
**maréchal** *m.* marshall; **— de camp** brigadier general; **— des logis** cavalry sergeant
**Margency** *f. village ten miles north of Paris*
**mari** *m.* husband
**mariage** *m.* marriage, wedding; married life; **acte de —** marriage certificate
**Marie** Mary
**marié, –e** married
**marier (se)** to get married
**marin, –e** *adj.* marine, of the sea
**marin** *m.* sailor
**marmite** *f.* pot, kettle
**marmot** *m.* brat, child
**marmotter** to mumble
**maroquin** *m.* morocco leather
**marque** *f.* mark, sign, indication; scar
**marquer** to mark, indicate, cut
**marquise** *f.* marchioness
**martial, –e** martial, military
**masque** *m.* mask, disguise
**massacrer** to massacre
**masure** *f.* shack, hovel, dilapidated building
**matelas** *m.* mattress
**matelot** *m.* sailor
**matériel, –le** material, dealing with material things
**mathématiques** *f. pl.* mathematics
**matière** *f.* matter, substance
**matin** *m.* morning; **de bon —** early; **le lendemain —** the next morning; **le —** in *or* during the morning
**matinal, –e** early
**matinée** *f.* morning
**maturité** *f.* maturity; **à —** when ripe
**maudire** to curse
**maudit, –e** accursed
**Maure** *m.* Moor
**mauvais, –e** bad, evil, ill; wretched, poor; in poor condition, unlikely of success; **—e affaire** trouble, misadventure; **—e foi** insincerity; **faire de —es affaires** to make out poorly, do poor business
**maux** *pl. of* **mal**
**mazette** good gracious, my word, Jimminy Crickets
**me** me, to me, at me, for me, from me, by me, in me, against me
**mea culpa** *see* **culpa**
**méchanceté** *f.* maliciousness, spitefulness, naughtiness, malice
**méchant, –e** *adj.* bad, evil, mean, naughty

**méchant** *m.* mean *or* wicked person; **faire le —** to be mean
**méconnaissable** unrecognizable
**méconnaître** to fail to recognize
**mécontent, –e** unhappy, dissatisfied, discontent
**médecin** *m.* doctor
**médecine** *f.* medicine, medical science
**médiateur** *m.* mediator
**médical, –e** medical
**médiocrement** moderately, mildly, slightly, somewhat
**médire** to speak ill, slander
**méditation** *f.* meditation, reflection
**Méditerranée** *f.* Mediterranean Sea
**méfier (se)** to be suspicious, distrust
**meilleur, –e** better, best; **à — marché** cheaper, less expensively
**mélancolie** *f.* melancholy, sadness
**mélancolique** melancholy, sad
**mélancoliquement** sadly, sorrowfully, mournfully
**mêler** to mix, mingle, blend; **se —** be mixed *or* mingled; **se — de** concern oneself with, interfere with
**mélodie** *f.* melody, music
**même** *adj.* same, very, self; **— jeu** repeating the same stage-business; **de —** likewise, so, also; the same, the same way; **de — que** just as
**même** *adv.* even; **quand —** even if; just the same, nevertheless
**mémoire** *f.* memory, mind
**mémoire** *m.* memorandum, statement, bill, account
**menacer** to menace, threaten
**ménage** *m.* household, house, housework; couple, man and wife; married life, life in common; **faire bon —** to live together on good terms
**ménagère** *f.* housekeeper, housewife
**mendiant** *m.* beggar
**mendicité** *f.* begging, beggary; **dépôt de —** workhouse
**mendier** to beg, solicit
**mener** to lead, conduct, take; **— à la baguette** rule with an iron hand, make toe the line; **— à la promenade** take for a ride; **— promener** take for a walk
**mensonge** *m.* falsehood, lie
**mentalement** mentally
**menteu-r, –se** deceitful, untruthful
**mentionner** to mention
**mentir** to lie; **sans —** really, honestly
**menton** *m.* chin
**menu, –e** small, petty
**menuet** *m.* minuet
**méphitique** mephitic, foul
**mépris** *m.* scorn, contempt
**méprisable** contemptible, despicable
**mépriser** to scorn, despise
**mer** *f.* sea; **— Glaciale** Arctic Ocean
**mercerie** *f.* notions
**merci** *f.* mercy, pity
**merci** *m.* thanks, thank you
**mère** *f.* mother; **belle- —** mother-in-law
**mérite** *m.* merit, credit
**mériter** to deserve
**merveille** *f.* marvel, wonder; **à —** marvelously, wonderfully, splendidly
**merveilleusement** wonderfully, marvelously, exceedingly well
**merveilleu-x, –se** marvelous, splendid
**mes** my
**messe** *f.* mass
**messieurs** *pl. of* **monsieur**
**messire** *m.* (*old*) sir, master, squire
**mesure** *f.* measure; **à — que** as, in proportion as
**mesurer** to measure, calculate
**métamorphose** *f.* metamorphosis
**métaphysique** metaphysical
**méthode** *f.* method, manner
**métier** *m.* trade, profession, business, task, job
**mettre** to put, place, make, establish, put on, dress; put down, write; set (*fire*); take (*time*); **— à l'ombre** kill, do away with; **— au fait de** acquaint with, tell about; **— au point** inform; **— en colère** make angry; **— en morceaux** blow into bits, blow to pieces; **— fin à** terminate, bring to an end, put an end to; **— la main sur le collet** arrest, seize; **— l'épée à la main** draw a sword; **— le feu à . . .** set . . . on fire; **— un visage dessus** associate a face with it, place him; **se —** put oneself, get, go, take one's stance; fly, throw oneself (*into a fit of anger*); sit down; **se — à** (+ *inf.*) begin to; **se — à** (+ *noun*)

start in upon, get to work upon; sit down at; **se — au port d'armes** carry arms, shoulder arms; **se — contre** take sides against; **se — en colère** become angry; **se — en devoir de** set about; **se — en grève** go on strike; **se — en mouvement** start to move, move around; **se — en nage** work oneself into a perspiration; **se — en route** start off on one's way; **se — sous clé** lock oneself in

**meubles** *m. pl.* furniture

**meubler** to furnish

**meunier** *m.* miller

**meurt** *pres. ind. of* **mourir**

**meurtrier** *m.* murderer

**mi** half; **à — -jambe** half way up the leg, to mid-leg

**Michel-Ange** (1475-1564) Michael Angelo Buonarroti (*celebrated Italian painter and sculptor*)

**midi** *m.* noon

**Midi** *m.* southern France

**mie** *f.* dear, darling, love; nurse

**mielleu-x, -se** honeyed, sweet, bland

**mien, -ne** mine; **le —** mine, my own

**mieux** better, best; better off, more comfortable; **aimer —** to prefer; **de notre —** as best we could, to the best of our ability; **le — du monde** the best possible; **tant —** so much the better; **valoir —** to be better, be preferable, be worth more

**mignon, -ne** dainty, pretty, tiny

**mignonne** *f.* darling

**mi-jambe: à —** half way up the leg, to mid-leg

**mil** one thousand

**milieu** *m.* middle, midst; environment, circle; **au beau —** right in the middle; **au — de** amid, in the middle *or* midst of

**militaire** *adj.* military

**militaire** *m.* soldier

**mille** (one) thousand; **— tonnerres** damnation

**millième** thousandth

**milord** *m.* lord

**mîmes** *past def. of* **mettre**

**mince** thin, slender, slight

**minchorrô** *m.* (*Gypsy*) lover, caprice, true love

**mine** *f.* countenance, face, look, appearance

**mineur** *m.* miner, collier

**ministre** *m.* minister; **premier —** prime minister

**minois** *m.* pretty face, little face

**minute** *f.* minute; draft

**miraculeu-x, -se** miraculous, wonderful, marvelous

**mirent** *past def. of* **mettre**

**miroir** *m.* mirror

**mi-s, -t** *past def. of* **mettre**

**mis, -e** put, placed, put on; dressed; made, established

**misérable** *adj.* miserable, wretched, poor

**misérable** *m.* wretch, scoundrel; wretched person

**misère** *f.* misery, poverty, wretchedness, squalor; (*as excl.*) what a life

**miséricorde** *f.* pity, mercy

**mistral** *m.* north wind in southern France

**mit** *past def. of* **mettre**

**mite** *f.* mite, tiny creature

**Mlle** Miss

**Mme** Madam

**mobilier** *m.* furniture

**mode** *f.* manner, way, fashion, vogue, style; **à la —** fashionably

**modèle** *m.* model

**modéré, -e** moderate, temperate

**moderne** modern

**modicité** *f.* moderateness, smallness

**mœurs** *f. pl.* manners, customs; behavior

**moi** me, to me; **— -même** myself

**moindre** less, least, slightest

**moine** *m.* monk

**moins** less, least; minus; **à — que . . . ne** unless; **au —** at least, at any rate; **de — en —** less and less; **du —** at least, at any rate; **tout au —** at the very least

**mois** *m.* month

**moitié** *f.* half; **à —** half, partially; **à — chemin** half-way along

**Molière** (1622-1673) Jean Baptiste Poquelin (known as Molière) *famous French comic dramatist*

**mollesse** *f.* softness, gentle grace, effeminacy

**moment** *m.* moment, time; **en ce —** at the present time, now, at this *or* that time; **par —s** at times
**mon, ma, mes** my
**mondain, –e** social, of society
**monde** *m.* world, universe; people, company, society, host, crowd, group; **avoir toutes les envies du —** to be highly desirous of, want very much; **le mieux du —** the best possible; **le Nouveau M—** America; **le plus . . . du —** exceedingly . . . ; **tout le —** everybody
**monnaie** *f.* change, silver, coin; money
**monotone** monotonous
**monsieur** *m.* sir, gentleman; Mr.
**monstre** *m.* monster
**monstrueu-x, –se** monstrous, enormous
**mont** *m.* mount, mountain; **par —s et par vaux** up hill and down dale
**montagne** *f.* mountain; **à la —** in the mountains; **dans la —** in the mountains
**montant** *m.* amount
**Mont-Blanc: rue du —** *former name of the* **rue de la Chaussée-d'Antin** *a street in north-central Paris*
**monter** to mount, rise, go up, go upstairs, climb, ascend; get into; **se —** become excited *or* angry; **se — à** amount to
**Montmorency** *f. town and forest eleven miles north of Paris*
**montre** *f.* watch
**montrer** to show, demonstrate, manifest, display, indicate, reveal, point to, disclose; **se —** show *or* reveal itself *or* oneself, seem, seem to be, appear
**moquer** to mock; **se — de** make fun *or* sport of, laugh at, ridicule, jest; care nothing about
**moquerie** *f.* mockery, derision
**moqueu-r, –se** mocking, sarcastic, derisive, jeering, jesting
**moral, –e** *adj.* moral, mental
**moral** *m.* spirits, mind, mental faculties
**morale** *f.* moral; ethics
**morceau** *m.* piece, bit, morsel, fragment; **mettre en —x** to blow into bits, blow to pieces
**mordre** to bite
**mort, –e** *adj.* dead, lifeless; **demi- —** half dead
**mort** *f.* death; **à la vie à la —** in life and death
**mort** *m.* dead man
**morue** *f.* codfish; **huile de foie de —** cod liver oil
**mot** *m.* word; statement, short note; **— à —** literally, word for word; **deux —s** a few words
**motif** *m.* motive, reason
**motte** *f.* turf, clod
**mouche** *f.* fly
**moucher** to wipe *or* blow (*the nose*)
**mouchoir** *m.* handkerchief
**moue** *f.* pout, pouting, wry face; **faire la —** to pout, make a wry face
**mouiller** to moisten, wet; **se —** get wet
**moulin** *m.* mill; **— à eau** mill driven by a water-wheel; **— à vent** windmill
**mourir** to die
**mousse** *m.* cabin-boy
**moustache** *f.* mustache
**mouton** *m.* sheep
**mouvement** *m.* movement, motion, gesture, impulse, emotion; **dans un — de sortie** as if leaving; **se mettre en —** to start to move, move around
**mouvoir** to move; **se —** move, move about
**moyen, –ne** *adj.* middle, average; **— -âge** middle ages
**moyen** *m.* means, way, method; **au — de** by means of
**moyennant** in consideration of, by means of, in return for
**Mozart, Wolfgang Amadeus** (1756-1791) *Austrian composer*
**muet, –te** mute, silent, dumb
**mufti** *m.* mufti (*Mohammedan high-priest or magistrate*)
**mulet** *m.* he-mule
**muletier** *m.* mule-driver, muleteer
**multiplier** to multiply; **se —** multiply, have young
**mur** *m.* wall; **— d'enceinte** enclosing wall, city wall
**muraille** *f.* wall
**Murat, Joachim** (1771-1815) *one of Napoleon's ablest generals*

**murmure** *m.* murmur, murmuring
**murmurer** to murmur, mutter
**musicien** *m.* musician
**musicienne** *f.* musician
**musique** *f.* music
**mutiler** to mutilate
**mutisme** *m.* silence
**mutuellement** mutually, each other
**mystère** *m.* mystery; **en voilà du —** why all the secrecy
**mystérieu-x, –se** mysterious
**mythique** mythical
**mythologie** *f.* mythology

**N**

**nacre** *f.* mother of pearl
**nage** *f.* swimming; **se mettre en —** to work oneself into a perspiration
**naï-f, –ve** naive, innocent, simple, artless
**nain** *m.* dwarf
**naissance** *f.* birth
**naître** to be born
**naïvement** ingenuously, artlessly, guilelessly
**naïveté** *f.* innocence, ingenuousness, artlessness
**Nani, Giovanni-Battista** (1616-1678) *Italian statesman and historian*
**napoléon** *m.* napoleon (*former French gold coin worth about four dollars*)
**Napoléon** (1769-1821) Napoleon Bonaparte, *Consul of France* (1799-1804), *Emperor of France* (1804-1814)
**naquit** *past def. of* **naître**
**narquois, –e** mocking, bantering
**narrateur** *m.* narrator
**natte** *f.* braid; straw tray; mat
**naturel, –le** natural, likely, plausible
**naturellement** naturally, of course, by nature
**navarrais, –e** *adj.* Navarese; **à la —e** in the Navarese manner
**Navarrais** *m.*, **–e** *f.* Navarese, inhabitant of the province of Navarre
**Navarre** *f. province in northern Spain*
**navire** *m.* vessel
**ne** not; **n'est-ce pas** is it not so; **— . . . guère** hardly, scarcely; **— . . . guère que** scarcely more than, hardly as much as; **— . . . jamais** never; **— . . . pas** not; **— . . . personne** nobody; **— . . . plus** no more, no longer; **— . . . point** not; **— . . . que** only; not . . . until; **— . . . rien** nothing
**né, –e** born, arisen; **mal —** of low birth, disreputable
**néanmoins** nevertheless
**néant** *m.* nothingness, emptiness
**nécessaire** necessary, essential, requisite
**nécessairement** necessarily, of necessity
**nécessité** *f.* necessity, need
**nécessiter** to necessitate, require
**négliger** to neglect, overlook
**négociant** *m.* merchant
**nègre** *m.* negro
**neige** *f.* snow; **de —** snowy, white
**net, –te** clear
**neu-f, –ve** *adj.* new; **tout —** brand new
**neuf** nine
**nez** *m.* nose; (*fig.*) face *or* head; **rire au — de** to laugh in the face of; **saigner du —** have a nose-bleed; **tomber sur le —** fall on one's face
**ni** neither, nor; **— . . . —** neither . . . nor; **— l'un — l'autre** neither; **— moi non plus** neither do I
**niais, –e** *adj.* silly, foolish, simple, stupid
**niais** *m.* simpleton, fool
**niaiserie** *f.* silliness, foolishness, nonsense, stupidity, silly trifle
**Nicolas** Nicholas; **saint —** Saint Nicholas, Santa Claus
**nier** to deny
**noblesse** *f.* nobility, nobleness
**nocturne** nocturnal, of the night
**nœud** *m.* knot, bow
**noie** *pres. ind. of* **noyer**
**noir, –e** *adj.* black, dark
**noir** *m.* black
**noircir** to blacken
**nom** *m.* name; **— d'emprunt** assumed name; **sans —** unspeakable, nameless
**nombre** *m.* number; **sans —** countless
**nombreu-x, –se** numerous
**nommé, –e** named; **un (le) —** a (the) man *or* person named
**nommer** to name, call, mention; **se —** be named *or* called

**non** no, not; — **pas** not; — **plus** either, neither; — **point** not; **ni moi — plus** neither do I
**nonchalance** *f.* carelessness, indifference
**non-exécution** *f.* non-execution, failure of execution
**nord** *m.* north; **l'Amérique du N—** North America; **pôle N—** North Pole
**nord-ouest** *m.* northwest
**nos** our
**notaire** *m.* notary, attorney
**note** *f.* bill, statement
**noté, –e** noted, noticed; **mal —** in bad repute, "in wrong"
**noter** to note, notice
**notre** our
**nôtre** ours
**nourrir** to nourish, feed, nurse, support, develop, nurture; **se — de** live on
**nourrisseur** *m.* cattle-breeder, dairyman
**nourriture** *f.* food
**nous** we, us; to us, for us, at us; each other; ourselves
**nouveau** *or* **nouvel, nouvelle** new, novel, fresh; **de —** again; **le N— Monde** America; **tout de —** all over again
**nouveauté** *f.* novelty, newness
**nouvelle** *f.* news, bit of news; novelette, long short-story; *pl.* news
**noyer** to drown, drench; **se —** be drowning, drown oneself, get drowned, be plunged *or* immersed
**nu, –e** naked, bare; **à —** bare, exposed; openly
**nuage** *m.* cloud
**nudité** *f.* nudity, bareness, nakedness
**nuire** to harm, hurt, do harm to
**nuit** *f.* night; **bonnet de —** nightcap; **cette —** last night; **la —** at night
**nuitamment** at night, during the night
**nul, –le** no, not any, not one; nobody, nothing; null, void; **—le part** nowhere, in no place
**numéro** *m.* number

## O

**ô** oh, ah
**obéir** to obey
**obéissant, –e** obedient
**objet** *m.* object, thing
**obliger** to oblige, compel
**obscur, –e** obscure
**observateur** *m.* observer, onlooker, spectator
**observation** *f.* observation, remark
**observer** to observe, notice; follow
**obstination** *f.* obstinacy, persistence
**obstiner (s')** to insist, persist
**obtenir** to obtain, receive, get; arrange, effect, accomplish
**obtiendrez** *fut. of* **obtenir**
**obtin-s, –t** *past def. of* **obtenir**
**obtinsse** *imp. subj. of* **obtenir**
**occasion** *f.* occasion, opportunity
**occasionner** to occasion, cause
**occuper** to occupy, keep busy, employ, engage; **s'—** occupy *or* busy oneself, pay attention
**océan** *m.* ocean, sea
**octobre** *m.* October; **nous sommes le premier —** today is the first of October
**odeur** *f.* odor, scent, smell, perfume
**odieu-x, –se** odious, obnoxious, invidious, most unpleasant; **sous d'—ses couleurs** in an unfavorable light
**œil** *m.* (*pl.* **yeux**) eye; lovely appearance; **avoir l'— à ce que** to see to it that, watch out that; **clignement d'—** wink; **clin d'—** twinkling of an eye; **coup d'—** glance; **et mon —** I don't believe a word of it, my eye you did; **faire les yeux en coulisse** to ogle, leer
**œillet** *m.* carnation
**œuf** *m.* egg
**œuvre** *f.* work
**offenser** to offend
**office** *m.* office, service
**officier** *m.* officer
**offrande** *f.* offering
**offrir** to offer, give
**offusquer** to offend
**oie** *f.* goose; **patte d'—** (*fig.*) crow's-foot; **plume d'—** goose-quill pen
**oiseau** *m.* bird; fellow
**Olympe** *m.* Olympus, abode of the deities
**ombrageu-x, –se** shady
**ombre** *f.* shadow, shade, darkness; **mettre à l'—** to kill, do away with

**on** one, they, we, people, someone, somebody
**once** *f.* ounce, ounce of gold
**oncle** *m.* uncle
**onde** *f.* water, stream
**ongle** *m.* nail
**opération** *f.* operation, act
**opiniâtreté** *f.* obstinacy, stubbornness
**opportun, -e** timely, favorable, propitious
**opposé, -e** opposite
**opposer (s')** to oppose, offer opposition, object
**or** *conj.* now
**or** *m.* gold; **d'—** golden, gold
**orage** *m.* storm
**ordinaire** ordinary, regular, common, usual, commonplace; **d'—** ordinarily, usually
**ordonnance** *f.* ordinance, regulation, decree; prescription
**ordonner** to order, command, direct, prescribe, arrange, regulate
**ordre** *m.* order; **avoir de l'—** to be orderly *or* steady; **avoir —** receive *or* get an order, be condemned; **dans l'—** natural; **rappel à l'—** call to order, scolding
**oreille** *f.* ear; **en croire ses —s** to believe one's ears; **parler à l'—** whisper
**organe** *m.* organ, interior part
**organiser** to organize, arrange
**orgueil** *m.* pride
**origine** *f.* origin, source
**orme** *m.* elm-tree
**ormeau** *m.* young elm, elm
**orner** to adorn, decorate, ornament
**ornière** *f.* rut
**orthographe** *f.* spelling
**os** *m.* bone; **faire de vieux —** to reach old age, live to be old
**osé, -e** hard to accept, daring, bold
**oser** to dare, venture, risk
**ostensoir** *m.* church monstrance (*for the consecrated host*)
**ostentation** *f.* ostentation; **sans —** unostentatiously, modestly
**ôter** to remove, take off *or* away
**ou** or; **— bien** or else, or on the other hand; **— bien . . . — bien** either . . . or else
**où** where, in which, at which, on which; when; **d'—** whence; **je ne sais —** somewhere or other; **jusqu'—** to what point, how far
**oublier** to forget
**ouest** *m.* west; **nord- —** northwest
**oui** yes
**oui-dà** yes indeed, really, is that so
**ouragan** *m.* hurricane
**ourlé, -e** rimmed
**ourlet** *m.* hem
**outre** beyond, besides; **en —** moreover, besides
**ouvert, -e** open, opened; **avoir la tête —e** to have a fractured skull
**ouverture** *f.* opening, aperture; adjudication
**ouvrage** *m.* work; **— d'aiguille** needlework
**ouvragé, -e** worked, wrought
**ouvrier** *m.* workman
**ouvrière** *f.* working girl
**ouvrir** to open, lay open, cut open; **s'—** open, be opened
**Ovide** Ovid (43 B.C.-17 A.D.) *famous Roman poet*

## P

**Pacifique** *m.* Pacific (*ocean*)
**pacte** *m.* pact, agreement
**paille** *f.* straw; **chaise de —** straw-bottomed chair, chair with a rush seat
**paillette** *f.* spangle; **à —s** spangled
**pain** *m.* bread, loaf of bread; **petit —** roll
**pair** *m.* peer
**paire** *f.* pair, couple
**pairie** *f.* peerage
**paisible** quiet, peaceful, placid
**paix** *f.* peace, reconciliation, peacefulness, peaceful atmosphere
**palais** *m.* palate; palace
**Palais = Palais de justice** *m.* courthouse
**Palais-Royal** *m. palace near the Louvre which became a rendez-vous of democrats prior to the Revolution*
**pâle** pale
**palier** *m.* landing (*of a staircase*)
**pâlir** to grow *or* turn pale, become pale

**palme** *f.* palm, palm-branch; crest, foliage
**palpiter** to palpitate, beat, flutter, heave, quiver, flicker
**pâmer (se)** to faint, swoon
**pampre** *m.* vine-branch
**panser** to dress (*a wound*); groom (*a horse*)
**pantagruelion** *m.* hemp
**pantoufle** *f.* slipper
**papier** *m.* paper
**papillon** *m.* butterfly
**paquet** *m.* parcel, package, bundle, pack
**par** by, by means of, through, throughout, via, across, per, each, in, on, around, with, for, during, a, at, about, for the sake of, out of, under; **—-dessus** above, over, on top of; **— exemple** for instance, indeed, I declare; **— ici** this way, over here; **— jour** each day, daily; **— toute la terre** all over the earth; **— trop** really too, entirely too
**parade** *f.* inspection
**paradis** *m.* paradise
**paraître** to appear, seem
**parc** *m.* park
**parcelle** *f.* portion, part, bit
**parce que** because
**parchemin** *m.* parchment
**parcourir** to run *or* travel through *or* over, run about, traverse
**par-dessus** over, above, on top of; **en avoir — les épaules** to have enough of it, be fed up with it
**pardonner** to pardon, forgive
**pareil, -le** such, similar, like that, the same
**parent** *m.* parent, relative
**parenté** *f.* relationship
**parenthèse** *f.* parenthesis
**parer** to adorn, attire, dress up; ward off, parry
**parfait, -e** perfect, complete
**parfaitement** perfectly, clearly
**parfois** occasionally, sometimes, at times
**parfum** *m.* perfume
**parfumer** to perfume
**parier** to wager, bet
**parisien, -ne** Parisian
**parlant, -e** speaking; **trompette —e** megaphone
**parlement** *m.* parliament, sovereign court; **conseiller au —** judge of the court of appeals
**parler** *m.* speech, talk, conversation, manner of speaking
**parler** to speak, talk; **à l'heure que je vous parle** at the present moment; **— à l'oreille** whisper; **— raison** talk sensibly; **entendre — de** hear about, hear mentioned; **tu as à me —** you have something to say to me; **vouloir — de** mean; **se —** speak to each other, converse
**parmi** among, with, amid
**parodier** to mimic
**parole** *f.* word, statement, speech, manner of talking; **adresser la — à** to address, speak to; **couper la — à** cut short, interrupt, silence; **manquer de —** break one's word; **prendre la —** begin to speak; **se couper la —** interrupt each other; **sur une bonne —** amicably; **tenir —** keep one's word
**part** *f.* part, share; **à —** separately; **de la — de** in the case of, from, concerning, in respect to, in behalf of; **d'une —** on the one hand; **faire — de** to acquaint with, inform of; **nulle —** nowhere, in no place; **quelque —** somewhere
**partage** *m.* division, share, portion
**partager** to divide, share
**parti** *m.* resolution, determination, decision; **de — pris** deliberately, willfully, stubbornly; **prendre le — de** to decide to, make up one's mind to; **prendre son —** make up one's mind, come to a decision
**particularité** *f.* peculiarity
**particuli-er, -ère** private, individual, of one's own, peculiar, special
**partie** *f.* part, portion; game, party; **faire — de** to be *or* constitute a part of, be a member of, belong to
**partir** to leave, depart, set out, proceed, originate; go off, burst, burst out; come, come out; **— d'un éclat de rire** burst into laughter; **à — de** from, beginning from, beginning with
**partout** everywhere, anywhere, all over

**paru, –e** *past part. of* **paraître**
**paru-rent, –t** *past def. of* **paraître**
**parût** *imp. subj. of* **paraître**
**parvenir** to succeed, manage; arrive, reach; **faire — à** send for
**parvin-rent, –t** *past def. of* **parvenir**
**pas** *adv.* any, no, not, not any; **— du tout** not at all; **ne . . . —** not; **n'est-ce —** is it not so; **non —** not
**pas** *m.* pace, step, dance, footstep, stride, yard; **à deux —** a few steps away; **à — lents** slowly
**passablement** tolerably, reasonably well
**passag-er, –ère** *adj.* migratory, of passage
**passager** *m.* passenger
**passant** *m.* passerby, pedestrian
**passé, –e** *adj.* past, former, last
**passé** *m.* past
**passer** to pass, spend, go, pass by, go along *or* on, go through, bring in, take across; cause to be accepted, get accepted; **— pour** have the reputation of, be considered; **— pour être** be considered, have the reputation of being; **faire — sur sa tête** cause to fall *or* be conferred upon him, inherit; **se —** take place, occur, happen, pass, pass by, progress; **se — de** get along without, do without, dispense with
**pâte** *f.* dough
**pâté** *m.* pie, pastry, potpie
**paternel, –le** paternal, fatherly
**patiemment** patiently
**patience** *f.* patience; **la — m'échappa** I lost patience
**patio** *m.* (*Span.*) paved court
**patrie** *f.* country, fatherland
**patriotisme** *m.* patriotism
**patron** *m.* employer, boss; master, captain (*of a small vessel*)
**patte** *f.* paw, foot; **— d'oie** (*fig.*) crow's-foot
**pâturage** *m.* pasture, cattle breeding establishment
**pâture** *f.* pasture, food; prey
**paume** *f.* pelota
**pauvre** *adj.* poor, unfortunate
**pauvre** *m. & f.* poor person
**pauvreté** *f.* poverty
**pavé** *m.* pavement
**paver** to pave
**pavillon** *m.* summer-house, small house
**payer** to pay, pay for
**payllo** *m.* (*Gypsy*) foreigner
**pays** *m.* country, district, region, homeland; fellow countryman; **êtes-vous du —** are you a fellow countryman
**paysage** *m.* landscape, countryside
**paysan** *m.* peasant
**paysanne** *f.* peasant woman
**Pays-Bas** *m. pl.* Low Countries
**payse** *f.* fellow countrywoman
**peau** *f.* skin, hide
**péché** *m.* sin
**pêcheur** *m.* fisherman
**Pédro** (*Span.*) Peter
**peigne** *m.* comb
**peignoir** *m.* dressing-gown
**peindre** to paint, depict, describe, draw
**peine** *f.* sorrow, affliction, pain, grief, effort, trouble, difficulty, penalty; **à —** hardly, scarcely, with difficulty; **être la —** to be worth while, be of use; **faire — à voir** be painful to see; **grand'—** great difficulty; **sans —** readily, easily; **se donner la —** take the trouble; **valoir la —** be worth while, be worth the trouble
**peint, –e** painted
**peintre** *m.* painter
**peloton** *m.* platoon
**pendant** during, for; **— que** while
**pendre** to hang, suspend
**pendu** *m.* hanged person
**pendule** *f.* clock
**pénétrant, –e** penetrating, sharp, acute
**pénétrer** to penetrate, enter, fill
**pénible** difficult, hard, arduous, painful
**pensant, –e** thinking
**pensée** *f.* thought, way *or* manner of thinking, intention
**penser** to think, believe, imagine, conceive, reflect, consider; **je le pensais bien** it's just as I thought; **faire — à** remind one of
**pensi-f, –ve** pensive, thoughtful
**pension** *f.* pension, boarding-school; **en —** at school
**pente** *f.* slope, declivity
**pépiniériste** *m.* nurseryman, gardener
**perçant, –e** sharp, penetrating
**percé, –e** pierced, penetrated, full of holes, worn out

**percer** to pierce, penetrate, harpoon
**percher** to perch
**perclus, –e** crippled, paralyzed
**perdre** to lose, lose track of, miss; ruin; **— de vue** lose sight of
**père** *m.* father; (*following a name*) senior; **le — . . .** old man . . . ; **le P— éternel** God
**perfectionner** to perfect; **se —** improve, do better
**perfide** perfidious, treacherous, deceitful
**péril** *m.* peril, danger
**péripatéticien** *m.* peripatetic philosopher
**périr** to perish, die; die out, disappear
**permettre** to permit, allow, grant permission
**permis, –e** *past part. of* **permettre**
**permit** *past def. of* **permettre**
**perpétuel, –le** perpetual, continual, constant
**perron** *m.* flight of steps, stoop
**perruque** *f.* wig
**persécuter** to persecute
**persister** to persist
**personnage** *m.* personage, character, individual
**personne** *f.* person
**personne** *m.* anyone, anybody; no one, nobody; **ne . . . —** no one, nobody
**personnel, –le** personal, private
**perspective** *f.* prospect
**perspicacité** *f.* perspicacity, keen perception, acumen, shrewdness
**persuader** to persuade, convince
**perte** *f.* loss; **en pure —** to no purpose, uselessly, in vain
**pesant, –e** *adj.* heavy
**pesant** *m.* weight
**peser** to weight, weigh upon
**pessimiste** *adj.* pessimistic
**pessimiste** *m.* pessimist
**petit, –e** *adj.* little, small, slight, insignificant, unimportant, poor; **— pain** roll; **un — peu** just for a moment
**petit** *m.* small person *or* individual
**petitesse** *f.* smallness, meanness; **l'excès de —** the exceedingly small size
**petit-maître** *m.* fop, coxcomb, dandy
**peu** *adv.* little, few, not very, not at all; a short time, shortly; **— chèrement** inexpensively; **— commun** unusual; **à — près** very nearly, almost
**peu** *m.* small amount, little; short time; **— à —** little by little, gradually, by degrees; **— de** few, not many, a little; **— s'en faut** very nearly, almost, thereabouts, not far from it; **avant —** before long, shortly; **en — de temps** in a short while, before long; **un —** somewhat, a bit, to some extent, a little while; **un petit —** just for a moment
**peuple** *m.* people, nation; common people, lower classes
**peupler** to populate, fill
**peur** *f.* fear; **avoir —** to be afraid; **de — de** for fear of; **faire — à** frighten; **sans —** fearless, intrepid
**peureu-x, –se** timid, timorous
**peut** *pres. ind. of* **pouvoir**
**peut-être** perhaps; **— que** perhaps
**peuvent** *pres. ind. of* **pouvoir**
**peux** *pres. ind. of* **pouvoir**
**phénix** m. phœnix (*mythological bird living for several centuries and being reborn in all its freshness from its own ashes*)
**philanthrope** *m.* philanthropist
**philosophe** *m.* philosopher
**philosophie** *f.* philosophy
**philosophique** philosophical, scientific
**phonétique** *f.* phonetics
**phrase** *f.* sentence, speech, statement
**physétère** *m.* cachalot, sperm-whale
**physicien** *m.* physicist
**physionomie** *f.* physiognomy, face, countenance, expression, appearance, individuality, aspect
**physique** *adj.* physical
**physique** *f.* physics
**piastre** *f.* piaster, dollar
**picador** *m.* (*Span.*) picador (*horseman with a lance in a bull-fight*)
**picotement** *m.* pricking, tingling
**pie** *f.* magpie
**pièce** *f.* piece, coin; document; gun, cannon; play; room
**piécette** *f.* peseta
**pied** *m.* foot, base, leg; **à —** on foot, walking; **des —s à la tête** from head to foot; **d'un — ~** foot deep; **fou-**

ler aux —s to trample under foot, trample upon; **frapper du —** stamp
**piège** *m.* trap, snare
**pierre** *f.* stone; — **d'aimant** loadstone; **à coups de —** by throwing stones
**pierreries** *f. pl.* jewels, gems, precious stones
**pieu** *m.* stake, post
**piller** to pillage, plunder; — **rasibus** strip clean, plunder
**pilote** *m.* pilot
**pin** *m.* pine-tree; **pomme de —** pine-cone
**pincée** *f.* pinch
**pincer** to catch in the act
**pinnule** *f.* sight-vane
**piqueté, -e** spotted, clotted
**pire** worse, worst
**pis** worse, worst; — **aller** unworthy makeshift, last resource, worst possible substitute; **tant —** so much the worse
**pistolet** *m.* pistol
**piteusement** piteously
**pitié** *f.* pity, compassion; **faire —** to excite pity, be absurd
**place** *f.* place, seat; public square; bull-ring, arena; — **forte** fortified town, fortress; **quitter la —** to depart, go away
**placer** to place, put, locate; pitch (*a camp*); **se —** place oneself, stand
**plaider** to plead, conduct a case, go to law
**plaideur** *m.* litigant
**plaie** *f.* wound
**plaignait** *imp. ind. of* **plaindre**
**plaindre** to pity, sympathize with; **se —** complain
**plaine** *f.* plain, lowland
**plainte** *f.* complaint, lamentation
**plaire** to please, be pleasing; **plût à Dieu que** God grant that, would that; **se — à** take delight *or* pleasure in
**plaisant, -e** pleasant, agreeable; amusing, humorous
**plaisanter** to joke, jest
**plaisanterie** *f.* joke, jest, trick
**plaisir** *m.* pleasure, enjoyment, pastime; **faire —** to be nice *or* pleasant
**plan** *m.* plan, plane; **au premier —** in the foreground, front-stage
**planche** *f.* plank, board
**plancher** *m.* floor
**Plancher** *Parisian printer of the early nineteenth century*
**planète** *f.* planet
**plante** *f.* plant
**planter** to plant, place, fix; **arrive qui plante** come what may, let come what will
**planteur** *m.* planter
**plaque** *f.* plate; warming-shelf (*on the back of a stove*)
**plat, -e** flat, level
**plateau** *m.* pan (*of a scale*)
**plâtre** *m.* plaster; **battre comme —** to beat to a pulp
**plein, -e** full, filled; broad (*daylight*)
**pleinement** fully, completely, highly
**pleurer** to weep, cry
**pleurs** *m. pl.* tears, weeping
**pleut** *pres. ind. of* **pleuvoir**
**pleuve** *pres. subj. of* **pleuvoir**
**pleuvoir** to rain
**pli** *m.* fold
**plomb** *m.* lead, bullet; weights (*put in the hem of a skirt to hold it down*)
**plonger** to plunge, penetrate
**ployé, -e** bent; — **en deux** bent double, crouching
**ployer** to bend
**plu** *past part. of* **plaire**
**pluie** *f.* rain
**plume** *f.* pen; feather; — **d'oie** goose-quill pen
**plupart** *f.* majority, most, most part, major part
**pluriel** *m.* plural
**plus** more, most, longer; no more, no longer; — **de . . .** no more . . . ; **de —** more, extra, additional; **le — . . . du monde** exceedingly . . . ; **ne . . . —** no longer, no more; **ni moi non —** neither do I; **non —** either, neither
**plusieurs** several
**plut** *past def. of* **plaire**
**plût** *imp. subj. of* **plaire**
**Plutarque** Plutarch (46?-120?) *Greek biographer and moralist*
**plutôt** rather, sooner
**poche** *f.* pocket
**poêle** *f.* frying-pan

**poêle** *m.* stove
**poème** *m.* poem
**poésie** *f.* poetry, romance
**poète** *m.* poet
**poétique** poetical
**poids** *m.* weight
**poignard** *m.* dagger
**poignarder** to stab
**poignée** *f.* handful
**poil** *m.* hair
**poing** *m.* fist, clenched hand; **coup de —** punch, blow
**point** *adv.* not, not at all; **— de** no; **— du tout** not, not at all; **ne . . . —** not; **non —** not
**point** *m.* point, mark; degree, extent; **mettre au —** to inform
**pointe** *f.* point, tip
**pointu, -e** pointed, sharp
**poisson** *m.* fish
**poitrine** *f.* breast, chest
**polaire** polar; **étoile —** Polaris, north star
**pôle** *m.* pole; **— Nord** North Pole
**police** *f.* police; **— correctionnelle** magistrate's court, police court; **bonnet de —** fatigue cap, foraging cap; **salle de —** guard-room
**poliment** politely
**politesse** *f.* politeness, courtesy
**politique** *f.* politics; policy
**politique** *m.* politician
**pomme** *f.* apple; **— de pin** pine-cone
**pommette** *f.* cheek-bone
**pommier** *m.* apple tree
**pomponner** to adorn, ornament, deck out
**pont** *m.* bridge; deck (*of a vessel*)
**populaire** popular, of the common people
**porc** *m.* pig; pork
**porcelaine** *f.* porcelain
**porphyre** *m.* porphyry
**port** *m.* port, quay, wharf; **se mettre au — d'armes** to carry arms, shoulder arms
**portail** *m.* portal, front-door
**portant, -e** *pres. part. of* **porter; bien —** in good health, healthy, in fine condition
**porte** *f.* door; **— cochère** carriage entrance; **à deux —s de** two doors away from; **flanquer à la —** to drive out, dismiss, "fire"
**portée** *f.* reach, range; **à —** within range
**porte-fenêtre** *f.* French window (*extending to floor and opening like folding doors*)
**porter** to bear, carry, take; bring; tend; make (*an accusation*); cast (*a glance*); **— sur les cadres de l'armée** commission; reinstate; **se —** be, feel
**portier** *m.* doorman, door-keeper
**portique** *m.* portico
**Portugais** *m.* Portuguese
**poser** to place, put; ask (*a question*); **se —** rest, remain fixed
**position** *f.* position, location
**posséder** to possess, take possession of
**poste** *f.* post, post-office; **chaise de —** stage-coach
**poster** to post, station
**postérité** *f.* posterity
**pot** *m.* pot, jug; **— à eau** water-pitcher
**potager** *m.* vegetable garden
**pot-au-feu** *m.* soup with boiled meat, stew
**poteau** *m.* post
**potence** *f.* gallows
**pouce** *m.* thumb; inch
**poudre** *f.* powder
**poudré, -e** powdered, with powdered hair *or* wig
**poudrer** to powder
**poudreu-x, -se** dusty
**poulain** *m.* colt, foal
**poule** *f.* hen
**poulet** *m.* chicken
**pouliche** *f.* filly
**pouls** *m.* pulse
**poupe** *f.* stern
**poupée** *f.* doll
**pour** for, as for; to, in order to, for the purpose of, on account of; **— ce que ça te changera** as for that making any change in you; **— lors** thereupon; **— que** in order that, so that; **comme —** as if to, pretending to
**pourpre** *m.* deep red
**pourpré -e** deep red colored
**pourquoi** why

**pourr-a, –ai, –as, –ons, –ont** *fut. of* **pouvoir**
**pourrai-ent, –s, –t** *cond. of* **pouvoir**
**pourri, –e** rotten, rotted
**pourr-iez, –ions** *cond. of* **pouvoir**
**pourrir** to rot, decay
**pourr-ons, –ont** *fut. of* **pouvoir**
**poursuite** *f.* pursuit, step, proceeding, prosecution
**poursuivre** to prosecute, pursue, follow, continue; sue, sue for, solicit
**pourtant** however, nevertheless, yet
**pourvu que** provided that, if only
**pousser** to push, urge, impel, press on, continue; utter, emit; sprout, grow; — **à bout** drive too far
**poussière** *f.* dust
**pouvoir** *m.* power
**pouvoir** to be able, can, may, be able to do; **il se peut très bien faire** it is quite possible; **se** — be possible
**pratique** practical
**pratiquer** to make, arrange
**préambule** *m.* preamble, introductory matter
**précaution** *f.* precaution
**précédent, –e** preceding, former
**précéder** to precede
**précieusement** with great care, fondly
**précieu-x, –se** precious, valuable
**précipiter** to precipitate, hasten; **se** — rush, hasten, fling oneself headlong
**précis, –e** precise, definite, positive, exact
**précisément** precisely, exactly
**précision** *f.* precision
**prédécesseur** *m.* predecessor
**prédilection** *f.* preference
**préférablement** preferably, in preference
**préférer** to prefer
**prémédité, –e** premeditated
**premi-er, –ère** first, prime, foremost; head, chief; (*verb* +) **le** — to be the first to . . . ; — **clerc** head clerk; — **ministre** prime minister; **au** — **jour** at the first opportunity; **au** — **plan** in the foreground, frontstage; **du** — **coup** the first time; **les** —**s temps** in the early days
**prendre** to take, take up; grasp, get, seize, capture, catch; adopt, assume, take on; take hold *or* possession of, come over; establish; captivate; develop (*a taste; a liking*); eat (*a meal*); form (*a habit*); form *or* make (*a resolution*); make, arrive at (*a decision*); **il lui prit un si grand dégoût** he became so disgusted; **il me prend envie de** I long to, I have a great desire to; **il prit fantaisie au Sirien de** the inhabitant of Sirius took pleasure in; **le frisson prend** I get the shivers; — **garde à** (+ *noun or pronoun*) watch out for, look out for; — **garde de** (+ *inf.*) take care not to, beware of; — **la parole** begin to speak; — **le parti de** decide to, make up one's mind to; — **son parti** make up one's mind, come to a decision; **se laisser** — be caught *or* trapped; **s'en** — **à** blame, hold responsible; **s'y** — proceed, act, go about it
**préoccuper** to preoccupy, claim attention
**préparer** to prepare, arrange, draw up, plan, get ready; **se** — be prepared *or* arranged
**près** near, near at hand, close, next to, about; — **de** near, at, with, nearly, almost, next to, in the vicinity of, on the point of, about to, toward, in respect to; **à peu** — very nearly, almost
**présence** *f.* presence; **en** — **de** facing, in the face *or* presence of
**présent, –e** *adj.* present, before one's eyes, in one's mind, vivid
**présent** *m.* present, present time; gift; **à** — now
**présenter** to present, offer, give; introduce; **se** — present oneself, appear
**préserver** to preserve, save, guard
**président** *m.* presiding judge
**presidio** *m.* (*Span.*) fortress, garrison, military prison
**presque** almost, hardly, scarcely
**pressant, –e** urgent
**presse** *f.* press; **sous** — in the press, ready for publication
**pressé, –e** in a hurry, hurried
**presser** to press, hurry, urge, squeeze
**présumer** to presume, suppose

**prêt, –e** *adj.* ready, in readiness, at hand, on the point (*of*)
**prêt** *m.* loan
**prétendre** to pretend, mean, claim, lay claim to, assert, expect, intend, attempt, assure
**prétendu, –e** pretended, alleged, so-called
**prétention** *f.* pretension, expectation
**prêter** to lend, attribute; pay (*attention*); **se —** lend oneself, agree
**prétexte** *m.* pretext, excuse
**prêtre** *m.* priest
**prêtresse** *f.* priestess
**preuve** *f.* proof
**prévenir** to notify, inform, warn; anticipate, precede; predispose, prejudice
**préventi-f, –ve** preventive, on suspicion
**prévenu** *m.* accused person
**prévoir** to foresee, anticipate
**prévu, –e** foreseen, anticipated
**prier** to pray, beg, request, ask, invite; **je t'en prie** I implore you; **je vous en prie** I beg of you, if you please; **se faire —** to require urging, need coaxing
**prière** *f.* prayer, request
**prime: de — abord** at the very first, at the outset
**prîmes** *past def. of* **prendre**
**primiti-f, –ve** primitive, native
**principal, –e** *adj.* principal, head, chief, main
**principal** *m.* head clerk
**principalement** principally, especially, above all
**principe** *m.* principle, law, foundation, rudiment
**printani-er, –ère** youthful, spring-like
**printemps** *m.* springtime, spring
**priorité** *f.* priority, precedence, preference
**pri-s, –t** *past def. of* **prendre**
**pris, –e** *past part. of* **prendre; de parti —** deliberately, willfully, stubbornly; **être — d'un fou rire irrésistible** to burst out in a fit of uncontrollable laughter
**prise** *f.* hold, power; **ne point avoir de — sur** to fail to function in the case of
**prisonni-er** *m.*, **–ère** *f.* prisoner
**prit** *past def. of* **prendre**
**privé, –e** private
**prix** *m.* price, cost, value, worth
**probablement** probably
**probité** *f.* probity, integrity, honesty
**problème** *m.* problem
**procédé** *m.* procedure, measure, action
**procéder** to proceed, start in (upon)
**procès** *m.* trial, case, lawsuit; **sans autre forme de —** without further ado *or* formality
**procès-verbal** *m.* official report
**prochain, –e** next
**proche** near, approaching, closer at hand, imminent
**proclamer** to proclaim, announce, declare
**procuration** *f.* proxy, power of attorney
**procurer** to procure, obtain, get; supply, give; **se —** procure, get, obtain
**prodigieu-x, –se** prodigious, very great, exceptional; amazing, tremendous
**prodiguer** to lavish, make many appointments to
**produire** to produce, cause, make known; **se —** occur
**proférer** to utter, pronounce
**professer** to profess, declare
**professeur** *m.* professor, teacher
**profit** *m.* profit, advantage
**profiter** to profit, take advantage, benefit
**profond, –e** profound, great, deep, deep-seated, vivid
**profondément** profoundly, deeply
**proie** *f.* prey, booty
**projet** *m.* project, plan
**projeter** to project, plan; cast
**promenade** *f.* walk, ride; **mener à la —** to take for a ride
**promener** to walk, parade, take for a walk, take out, give exercise, carry around; divert, provide with a diversion, be refreshing; **mener —** take for a walk; **se —** promenade, walk, take a walk
**promesse** *f.* promise
**Prométhée** Prometheus (*a Titan who stole fire from heaven and gave it to man*)
**promettre** to promise, agree; **se —** promise oneself

**promi-s, –t** *past def. of* **promettre**
**promis, –e** *past part. of* **promettre**
**promptement** quickly, at once, hastily, suddenly
**promptitude** *f.* promptness, rapidity, speed, alacrity
**prononcer** to pronounce, utter, declare; **se —** be pronounced
**proportionner** to proportion, adjust, adapt
**propos** *m.* remark, statement, speech, talk, subject, occasion; **à —** fittingly, opportunely; **mal à —** inappropriate, unsuitable, unseemly, inopportune; at the wrong time
**proposer** to propose, suggest, offer; **se —** intend
**proposition** *f.* proposition, proposal
**propre** clean; own; proper, fitting, suitable
**proprement** fittingly, suitably, properly, nicely
**prospérité** *f.* prosperity
**protéger** to protect, favor
**protestation** *f.* protest
**protester** to protest, object
**prouver** to prove, demonstrate
**provenir** to come, arise, spring
**provient** *pres. ind. of* **provenir**
**proverbe** *m.* proverb
**province** *f.* province, country district; **de —** provincial, rural
**provision** *f.* provision, provisional payment; supply
**prudence** *f.* prudence, precaution
**prunelle** *f.* eye-ball, eye
**Prusse** *f.* Prussia
**Prussich-Eylau = Eylau**
**prussien, –ne** *adj.* Prussian
**Prussien** *m.* Prussian
**pu, –e** *past part. of* **pouvoir**
**publier** to publish
**puce** *f.* flea
**pudeur** *f.* modesty, shame, feeling of decency
**puéril, –e** puerile, childish
**puérilité** *f.* childishness
**pugilat** *m.* pugilism, fighting
**puis** *adv.* then, afterwards; besides, in addition
**puis** *pres. ind. of* **pouvoir**
**puisque** since, inasmuch as
**puissance** *f.* power
**puissant, –e** powerful, strong
**puiss–e, –ent, –ions** *pres. subj. of* **pouvoir**
**punir** to punish
**punition** *f.* punishment
**pupitre** *m.* desk
**pur, –e** pure, clear, real, genuine, unalloyed; **en —e perte** to no purpose, uselessly, in vain
**purement** purely
**pu-rent, –s, –t** *past def. of* **pouvoir**
**pût** *imp. subj. of* **pouvoir**
**putois** *m.* skunk, polecat
**pyramide** *f.* pyramid

## Q

**qualité** *f.* quality, good quality, virtue; rank, title
**quand** when, whenever; even if; **— je vous le disais** didn't I tell you; **— même** even if; just the same, nevertheless
**quant à** as for, as to, in regard to
**quantité** *f.* quantity, great number
**quarante** forty
**quart** *m.* quarter, fourth; **— de cercle** quadrant
**quartier** *m.* quarter, district, neighborhood, section; military headquarters
**quatorze** fourteen
**quatre** four; **les — fers en l'air** on one's back
**quatrième** fourth
**que** *adv.* how, why, how much, how many
**que** *conj.* that, when, as, than, except, but, in order that, because, so that; **ne . . . —** only; not . . . until
**que** *pron.* which, what, that, whom; **ce — c'est —** what is; **qu'est-ce —** what, what is; **qu'est-ce — c'est** what is the matter; **qu'est-ce — c'est —** what is; **qu'est-ce qui** what
**quel, –le** which, what, what a; **— que** whatever
**quelconque** any whatever, any at all
**quelque** some, a few, some few, any; **— chose** something, anything; **— part** somewhere; **— . . . que** however, whatever

**quelquefois** sometimes, occasionally
**quelqu'un, -e** somebody, someone, anybody, any one
**querelle** *f.* quarrel, dispute; **chercher — à** to pick a quarrel with
**quereller (se)** to quarrel
**queue** *f.* tail
**qui** who, whom, which, that; **qu'est-ce —** what
**quinze** fifteen; **— jours** two weeks, a fortnight
**quittance** *f.* receipt
**quitte** quit, quits, free; **en être — pour** to escape (with), get off (with . . . only)
**quitter** to abandon, forsake, quit, leave, give up, discard, put aside, leave off, stop; **— la place** depart, go away; **se —** leave each other, separate
**quoi** what, which, that; indeed; **de —** wherewith, wherewithal, enough *or* sufficient to; **en —** how, in what respect; **il n'y a pas de —** don't mention it, that is perfectly all right; **je ne sais —** something or other
**quoique** although

**R**

**raccommoder** to reconcile, repair, adjust, arrange
**racheter** to buy back
**raconter** to relate, tell
**radoteur** *m.* dotard, idle talker
**radoucir** to soften, pacify
**rage** *f.* rage, fury
**rager** to be in a rage, fume
**rageu-r, -se** ill-tempered, indignant
**raide** stiff, steep
**raie** *f.* furrow, line, stripe
**railler** to joke, jest
**raison** *f.* reason, mind, rationality, good sense, sense; **avoir —** to be right; **parler —** talk sensibly
**raisonnable** reasonable, sensible, natural; moderate, good
**raisonnement** *m.* reasoning, argument, logic
**raisonner** to reason, argue, talk
**raisonneur** *m.* reasoner, adviser, argumentative person
**rajuster** to set to rights
**râle** *m.* rattle (*in the throat*), death-rattle, gasp
**rallumer** to light up again, rekindle
**ramage** *m.* warbling, singing
**ramasser** to pick up
**ramée** *f.* green boughs, branches with their leaves
**ramener** to bring back, take back *or* away
**ramper** to crawl
**rancune** *f.* spite, malice
**rang** *m.* rank, line, row
**ranger** to arrange, put in order
**râper** to grate
**rapidement** rapidly, quickly
**rapidité** *f.* rapidity, speed
**rappel** *m.* call, recall; **— à l'ordre** call to order, scolding
**rappeler** to recall, call, call back, call to one's attention, remind; **se —** recall, remember
**rapport** *m.* relation, connection
**rapporter** to bring back; carry away; report, relate; **se — à** be connected with, be related to, be like, correspond
**rapprocher** to bring together, draw near; **se —** draw near (again), approach (again)
**rare** rare, unusual, hard to find; sparse, scanty
**rareté** *f.* scarceness, scarcity, dearth, lack
**raser** to shave; walk close to, hug
**rasibus** (*pop.*) quite close; **piller —** to strip clean, plunder
**rassurer** to reassure
**ravager** to ravage, plunder
**ravin** *m.* ravine
**ravir** to charm, delight
**rayé, -e** striped
**rayer** to stripe
**rayon** *m.* beam, ray
**réal** *m.* real (*Spanish coin worth about five cents*)
**réaliste** realistic
**réalité** *f.* reality; **en —** in reality, really, actually
**réapparition** *f.* reappearance, return
**Réaumur, René-Antoine Ferchault de** (1683-1757) *French physicist and naturalist*

**réaux** *pl. of* **réal**
**rébellion** *f.* rebellion, revolt, resistance to law and order
**rebut** *m.* rejection; **de —** cast aside, scrapped, no longer good for anything
**rebuter** to rebuff, spurn
**récemment** recently
**réception** *f.* receipt
**receveur** *m.* receiver; **— de l'enregistrement** recorder of deeds
**recevoir** to receive, admit, accept, take
**réchaud** *m.* heating apparatus, chafing dish, stove
**réchauffer (se)** to warm oneself, get warm, revive
**recherche** *f.* research, search, investigation
**rechercher** to seek eagerly, hunt for, investigate, attempt to discover
**rechute** *f.* relapse
**récit** *m.* narration, story, recital, account
**récitation** *f.* recitation, recital
**réciter** to recite, relate, say
**réclamer** to reclaim, claim, demand, demand the attention of
**reçoi-s, –t, –vent** *pres. ind. of* **recevoir**
**recommander** to recommend, advise, urge, induce, instruct
**recommencer** to begin again, do over again, repeat
**récompense** *f.* reward, compensation
**récompenser** to reward
**réconciliation** *f.* reconciliation, peace
**réconcilier** to reconcile
**reconduire** to reconduct, take back, go back with
**reconnaissance** *f.* gratitude, recognition
**reconnaître** to recognize, admit, concede, discover, identify, explore
**reconnu, –e** *past part. of* **reconnaître**
**reconnu-s, –t** *past def. of* **reconnaître**
**reconquérir** to win back
**reconqui-s, –t** *past def. of* **reconquérir**
**recourber** to bend, bend *or* fold back
**recours** *m.* recourse
**recouvrer** to recover, regain
**reçu** *m.* receipt
**reçu, –e** *past part. of* **recevoir**
**recueillir** to gather, collect, receive, take in
**reculer** to draw back, back up, retreat
**reçûmes** *past def. of* **recevoir**
**reçu-rent, –t** *past def. of* **recevoir**
**redemander** to request the return of, ask for back again
**redescendre** to come forward again; **— en scène** come to the front of the stage
**redevable** indebted
**redevenir** to become again
**redevint** *past def. of* **redevenir**
**rédiger** to draft, draw up
**redoubler** to redouble, increase
**redouter** to fear, dread, be afraid of
**redresser** to correct, amend
**réduire** to reduce
**réel, –le** real, actual, true, tangible
**refaire** to make over, do over again
**refermer** to close again
**réfléchir** to reflect, think about, think over, consider, meditate
**refléter** to reflect; **se —** be reflected
**réflexion** *f.* reflection, consideration
**reformer (se)** to form again
**refus** *m.* refusal, rejection
**refuser** to refuse, deny; **se —** refuse, resist
**regagner** to regain
**régaler** to treat
**regard** *m.* look, glance, gaze
**regarder** to look, look at *or* upon, consider, scrutinize, examine; concern
**régime** *m.* diet
**régiment** *m.* regiment
**région** *f.* region, realm, district
**règle** *f.* rule; **en —** in order, regular, in proper form
**régler** to settle, regulate, arrange; pay
**regretter** to regret, lament, be sorry
**réguli-er, –ère** regular
**régulièrement** regularly
**réimprimer** to reprint
**reine** *f.* queen
**reins** *m. pl.* back, loins
**réjoui, –e** merry, jolly, jovial
**relâche** *m.* respite, remission, ceasing; relaxation; **sans —** incessantly, unremittingly, steadily
**relati-f, –ve** relative; **— à** dealing with, affecting
**relever** to raise *or* lift again, raise, draw up; **ne — aucune charge** find

no evidence; **se —** get up again, stand up
**religieuse** *f.* nun
**religieu-x, -se** religious
**relire** to read over again
**remarquable** remarkable, extraordinary, unusual; **eut ceci de —** was remarkable in this respect
**remarque** *f.* remark, observation, notice
**remarquer** to remark, observe, notice, note; **faire —** point out, indicate
**rembourser** to repay
**remède** *m.* remedy, help, recourse
**remercier** to thank
**remettre** to put back, replace; hand over, deliver, give; **se —** resume one's place, take one's seat again; **se — à** go back to, start in again; **se — bien dans l'esprit de** regain the good opinion of, get back into the good graces of
**remis, -e** *past part. of* **remettre**
**remise** *f.* delivery
**rémission** *f.* pardon, mercy
**remit** *past def. of* **remettre**
**remonter** to get *or* step (*into a vehicle*) again
**remontrance,** *f.* remonstrance, reproof
**remords** *m.* remorse, compunction
**remplacer** to replace, take the place of
**rempli, -e** filled, full
**remplir** to fill, fulfill
**remporter** to win, obtain
**remuer** to stir, move
**renaître** to be born again, rise again
**renard** *m.* fox
**rencontre** *f.* meeting; circumstance, situation
**rencontrer** to meet, meet with, find, come across, encounter, strike; **se —** be met *or* found, meet one another, exist
**rendez-vous** *m.* appointment; **se donner —** to meet by appointment, arrange to meet
**rendre** to render, return, give back, make, bring back, surrender, restore, depict, describe; write (*an account*); **— réponse** answer; **se —** yield, surrender, weaken, obey; go, betake oneself
**renfermer** to contain
**renforcer** to reinforce, strengthen
**renom** *m.* reputation
**renommé, -e** celebrated, famous
**renoncer** to abandon, give up, deny, disclaim, disown
**renouveler (se)** to be renewed *or* refreshed
**renseignement** *m.* information, reference
**rente** *f.* yearly income, annuity; **— viagère** annuity
**rentrée** *f.* return
**rentrer** to enter again, return, return home, go back into the building
**renverse: à la —** backwards, on one's back
**renversé, -e** upset, distorted
**renversement** *m.* disarrangement, upsetting, ruin, upheaval
**renverser** to upset, distort; throw back; **se —** throw oneself back, roll over
**renvoyer** to dismiss, discharge
**répandre** to spread, scatter, diffuse
**répandu, -e** spread, scattered, diffused; well-known, notorious
**réparation** *f.* reparation
**réparer** to repair, make up for, make amends for
**repas** *m.* meal
**repasser** to pass again, pass by again
**repentir** *m.* repentance, regret
**repentir (se)** to repent, regret
**répéter** to repeat, rehearse; **se —** be repeated, recur
**répétition** *f.* rehearsal
**répliquer** to reply, answer
**répondre** to reply, answer; **— de** answer *or* vouch for; assure
**réponse** *f.* reply, answer; **rendre —** to answer
**repos** *m.* rest, quiet, leisure
**reposé, -e** rested, calm, cool; resting; **à cœur —** quietly, undisturbed; **à tête —e** calmly, cooly, deliberately
**reposer** to repose, rest, lie, remain; **se —** rest, take a rest, relax
**reposoir** *m.* resting-place; altar
**repousser** to reject, repulse, turn away, push back *or* aside
**reprendre** to resume, continue, start again, get back, recapture, regain, reassume, take up again, take again,

pick up again, reprimand, reprove, punish, whip; — **du service** re-enlist
**représenter** to represent, produce, play, act, picture, depict, show
**réprimande** *f.* reprimand, rebuke
**repri-s, –t** *past def. of* **reprendre**
**repris, –e** *past part. of* **reprendre**
**reproche** *m.* reproach
**reprocher** to reproach, find fault with; **se —** reproach oneself
**républicain, –e** republican
**république** *f.* republic
**répugnance** *f.* repugnance, aversion, dislike
**répugnant, –e** offensive, objectionable, distasteful
**répulsi-f, –ve** repellent
**réputation** *f.* reputation
**réserve** *f.* reserve, modesty
**réserver** to reserve, keep
**résigné, –e** resigned, putting up with, submissive
**résister** to resist, endure, offer opposition
**résolu, –e** *past part. of* **résoudre**
**résolu-rent, –s, –t** *past def. of* **résoudre**
**résolution** *f.* resolution, decision, determination
**résoudre** to resolve, determine, decide; solve
**respecter** to respect; **se — have** self respect
**respectueu-x, –se** respectful, reverential
**respirer** to breathe, inhale
**ressasser** to scrutinize, examine carefully, repeat over and over
**ressembler** to resemble, look like
**ressentiment** *m.* resentment, animosity, ill-will
**ressortir** to be evident *or* visible, stand out in contrast
**ressource** *f.* resource
**ressusciter** to rise from the dead, come back to life, revive
**reste** *m.* rest, remainder; **au —** besides, still, for the rest; **du —** moreover, besides
**rester** to stay, remain, be left; **reste à savoir** it remains to be seen; **— sur le cœur** to rankle within
**résultat** *m.* result, outcome
**résulter** to result, ensue (from), be the result *or* consequence (of)
**résumer** to sum up, recapitulate
**rétablir** to reestablish, restore; **se —** get well again, be restored
**retard** *m.* delay; **en —** behindhand, late
**retenir** to hold back, restrain, withhold, detain
**retentir** to ring, ring out, resound, echo
**retirer** to retire, withdraw, get out; remove, take out *or* off, pull back; **se —** retire, withdraw; depart, get out
**retomber** to fall again, fall down again, fall back again
**retour** *m.* return
**retourner** to return, go back; turn around, twist; **se —** turn around; **s'en —** return, go back, go back again
**retracer (se)** to be recalled to mind
**retraite** *f.* retreat; tattoo
**retraverser** to cross again, pass through again
**retrouver** to find *or* discover *or* locate again; rejoin, return to, meet again, regain, adopt again, find again, meet again; **se —** meet again
**réunion** *f.* gathering, meeting
**réunir (se)** to unite, assemble, get *or* gather together
**réussir** to succeed, get along well
**revanche** *f.* revenge; **en —** on the other hand, in return, in retaliation
**rêve** *m.* dream
**réveiller** to awaken, arouse, stir up; **se —** reawaken, wake up
**révélation** *f.* revelation
**révéler** to reveal, disclose
**revendication** *f.* claim, demand
**revenir** to return, come back, come back to mind; be due; **il m'en revient même** some of them even come back to my mind, I even recall some of them; **— à soi** recover one's senses, regain consciousness; **s'en —** return, come back again
**rêver** to dream
**réverbère** *m.* street-lamp
**révérence** *f.* bow, curtsy
**révérer** to revere, venerate, admire

**rêverie** *f.* revery, dreaming, meditation, musing
**reverrai-s, –t** *cond. of* **revoir**
**reverrons** *fut. of* **revoir**
**reviendra** *fut. of* **revenir**
**reviendrai-s, –t** *cond. of* **revenir**
**revienne** *pres. subj. of* **revenir**
**revient** *pres. ind. of* **revenir**
**revin-s, –t** *past def. of* **revenir**
**revit** *past def. of* **revoir**
**revoir** *m.* future meeting; **au —** good-bye
**revoir** to see again, take another look at; **se —** see each other again, meet again
**révolte** *f.* revolt, rebellion
**révolter (se)** to revolt, rebel
**révolution** *f.* revolution
**revu, –e** *past part. of* **revoir**
**rez-de-chaussée** *m.* ground floor
**ricaner** to giggle, chuckle
**riche** *adj.* rich, wealthy
**riche** *m.* rich man
**richesse** *f.* wealth
**ride** *f.* wrinkle
**ridé, –e** wrinkled
**rideau** *m.* curtain
**ridicule** *adj.* ridiculous
**ridicule** *m.* ridiculousness
**rie** *pres. subj. of* **rire**
**rien** nothing, trifle; **— du tout** nothing, nothing at all; **— que** just, only, merely, nothing but; **en —** at all, in any way; **ne . . . —** nothing; **un — du tout** a good-for-nothing, a worthless fellow
**rieu-r, –se** laughing
**rigolo** (*fam.*) amusing, comical, funny
**rigueur** *f.* rigor, severity, sternness, austerity
**rime** *f.* rhyme
**rire** *m.* laugh, laughter; **éclater de —** to burst out laughing; **être pris d'un fou — irrésistible** burst out in a fit of uncontrollable laughter; **faire un éclat de —** burst into laughter; **partir d'un éclat de —** burst into laughter
**rire** to laugh; **— au nez de** laugh in the face of
**Ris** *m. village about sixteen miles south of Paris*
**risque** *m.* risk, danger, chance
**risquer** to risk
**rivière** *f.* stream, river, brook
**rixe** *f.* scuffle, fight, brawl
**robe** *f.* robe, dress; **— de chambre** dressing gown
**rocher** *m.* rock, cliff
**rognure** *f.* paring
**Rohan** *famous French noble family*
**roi** *m.* king; **de —** royal
**Roland, Madame** (1754-1793) *Republican victim of the French Revolution who appealed to posterity in her memoirs written in prison prior to her execution*
**rôle** *m.* rôle, part, character
**rollet** *m.* scroll, list
**rom** *m.* (*Gypsy*) husband
**romain, –e** *adj.* Roman
**Romain** *m.* Roman
**romalis** *f.* Gypsy dance
**roman** *m.* novel, romance
**romancier** *m.* novelist
**romanesque** romantic, fanciful
**romani** *m.* Gypsy dialect
**romi** *f.* (*Gypsy*) wife
**rompre** to break, break off, break off relations
**ronchonner** to grumble
**rond, –e** *adj.* round, circular
**rond** *m.* ring, circle
**Ronda** *f. Spanish town northeast of Gibraltar*
**ronde** *f.* round, roundelay, ring dance
**ronger** to eat away, wear away
**Rosbach** *m.* Rossbach (*Saxon village, scene of the defeat of the French by the Prussians in* 1757)
**rose** *adj.* pink
**rose** *f.* rose; **ne pas sentir la —** to stink
**rosée** *f.* dew
**roue** *f.* wheel
**rouge** *adj.* red
**rouge** *m.* red, blush
**rougeâtre** reddish
**rougir** to redden, blush
**rouiller** to rust
**roulement** *m.* rolling, rattling, beating
**rouler** to roll, roll down, circulate; coil
**route** *f.* road, way, journey; **arrêter sur la grande —** to commit highway rob-

bery; **en —** on one's way *or* journey; **grande —** main road, highway; **se mettre en —** to start off on one's way
**rouvrir** to open again
**royaume** *m.* kingdom
**ruban** *m.* ribbon
**rudement** roughly; exceedingly, very much
**rue** *f.* street
**ruelle** *f.* alley, narrow street
**ruer** to kick
**rugir** to roar
**ruine** *f.* ruin, ruination
**ruiner** to ruin; **se —** be ruined, lose one's fortune
**ruisseau** *m.* stream, brook
**rumeur** *f.* murmur, stir, noise
**ruse** *f.* stratagem, trick
**russe** *adj.* Russian
**Russe** *m. & f.* Russian
**Russie** *f.* Russia
**rustique** rustic, rural, countrified

## S

**sa** his, her, its
**sable** *m.* sand, gravel; **marchand de —** sandman
**sabler** to sand, cover with sand *or* gravel
**sabot** *m.* wooden shoe
**sabre** *m.* saber, broadsword; **donner de mon —** to thrust my saber
**sac** *m.* bag
**sachant** *pres. part. of* **savoir**
**sach-e, –es, –iez** *pres. subj. of* **savoir**
**sach-ez, –ons** *impv. of* **savoir**
**sacré, –e** (*before noun*) confounded, blasted, damned; (*after noun*) sacred, beloved
**sacrifier** to sacrifice
**sage** *adj.* wise
**sage** *m.* sage, philosopher, wise man
**sagesse** *f.* wisdom, sobriety, good conduct, prudence, discretion
**saigner** to bleed; **— du nez** have a nose-bleed
**sain, –e** healthy, wholesome, sound
**saint, –e** *adj.* holy, pious, devout
**saint** *m.* saint
**Saint-André** Saint Andrew
**Saint-Denis** *m. town five miles north of Paris*
**sainte** *f.* saint
**Sainte-Hélène** *f.* Saint Helena (*English island off the west coast of Africa, scene of Napoleon's second exile*)
**Saint-Leu-Taverney** *m. village twelve miles north of Paris*
**Saint-Malo** *m. seaport in northwestern France*
**Saint-Marceau: le faubourg —** *industrial quarter in southeastern Paris*
**Saint-Martin: le faubourg —** *commercial district in north-central Paris, formerly a suburb*
**Saint-Nicolas** Saint Nicholas, Santa Claus
**Saint-Omer** *m. town in northern France*
**Saint-Séverin** *old church in the Latin Quarter of Paris*
**sai-s, –t** *pres. ind. of* **savoir**
**saisir** to seize, grasp; understand, comprehend; take in, embrace; **se — de** seize, snatch
**saisissement** *m.* shock, pang
**saison** *f.* season
**sait** *pres. ind. of* **savoir**
**sale** dirty
**salé, –e** salt, salty
**salir** to soil, dirty
**salle** *f.* hall, room; **— à manger** dining room; **— de police** guard-room
**salon** *m.* parlor, drawing room, sitting room
**saluer** to salute, bow to, nod to, greet
**salut** *m.* bow, nod, salutation, greeting; **à bon entendeur, —** a word to the wise is sufficient
**sandale** *f.* slipper
**sang** *m.* blood
**sang-froid** *m.* calmness, presence of mind, composure
**sangloter** to sob
**sans** without, but for, except for; **— que** without
**saoul** *m.* fill; **tout mon —** to my heart's content, all I want to
**satisfaisant, –e** satisfactory
**satisfait, –e** satisfied, gratified, pleased
**Saturne** *m.* Saturn
**Saturnien** *m.* inhabitant of Saturn

**satyre** *m.* satyr (*sylvan deity with the tail and ears of a horse*)
**saucisson** *m.* sausage
**sauf** save, except, except for, excepting
**saugrenu, -e** ridiculous, preposterous
**saule** *m.* willow-tree
**saur-a, -ai, -as, -ez** *fut. of* **savoir**
**saurai-ent, -s, -t** *cond. of* **savoir**
**saut-de-loup** *m.* sunken fence, ditch, ha-ha
**sauter** to jump, leap, jump *or* leap over; **— au cou de** to throw one's arms around the neck of, embrace
**sautoir** *m.* ribbon worn around the neck and across the chest
**sauvage** savage, wild, uncivilized; timid, shy
**sauver** to save, rescue; **se —** escape, run away, run off
**savant, -e** *adj.* wise, learned
**savant** *m.* learned man, scientist, scholar
**savoir** to know, know how to, know about; can, be able; learn, find out, hear about, understand; **je ne sais où** somewhere or other; **je ne sais quoi** something or other; **en — long sur** know a lot about; **reste à —** it remains to be seen
**Scævola, Caius Muncius** *Roman hero and patriot of the sixth century* B.C.
**scandale** *m.* scandal; **faire du —** to start a row
**scélérat** *m.* rascal, scoundrel
**scélératesse** *f.* rascality, villany
**scène** *f.* scene, incident, stage; **avant-—** forestage, front of the stage; **redescendre en —** to come to the front of the stage
**science** *f.* science; knowledge, learning
**scier** to saw
**scrupule** *m.* scruple, qualm; **se faire —** to scruple, hesitate
**sculpteur** *m.* sculptor
**se** himself, herself, itself, oneself, themselves; to himself, *etc.;* each other, one another
**séance** *f.* meeting, session, conference; **— tenante** forthwith, immediately
**séant** *m.* sitting posture; **sur notre —** to *or* in a sitting position
**seau** *m.* pail, pailful
**sébile** *f.* wooden bowl
**sec, sèche** dry; sharp, curt, quick; thin, lean, skinny; **à —** dry, empty; out of cash, "broke"
**sécher** to dry
**secouer** to shake, shake off
**secourir** to help, aid, rescue
**secours** *m.* help, aid
**secr-et, -ète** *adj.* secret, concealed
**secret** *m.* secret, secrecy; **sous le —** in secrecy
**secrétaire** *m.* secretary; desk
**secrètement** secretly
**sectateur** *m.* votary, follower
**secteur** *m.* sector
**sédentaire** sedentary
**séduire** to charm, attract, captivate
**seigneur** *m.* lord, overlord, noble; **droit de —** dominion
**sein** *m.* bosom, midst
**Seine** *f.* Seine (*river*)
**seizième** sixteenth
**séjour** *m.* abode; sojourn, stay
**sel** *m.* salt
**selon** according to, in accordance with
**semaine** *f.* week
**semblable** similar, like, such
**semblant** *m.* appearance, pretense; **faire —** to pretend
**sembler** to seem, appear
**semer** to sow, spread, strew, pervade
**semestre** *m.* period of six months
**sénateur** *m.* senator
**sens** *m.* sense, understanding, judgment; direction; **de bon —** intelligent
**sensationnel, -le** sensational
**sensé, -e** sensible
**sensément** sensibly, rationally
**sensible** sensitive, keen, painful, deep, noticeable
**sentier** *m.* path
**sentiment** *m.* sentiment, feeling, sensation, expression, perception, realization, consciousness
**sentinelle** *f.* sentinel
**sentir** to feel, perceive, realize, sense; smell, smell of, savor *or* smack of; **ne pas — la rose** stink; **se —** feel, be; feel oneself, feel oneself to be, feel oneself to have; **ne pas se — de joie** be overjoyed *or* enraptured
**seoir** to become, suit, befit

**séparer** to separate; **se —** separate, be separated, part, part company
**sept** seven
**septembre** *m.* September
**septentrional, –e** northern
**septième** seventh
**ser-a, –ai, –as, –ez, –ons, –ont** *fut. of* **être**
**serai-ent, –s, –t** *cond. of* **être**
**serein, –e** serene, calm, happy, blissful
**sérénité** *f.* calmness, placidness, composure
**serez** *fut. of* **être**
**série** *f.* series
**sérieusement** seriously, gravely
**sérieu-x, –se** *adj.* serious, meant in earnest
**sérieux** *m.* seriousness, gravity; **au —** seriously
**seriez** *cond. of* **être**
**serment** *m.* oath
**seron-s, –t** *fut. of* **être**
**serpe** *f.* pruning hook
**serrer** to squeeze, grip, bind, tighten, press together; grit (*one's teeth*); shake (*one's hand*); **se — la main** shake hands
**serrure** *f.* lock
**sert** *pres. ind. of* **servir**
**servante** *f.* servant, maidservant
**service** *m.* service, duty, military service; **de —** on duty; **reprendre du —** to re-enlist
**servir** to serve, be of use, attend; give, hand out; **se — de** use, make use of
**serviteur** *m.* servant
**ses** his, her, its
**seuil** *m.* threshold, sill
**seul, –e** alone, by itself *or* oneself; sole, single, only; mere
**seulement** only, merely, even, just
**sévère** severe, rigid, strict, austere, stern, forbidding
**sévèrement** severely
**Séville** *f.* Seville (*city in southern Spain*)
**Shakespeare, William** (1564-1616) *famous English dramatist*
**si** *adv.* so, such; yes
**si** *conj.* if, whether
**Sicile** *f.* Sicily
**siècle** *m.* century, age
**sied** *pres. ind. of* **seoir**
**siège** *m.* seat, driver's seat
**sien, –ne** his, his own, hers, her own; **les —s** one's own folks, one's own followers
**sierra** *f.* (*Span.*) chain of mountains
**sieur** *m.* Mr., sire
**sifflant, –e** whistling, hissing
**siffler** to whistle, hiss, howl
**signalement** *m.* description
**signe** *m.* sign, mark, indication, motion, signal, gesture
**signer** to sign, attach one's name to a statement; **se —** cross oneself, make the sign of the cross
**signifier** to signify, mean; serve notice of, serve
**silencieu-x, –se** silent
**silhouette** *f.* outline, profile, shadow
**sillon** *m.* furrow, ridge, streak, line
**simplement** simply, merely
**simplicité** *f.* simplicity
**singe** *m.* monkey
**singuli-er, –ère** singular, peculiar, curious, exceptional
**sinon** if not, otherwise
**sinuosité** *f.* sinuosity, winding, curve
**Sire** *m.* sire, lord, your majesty
**Sirien** *m.* inhabitant of Sirius
**sitôt que** as soon as, the moment that
**situé, –e** situated, located
**sixième** sixth
**société** *f.* society, company, social gathering *or* function
**sœur** *f.* sister
**soi** oneself; **chez —** at home, in one's home
**soie** *f.* silk
**soient** *pres. subj. of* **être**
**soif** *f.* thirst; **avoir —** to be thirsty
**soigner** to take care of, treat, nurse
**soin** *m.* care, attention, concern; **avoir — de** (+ *inf.*) to take care to
**soir** *m.* evening; **le —** in *or* during the evening; at night
**soirée** *f.* evening
**sois** *impv. of* **être**
**soi-s, –t** *pres. subj. of* **être**
**soit** *adv.* so be it, very well; whether; **— . . . —** either . . . or
**soixante** sixty
**soixante-quinze** seventy-five

**soixante-trois** sixty-three
**soldat** *m.* soldier
**solde** *f.* pay; **demi-** — half-pay
**soleil** *m.* sun, sunlight, sunshine; monstrance; **coucher du** — sunset
**solennellement** solemnly
**solide** solid, strong, firm, steady, sound
**solitaire** solitary, lonely, isolated
**solliciteur** *m.* person seeking assistance, petitioner, applicant, client
**sombre** gloomy, melancholy, dark
**somme** *f.* sum, amount; epitome, compendium; **en** — all in all, all things considered, in short, after all
**sommeiller** to slumber, doze
**sommet** *m.* summit, top
**somptueu-x, -se** sumptuous, magnificent
**son, sa, ses** *poss. adj.* his, her, its
**son** *m.* sound
**sonder** to sound, probe, feel out, test out, examine, explore; — **le terrain** see how matters stand
**songe** *m.* dream
**songer** to dream, think, reflect, consider
**sonner** to ring, sound, resound, strike
**sonnerie** *f.* ringing, ring
**sorbet** *m.* sherbet
**sorcier** *m.* sorcerer, magician
**sorcière** *f.* sorceress
**sort** *m.* fate, lot, destiny; condition, state
**sorte** *f.* sort, kind, form, species, manner, way, degree; **d'autre** — differently; **de la** — thus, in this way, in such a manner, like that; **de — que** so that, with the result that; **en — que** so that
**sortie** *f.* exit, leaving, departure; **dans un mouvement de** — as if leaving
**sortilège** *m.* miracle, sorcery, witchcraft
**sortir** *m.* leaving, quitting; **au — de** on emerging from, immediately after
**sortir** to leave, go out, get out, come out, stick out, protrude; — **en coup de vent** sail out, breeze out
**sot** *m.* fool, simpleton
**sottise** *f.* folly, foolish act; stupidity, nonsense
**sou** *m.* cent; **sans — ni maille** without a cent to one's name, penniless
**souche** *f.* stump
**souci** *m.* anxiety, care, concern, trouble, worry
**soudain, -e** suddenly, unexpected, spontaneous; *as adv.* suddenly
**souffert, -e** *past part. of* **souffrir**
**souffler** to blow, breathe, pant, whisper, prompt
**soufflet** *m.* slap in the face
**souffrance** *f.* suffering, pain
**souffrir** to suffer, endure, tolerate, permit, allow
**souhaiter** to desire, hope, hope for, wish, wish for
**soûl** *m.* fill; **tout son** — to the point of satiation, to one's heart's content
**soulagement** *m.* relief, alleviation, comfort
**soulager** to relieve, solace
**soulever** to raise, rouse, turn
**soulier** *m.* shoe
**soumettre** to submit, subject
**soumis, -e** submissive
**soupçon** *m.* suspicion
**soupçonner** to suspect
**soupe: trempé comme une** — soaked to the skin, soaking wet
**souper** *m.* supper
**soupière** *f.* soup tureen
**soupir** *m.* sigh
**soupirer** to sigh; — **après** long for
**sourcil** *m.* brow, eyebrow
**sourd, -e** dull, heavy, muffled, hollow
**sourire** *m.* smile
**sourire** to smile
**souris** *f.* mouse
**sous** under, beneath, in
**souscrire** to sign, endorse
**sous-seing** *m.* private deed, signed declaration
**soussigné, -e** undersigned
**soustraire** to withdraw, remove, shelter; **se** — exempt oneself
**soutenir** to support, hold, sustain, maintain, uphold, assert
**soutien** *m.* support
**soutint** *past def. of* **soutenir**
**souvenir** *m.* memory, recollection, remembrance
**souvenir (se)** to remember
**souvent** often, frequently
**souverain** *m.* sovereign
**souverainement** supremely, absolutely

**souvins** *past def. of* **souvenir**
**soyez** *impv. of* **être**
**spécialement** especially, particularly
**spectacle** *m.* spectacle, performance, play, show, theater, sight
**spectateur** *m.* spectator
**spéculateur** *m.* speculator
**spéculer** to speculate
**station** *f.* halt; **faire deux —s** to stop at two different points to sight an object through an instrument
**statisticien** *m.* statistician
**stérile** sterile, useless
**stipuler** to stipulate
**stoïcisme** *m.* stoicism
**Strasbourg** *m.* Strasburg (*city in northeastern France, former capital of Alsace*)
**stupéfait, –e** astonished, dumbfounded, amazed
**stupeur** *f.* astonishment, bewilderment
**stupide** stupid, foolish, dull
**stupidité** *f.* stupidity
**Stuttgart** *m. German city in Würtemberg*
**su, –e** *past part. of* **savoir**
**suavité** *f.* sweetness, serenity, softness
**subitement** suddenly, unexpectedly
**sublimité** *f.* sublimity, great beauty
**subrepticement** surreptitiously, by some devious way
**subsister** to subsist, maintain itself, endure, last, live
**substance** *f.* substance, contents
**substantiel, –le** substantial
**subtil, –e** subtle
**succès** *m.* success; result
**succession** *f.* estate, inheritance
**successivement** successively, in succession, in turn
**succinctement** briefly, concisely
**succomber** to succumb, be beaten, lose (*a lawsuit*)
**sucré, –e** sugared, sweetened
**sucrer** to sweeten
**sud** *m.* south
**suée** *f.* sweat, sweating
**suer** to sweat; **faire —** (*coll.*) make sick, give a pain to
**suffire** to suffice, be enough *or* sufficient; **suffit** enough
**suffoqué, –e** choking with rage
**suffrage** *m.* vote
**suggérer** to suggest
**suicider (se)** to commit suicide, kill oneself
**suite** *f.* series, set, succession; sequel, consequence; continuation, continuity; **à la — de** behind, following; **avoir de la —** to be persistent *or* consistent; **tout de —** immediately, right away
**suivant, –e** *adj.* following, ensuing, next
**suivant** *prep.* according to, in conformity with
**suivre** to follow, continue
**sujet** *m.* subject, reason
**superbe** superb, splendid, elegant, wonderful, fine, magnificent
**superbement** elegantly
**supercherie** *f.* trick, hoax, fraud
**superficiel, –le** superficial
**supérieur, –e** superior, upper, above
**supériorité** *f.* superiority
**suppliant, –e** imploring, beseeching, entreating
**supplice** *m.* punishment, torture, agony
**supplier** to beg, entreat
**supporter** to endure, bear
**supposer** to suppose, imagine, assume
**supprimer** to suppress, exclude, abolish
**supputer** to calculate, compute
**suprême** supreme, last, final
**sur** *prep.* on, upon, over, above, by, to, from, about, concerning, toward, against, out of, in return for, according to; **— mes vieux jours** when I grow old
**sûr, –e** *adj.* sure, certain, reliable, dependable, safe; **— de mon fait** sure of my ground, certain of what I suspected
**sûreté** *f.* security, safety; **agent de la S—** detective
**sur-le-champ** immediately
**surnaturel, –le** supernatural
**surnommer** to nickname
**surprenant, –e** surprising, astonishing, unusual, extreme
**surprendre** to surprise, astonish; catch; **se —** catch oneself, find oneself
**surpris, –e** surprised, astonished; caught
**surprit** *past def. of* **surprendre**

**surtout** particularly, especially, above all
**survenir** to happen, occur, come unexpectedly
**su-s, –t** *past def. of* **savoir**
**suspect, –e** suspicious
**Swammerdam, Jan** (1637-1680) *Dutch naturalist*
**Sycorax** *mother of the deformed slave Caliban in Shakespeare's* The Tempest
**syllabe** *f.* syllable
**sympathie** *f.* sympathy
**symptôme** *m.* symptom, indication
**système** *m.* system, school of thought; **par —** systematically

## T

**ta** your
**tabac** *m.* tobacco
**tableau** *m.* scene, picture
**tâcher** to try, endeavor
**taie** *f.* film
**taille** *f.* size, waist, stature, height, figure
**tailler** to cut, trim, cut out
**tailleur** *m.* tailor
**taire (se)** to keep quiet, be silent, quiet down
**talon** *m.* heel
**tambour** *m.* drum; **— de basque** tambourine
**tandis que** while, whereas
**tanné, –e** tanned
**tant** so much, so many, so greatly, so, such; **— mieux** so much the better; **— que** as long as; **— . . . que** both . . . and; **si — est que** if it is possible *or* true that, supposing that
**tante** *f.* aunt
**tantôt** presently, soon; **— . . . —** now . . . then, in turn
**tapisserie** *f.* tapestry, hangings
**tard** late; **plus —** later, subsequently
**tarder** to delay, be long
**tardi-f, –ve** late
**Tarifa** *f. Spanish port west of Gibraltar*
**tarir (se)** to dry up, be exhausted
**tas** *m.* heap, pile
**tâter** to feel
**taupinière** *f.* molehill
**taureau** *m.* bull; **courses de —x** bullfights
**te** you, to you, for you
**teint** *m.* complexion, color
**tel, –le** such, such a; like, just like; (a) certain, such and such
**tellement** so, to such an extent; so hard
**téméraire** bold, rash
**témérité** *f.* rashness, boldness, temerity
**témoigner** to show, display, give evidence of; offer testimony, act as a witness, testify
**témoin** *m.* witness, spectator; **sans —** alone, privately
**tempe** *f.* temple
**tempérament** *m.* temperament, disposition
**tempête** *f.* storm
**tempêter** to storm, rage, bluster, fume
**temple** *m.* Protestant church
**temps** *m.* time, period of time, term; pause; weather conditions; **de — en —** from time to time; **en peu de —** in a short while, before long; **les premiers —** in the early days
**tenante: séance —** forthwith, immediately
**tendre** *adj.* tender, affectionate, mild, gentle
**tendre** to extend, offer, stretch out, hand; set (*a trap*)
**tendrement** tenderly, affectionately, fondly
**tendresse** *f.* tenderness, affection, caress
**tenez** look here
**tenir** to hold, grasp, contain, get, have, keep; **tiens** *or* **tenez** why, well, my, look, look here; **— à** (+ *noun*) care for, be fond of; insist on, cling to; **— bon** hold fast, hold out; **— ce langage** speak thus; **— parole** keep one's word; **se —** remain, keep, stay, hold oneself, stand; **se — debout** stand up, stand erect
**tente** *f.* tent
**tenter** to try, attempt; tempt
**terme** *m.* term, expression; limit, end; rent
**terminer (se)** to end
**ternir** to tarnish, dim, dull
**terrain** *m.* ground, field, field of battle; **sonder le —** to see how matters stand

**terrasser** to throw to the ground, strike down, fell
**terrassier** *m.* excavator, ditch digger
**terre** *f.* earth, land, ground, dirt, clay; **à —** on the ground, down; **par —** on the floor *or* ground, down; **par toute la —** all over the earth
**terrestre** terrestrial, of the land
**terreur** *f.* terror, fright, dread
**terrine** *f.* earthenware bowl
**tes** your
**testament** *m.* will
**tête** *f.* head; mind, intellect, brain; **à — reposée** calmly, cooly, deliberately; **avoir la — ouverte** to have a fractured skull; **des pieds à la —** from head to foot; **faire passer sur sa —** to cause to fall *or* be conferred upon him, inherit; **mal de —** headache
**tetter** to suck, be at the breast of
**texte** *m.* text
**thaler** *m. old German coin*
**théâtral, –e** theatrical, of the theater
**théâtre** *m.* theater
**thème** *m.* theme, exercise, composition, translation
**théorie** *f.* theory, speculation
**Thessalie** *f.* Thessaly
**tien, –ne** your; **le —, la —ne** yours; **un des —s** one of your family
**tien-nent, –s, –t** *pres. ind. of* **tenir**
**tiens** why, well, my, look, look here
**tiers** *m.* third
**tige** *f.* stem
**tigre** *m.* tiger
**timbre** *m.* stamp
**timide** timid, shy, hesitant
**tin-s, –t** *past def. of* **tenir**
**tinter** to tinkle, ring
**Tircis** *conventional pastoral lover in classical and Renaissance poetry*
**tirer** to draw, pull, extract, take out, derive, obtain; unsheathe; ring (*a bell*); fire (*a shot*); **— au cordeau** lay out by rule and line; **se — d'affaire** get out of a difficulty, manage, get along
**tiroir** *m.* drawer
**tissu** *m.* web, fabric, cloth
**titre** *m.* title, honor, rank, degree
**toc** there, take that
**toi** you; **un chez —** a home
**toile** *f.* cloth, canvas
**toilette** *f.* dress, clothes, costume
**toise** *f.* six feet, two yards, fathom
**toison** *f.* fleece
**toit** *m.* roof; **— à cochons** pig-sty, pig-pen
**tolérable** bearable, endurable
**tolérer** to tolerate, endure
**tombeau** *m.* tomb, grave
**tomber** to fall, drop down; **— en enfance** become childish; **— sur le nez** fall on one's face
**tome** *m.* volume
**ton, ta, tes** *poss. adj.* your
**ton** *m.* tone, accent, tone of voice
**tonneau** *m.* cask, barrel
**tonner** to thunder
**tonnerre** *m.* thunder; **de —** thundering, exceedingly loud; **mille —s** damnation
**tordre** to twist, wring
**tort** *m.* wrong; **à — et à travers** at random, thoughtlessly; **avoir —** to be *or* do wrong, be in the wrong; **dans mon —** wrong, in the wrong; **faire — à** to offend
**tôt** early, soon; **le plus — possible** as soon as possible; **plus —** sooner, earlier
**totalement** totally, completely
**touchant, –e** touching, moving, impressive
**toucher** to touch, affect, concern, interest; cash *or* collect *or* receive (*money*)
**toujours** always, still, ever, again, just the same, nevertheless, also; **va —** go ahead
**tour** *m.* turn, circumference, round, compass; trick, feat, frolic, prank; form; **— à —** in turn, in succession, alternately; **— d'esprit** turn of mind, disposition
**tourbillon** *m.* whirlwind, whirlpool
**tourmenter** to torment, annoy, bother, disturb, trouble
**tournant** *m.* turn, turning, bend
**tourner** to turn, revolve, swirl, go around, shape, express, turn (into); **se —** turn, turn to one side
**tournoyer** to whirl, spin, wheel around
**tournure** *f.* shape, appearance, form, figure

**tous** *pl. of* **tout**
**tousser** to cough
**tout, -e** *adj.* all, every, full, complete; any; **tous deux** both; **tous les deux** both; **tous les dix jours** every ten days; **tous les jours** every day, daily; — **le jour** all day long; — **le monde** everybody; **en — cas** at any rate, in any case, anyway, at least
**tout** *adv.* whole, quite, very, entirely, just, exactly; — **à coup** suddenly; — **à fait** entirely, completely, altogether, quite, exceedingly; — **à l'heure** presently, in a moment; just now, a short while ago; — **au moins** at the very least; — **d'abord** at the very outset; — **de nouveau** all over again; — **de suite** immediately, right away; — **d'un coup** suddenly, all of a sudden; — **ensemble** at the same time; — **entier** completely, entirely; — **haut** aloud, out loud; **pour — de bon** in real earnest, really, deeply
**tout** *m.* anything, everything, everything else; **du —** not at all; **pas du —** not at all; **point du —** not at all; **rien du —** nothing, nothing at all; **un rien du —** a good-for-nothing, a worthless fellow
**toutefois** however, nevertheless, yet
**tracasserie** *f.* bickering, trickery, chicanery
**tracer** to trace, outline, draw
**traduction** *f.* translation
**traduire** to translate; indict, arraign
**trahir** to betray, reveal; **se —** be betrayed *or* revealed
**trahison** *f.* treason, breach of faith, betrayal
**train** *m.* train; way, style, manner; **en — de** in the act of
**traînant, -e drawling**
**traîner** to drag, draw out, protract; — **en longueur** drag along endlessly
**trait** *m.* dart, arrow, bolt; mark, stroke; character, feature
**traiter** to treat, deal with *or* in; — **de** call, name, treat as
**traîtresse** *f.* traitress, "double-crossing" woman
**trancher** to settle, decide
**tranquille** calm, peaceful, quiet, undisturbed, at ease; **laisser —** to let alone, not disturb
**tranquillement** calmly, quietly
**tranquillité** *f.* tranquillity, peace, quiet
**transaction** *f.* compromise, agreement
**transformer** to transform, convert
**transiger** to come to terms, compromise
**transmettre** to transmit, convey, hand down
**transmis, -e** *past part. of* **transmettre**
**transparence** *f.* transparency
**transpiration** *f.* perspiration, sweat
**transport** *m.* rapture, ecstasy, joy, ardor, enthusiasm
**transporter** to transport, carry, convey, transfer, carry away
**travail** *m.* work
**travailler** to work
**travers** *m.* breadth; **à tort et à —** at random, thoughtlessly; **à —** through; **au — de** through; **en —** crosswise
**traversée** *f.* crossing, trip
**traverser** to traverse, cross, pass through, go through
**treize** thirteen
**tremblant, -e** trembling, quavering
**tremblement** *m.* trembling, trill, vibration
**trembler** to tremble, shake
**trémie** *f.* hollow space in floor for the hearth
**trempe** *f.* temper, character, cast
**trempé, -e** soaked, drenched; — **comme une soupe** soaked to the skin, soaking wet
**tremper** to dip, immerse, be immersed, soak, drench
**trente** thirty
**trente-deux** thirty-two
**trente-sept** thirty-seven
**trente-six** thirty-six
**trépas** *m.* death
**trépasser** to die, depart this life
**très** very, very much; quite
**trésor** *m.* treasure
**tressaillir** to start, thrill, tremble
**trêve** *f.* truce, respite
**Triana** *f. suburb of Seville inhabited almost exclusively by the lower classes*
**triangulaire** triangular
**tribunal** *m.* court, court of justice

**tricher** to cheat, play unfairly
**trinquer** to touch glasses, toast
**triomphant, –e** triumphant, in triumph, triumphantly
**triompher** to triumph, be triumphant, exult, gloat
**triste** sad, melancholy, dismal, gloomy
**tristement** sadly, gloomily, dismally
**tristesse** *f.* sadness, gloominess
**trois** three
**troisième** third
**trombe** *f.* waterspout
**tromper** to deceive, cheat, defraud; **se —** make a mistake, be mistaken
**tromperie** *f.* deception, fraud
**trompette** *f.* trumpet; **— parlante** megaphone
**trop** too much, too many, too well, too, all too, altogether too; **par —** really too, entirely too
**trotter** to trot
**trou** *m.* hole
**trouble** *adj.* dull, dim
**trouble** *m.* agitation, uneasiness, emotion, anxiety, disturbance
**troubler** to trouble, disturb, agitate, excite, upset
**troué, –e** full of holes
**troupe** *f.* troop, company; soldiers
**troupeau** *m.* flock, herd, drove
**troupier** *m.* trooper
**trousses** *f. pl.* breeches; **à nos —** at our heels, pursuing us
**trouvé, –e** found, discovered; **hospice des Enfants —s** foundling asylum
**trouver** to find, locate, discover; esteem, think, consider; manage, succeed; think up; estimate; **— bon** approve, allow, not mind; **se —** find oneself, be found *or* located, be, occur; **se — bien** like it, be satisfied; **se — être** turn out to be, happen to be
**tu** you
**tuer** to kill, slay, destroy
**tumultueu-x, –se** tumultuous, noisy
**tur-c, –que** *adj.* Turkish
**Turc** *m.* Turk; **Grand —** Sultan
**turon** *m.* (*Span.*) nougat
**tutelle** *f.* tutelage, protection, guardianship
**tuteur** *m.* guardian
**tuyau** *m.* pipe, tube
**tyran** *m.* tyrant, despot

## U

**un, –e** one, a, an; **—e fois** once; **l'— et l'autre** both, each one; **ni l'— ni l'autre** neither
**uniforme** *m.* uniform; **capote d'—** soldier's overcoat, military overcoat
**unique** unsurpassed, without an equal; sole, only
**uniquement** solely, completely, entirely
**unir** to unite, attach, join; **s'—** be united *or* joined
**unisson** *m.* unison; **à mon —** together with me
**univers** *m.* universe, world
**universel, –le** universal
**usage** *m.* use, usage, custom, habit; **à l'— de** for the use of; **d'—** customary, usual; **en — chez** habitually used by
**user** to wear out; **— de** use, make use of, take advantage of; **en —** act, behave
**utile** useful, advantageous
**utopique** utopian, idealistic, visionary

## V

**va** *impv. & pres. ind. of* **aller**
**vacarme** *m.* tumult, uproar, din
**vache** *f.* cow
**vacherie** *f.* cow-stable
**vagabond** *m.* vagabond, vagrant
**vague** *f.* wave
**vaguement** vaguely
**vain, –e** vain, useless, futile
**vaincre** to conquer, overcome
**vaincu, –e** conquered
**vainqueur** *m.* victor, winner; *as adj.* victorious, triumphant
**vairon** odd-eyed, of different color
**vais** *pres. ind. of* **aller**
**vaisseau** *m.* vessel, ship
**vaisselle** *f.* chinaware, dishes
**val** *m.* valley, dale; **par monts et par vaux** up hill and down dale
**valable** valid, acceptable
**valencien, –ne** Valencian, of Valencia

**valet** *m.* valet; — **de chambre** valet, manservant
**valeur** *f.* value, price; article of value; *pl.* property, articles *or* papers of value; **sans —** worthless
**valise** *f.* traveling bag, suitcase
**vallée** *f.* valley
**valoir** to be worth; afford, procure; yield, obtain; match; **autant vaudrait** one might as well; — **la peine** be worth while, be worth the trouble; **mieux —** be better, be preferable, be worth more
**valse** *f.* waltz
**vanité** *f.* vanity
**vanner** to winnow
**vanneur** *m.* winnower
**vanter** to boast; **se —** boast
**Varennes: rue de —** *street in south-central Paris*
**varier** to vary
**variété** *f.* variety, versatility
**vas** *pres. ind. of* **aller**
**vaste** vast, large, enormous, spacious, extensive, expansive
**vaudra** *fut. of* **valoir**
**vaudrait** *cond. of* **valoir**
**vaut** *pres. ind. of* **valoir**
**vaux** *pl. of* **val**
**vécu, -e** *past part. of* **vivre**
**Véger** *m.* Veger de la Frontera (*village northwest of Gibraltar*)
**veille** *f.* previous evening, day before
**veiller** to watch, keep watch (over)
**velours** *m.* velvet, plush
**velu, -e** hairy, shaggy
**Vendôme: la place —** *square in central Paris noted for its column on the top of which is a statue of Napoleon*
**vendre** to sell
**vendredi** *m.* Friday
**vénérable** venerable
**venger** to avenge; **se —** avenge oneself, get revenge
**venir** to come, arrive, occur, be caused, be the result; — **à** (+ *inf.*) happen to; — **de** (+ *inf.*) have just; **à —** future; **en — aux mains** come to blows; **faire —** send for, summon; **voici —** here comes *or* come, here is *or* are
**Venise** *f.* Venice (*Italian city on the Adriatic Sea*)
**vent** *m.* wind; **coup de —** gust of wind; **moulin à —** windmill; **sortir en coup de —** to sail out, breeze out
**venta** *f.* (*Span.*) wayside inn
**venter** to be windy, blow
**ventre** *m.* womb; belly
**venue: allée et —** walking back and forth
**vêprée** *f.* evening
**véracité** *f.* veracity, truthfulness
**vérifier** to verify, check
**véritable** real, true
**véritablement** really, truly
**vérité** *f.* truth; **à la —** in truth
**vermeil** *m.* silver gilt, plating of gold on brass
**vermeillet, -te** rosy, red
**verr-a, -as** *fut. of* **voir**
**verraient** *cond. of* **voir**
**verre** *m.* glass, lens
**verron-s, -t** *fut. of* **voir**
**verrou** *m.* bolt
**vers** *prep.* toward, to, about
**vers** *m.* verse, line of poetry; *pl.* **poetry**
**vert, -e** green; hot, lively; sharp, vigorous, robust
**vertige** *m.* vertigo, dizziness, giddiness
**vertigineu-x, -se** vertiginous, giddy, dizzy; — **d'ânerie** unbelievably stupid
**vertu** *f.* virtue; power, strength
**veste** *f.* jacket
**vestige** *m.* trace, remnant
**vêtement** *m.* garment, clothes, clothing
**vétillard** *m.* hair-splitter, stickler over trifles
**vêtir** to clothe, dress
**vêtu, -e** dressed, clad
**veuille** *pres. subj. of* **vouloir**
**veuillez** kindly, please
**veu-lent, -t, -x** *pres. ind. of* **vouloir**
**veuve** *f.* widow
**vexer** to vex, annoy, provoke
**viag-er, -ère** life, for life; **rente —ère** annuity
**viande** *f.* meat, food
**vibrer** to vibrate, quiver
**victime** *f.* victim, sufferer
**victoire** *f.* victory
**vide** *adj.* empty, vacant

**vide** *m.* empty space, emptiness
**vie** *f.* life, living, livelihood, lifetime; manner of living; **à la — à la mort** in life and death; **jamais de la —** not on your life, I should say not
**vieillard** *m.* old man, elderly gentleman
**vieille** *adj. see* **vieux**
**vieille** *f.* old woman
**vieillesse** *f.* old age; **hospice de la V—** old men's home
**vieillir** to grow old, age
**viendr-a, –as, –ez, –ont** *fut. of* **venir**
**viennent** *pres. ind. of* **venir**
**viens** *impv. & pres. ind. of* **venir**
**vient** *pres. ind. of* **venir**
**vierge** *f.* virgin
**vieux** *or* **vieil, vieille** *adj.* old, aged, ancient; **faire de — os** to reach old age, live to be old; **sur mes — jours** when I grow old
**vieux** *m.* old man; **mon —** my dear fellow, old chap
**vi-f, –ve** violent, brutal; keen, acute, severe, intense, deeply felt
**vigne** *f.* vine, grape-vine
**vigoureu-x, –se** vigorous, strong
**vilain, –e** ugly, mean, nasty
**ville** *f.* city, town
**vin** *m.* wine
**vingt** twenty
**vingt-cinq** twenty-five
**vingtième** twentieth
**vingt-quatre** twenty-four
**vingt-un** = **vingt-et-un** twenty-one
**vinrent** *past def. of* **venir**
**vinss-ent, –iez** *imp. subj. of* **venir**
**vint** *past def. of* **venir**
**vînt** *imp. subj. of* **venir**
**violemment** violently
**violette** *f.* violet
**violon** *m.* violin
**Virgile** Vergil (70-19 B.C.) *illustrious Latin poet*
**vis** *past def. of* **voir**
**visage** *m.* face, countenance; **mettre un — dessus** to associate a face with it, place him
**viser** to aim at
**visière** *f.* visor, hat-brim
**visite** *f.* visit
**visiter** to visit, inspect
**vit** *past def. of* **voir**
**vit** *pres. ind. of* **vivre**
**vite** quick, quickly, rapidly; **faire —** to be quick, lose no time
**vivant, –e** *adj.* living, live, alive
**vivant** *m.* living person
**vive** long live, hurrah for
**vivement** rigorously, intensely, deeply; quickly, sharply, strongly, urgently
**vivre** to live; **vive** long live, hurrah for
**vli vlan** slish slash, slap bang
**vociférer** to vociferate, exclaim
**voici** here is *or* are; **— venir** here comes *or* come, here is *or* are
**voie** *f.* way, road
**voilà** there is *or* are, that is; **— qu'arrive** up comes; **en — du mystère** why all the secrecy
**voile** *f.* sail; **faire —** to sail
**voile** *m.* veil
**voir** to see; **voyons** let us see, well, come now, look here, see here; **faire peine à —** be painful to see; **faire —** demonstrate, show, reveal, make evident; **laisser —** expose, reveal; **qu'as-tu à y —** what business is it of yours
**voisin, –e** *adj.* adjacent, neighboring, near
**voisin** *m.* neighbor
**voiture** *f.* carriage, cab, car; wagon, cart; vehicle, automobile
**voix** *f.* voice, speech, sound, vowel sound; **à — basse** in a low voice, in an undertone *or* whisper; **à haute —** *or* **à — haute** aloud, in a loud voice; **avoir de la —** to express oneself verbally; **filet de —** thin voice
**vol** *m.* theft, robbery
**volée** *f.* flock, troop, group
**voler** to steal, rob, cheat; fly; break (*into bits*)
**volet** *m.* blind, shutter
**voleur** *m.* thief, robber
**volontairement** intentionally, deliberately
**volonté** *f.* will, wish, desire; **de bonne —** voluntarily, willingly
**volontiers** willingly, gladly, readily; apt to
**voltiger** to hover, flit
**voltigeur** *m.* light infantryman
**volupté** *f.* delight, rapture

**vont** *pres. ind. of* **aller**
**vos** your
**votre** your
**vôtre** yours
**voudr-a, –as, –ez** *fut. of* **vouloir**
**voudr-aient, –ais, –ait, –iez** *cond. of* **vouloir**
**vouloir** to wish, will, be willing, agree to; decide, determine; expect, intend; try, endeavor, attempt; stipulate, decree; maintain; (*in negative*) refuse; **le hasard voulut** it happened by chance; **si l'on veut** possibly, I suppose; **veuillez** kindly, please; — **bien** be willing, consent, (to) kindly . . . ; grant, concede; — **dire** mean, indicate, signify; — **du mal à** be angry with, bear ill will; — **parler** mean; **en — à** be angry with, bear ill-will toward, have a grudge against
**vous** you, to you; — **–même** yourself
**voûté, –e** arched, bent, stoop-shouldered
**voyage** *m.* voyage, trip, journey; **compagnon de —** traveling companion; **de —** traveling
**voyager** to travel
**voyageur** *m.* traveler, passenger
**voyelle** *f.* vowel
**voyons** let us see, well, come now, look here, see here
**vrai, –e** true, real, sincere, really good, regular; **dire —** to tell the truth
**vraiment** really, truly, indeed
**vraisemblable** likely, probable
**vu, –e** *past part. of* **voir**; — **que** seeing that, in view of the fact that
**vue** *f.* view, sight; **en — de** with a view to; **perdre de —** to lose sight of
**vulgaire** vulgar, coarse, unrefined

## Y

**y** there, here, in it, on it, at it, to it, of it; — **compris** including; **ça — est** that's right, that's fine; **il — a** there is *or* are; ago; **il — avait** *or* **il — a eu** *or* **il — eut** there was *or* were
**yema** *f.* (*Span.*) sugared egg-yolk
**yeux** *pl. of* **œil**

## Z

**Zacatin** *m. poor quarter in Granada*
**Zoé** Zoe